FRIEDRICH DÜRRENMATT

THEATER-SCHRIFTEN UND REDEN

Dürrenmatt

FRIEDRICH DÜRRENMATT

THEATER-SCHRIFTEN UND

REDEN

IM VERLAG DER ARCHE ZÜRICH

HERAUSGEGEBEN VON ELISABETH BROCK-SULZER
Umschlaggestaltung von Hans Bächer

ONULP

INHALT

An Stelle eines Nachwortes

Anhang

« Wer sich nicht widerspricht,
den wird man nie wieder lesen. »

DÜRRENMATT

Lange Zeit hindurch hatte der Theoretiker Dürrenmatt sich fast nur durch den schmalen Band der «Theaterprobleme» Beachtung errungen und auch das nur beschränkt, gab es doch nicht wenige Theatermenschen, Regisseure, Schauspieler, die trotz kluger Bemühung um das dramatische Werk Dürrenmatts diese seine Bemerkungen zum Theater überhaupt und zu seinem Theater im besonderen nicht kannten. Das ist kennzeichnend. Denn die Bezeichnung Dürrenmatts als ein Theoretiker scheint in sich paradox. Zwar hat er sich in seinen Universitätsjahren auf seine recht unorthodoxe Weise leidenschaftlich um Philosophie, Physik, Astronomie, Literatur theoretisch bemüht – aber das waren Lehrjahre. Als er zu schreiben begann und im Schreiben seine eigentliche Aufgabe erkannte, wurde dieses sein Handwerk zu einem echten Handwerk, das vor allem praktische Probleme stellte. Und als immer mehr das Theater zum Kern seines Schaffens wurde, wurde auch die Grundform des Theaters, der Dialog, zum Vehikel seiner allfälligen theoretischen Äußerungen. Die «Theaterprobleme» sind ein erweiterter Vortrag, also ein Gespräch mit einem Publikum, also ursprünglich gesprochenes Wort.

Die allermeisten Beiträge der hier gesammelten theoretischen Prosa Dürrenmatts sind ursprünglich gesprochenes Wort, Vorträge vor allem, aber dann auch Zeitungsartikel, die Antwort, Reaktion sind, Teile eines imaginierten Dialogs. Mag Dürrenmatt für seine Dramen behaupten, er schreibe zunächst einmal ins Blaue hinein, mag das in hohem Maße auch für seine frühe Prosa stimmen, mag er also hier sozusagen Bilder in den leeren Raum hinein entwerfen – seine theoretischen Äußerungen sind immer in einem sehr engen Sinn bezogen auf ein Gegenüber: Publikum, erlebtes Buch, erlebte Theateraufführung, erlebten

Angriff, erlebte Zeit. Immer spricht ein Antwortender, der durch seine Antwort zum Partner wird – oft zu einem überlegenen Partner, der aber seine Überlegenheit erst im Akt des Antwortens jeweils neu erwirbt.

Daß diese Schriften Dürrenmatts immer in der Grundform gesprochenes Wort sind, stellte das Hauptproblem bei ihrer Herausgabe in Buchform. Die Auswahl war leicht zu treffen – nur ganz weniges wurde hier nicht abgedruckt und erst noch mit einigem schlechten Gewissen weggelassen. Schließlich ist es nicht unwesentlich, daß Dürrenmatt ein starkes Verhältnis zu Bach und Schütz hat – nur ist das, was er gelegentlich einmal darüber öffentlich geäußert hat, sehr zurückhaltend, Ausdruck eines Menschen, der sich hier mehr nur als Zaungast fühlt und im Hintergrund bleiben möchte. Das Hauptproblem war die Frage, wie weit man dieser Prosa den gesprochenen Charakter belassen dürfe. Das begann schon bei der Interpunktion. Dürrenmatt neigt im Grunde zu jener Interpunktion, die im Französischen vorherrscht, einer Interpunktion, die nicht logische, sondern rhetorische Zeichen setzt. Wo der Sprechende keine Pause macht, macht der das Gesprochene Aufschreibende kein trennendes Satzzeichen. Oft zeigte es sich, daß Sätze, die zunächst undurchsichtig schienen, sich sofort erhellten, wenn man sie sprach. Ähnliches kann man ja auch bei Karl Kraus erleben, der, richtig vorgelesen, viel von seiner Schwierigkeit verliert. Noch stärker aber – und hier kann Kraus nicht mehr als Parallelfall herangezogen werden – zeigt sich der Sprechcharakter von Dürrenmatts Prosa in seiner starken Neigung zur Gleichordnung der Sätze. Das ist freilich ein durchgehender Zug heutigen Stils: wir werden immer unwilliger [und damit auch unfähiger] zu der vielschichtigen Syntax, wir schreiben flächiger, verlieren die Kunst der gestaffelten Ordnung. Wer trotzdem noch einen langen Atem hat – Dürrenmatt gehört dazu –, der schreibt lange Girlanden von Sätzen. Prosa, die sich nicht schon im Entstehen hört, Prosa, die kein Gegenüber imaginiert, kann sich noch eher in einer mehrdimensionalen Syntax verwirklichen. Die Sprache der Einsamen vertropft entweder in lange Pausen hinein, wird Dialog zwischen dem Schweigen und dem Wort [was Sprache allerdings immer auch sein muß, aber nicht in diesem Maße], oder dann wird sie ein in sich geschlossenes, kompliziertes Gebäude, eine hohe Sprachform, die heute weithin verödet liegt. Dürrenmatt hat sich aber ausgewiesen, daß er, wollte er es, auch solche Sprache zu meistern vermöchte: man lese den Wedekind-Aufsatz, der ganz deutliche Spuren von Dürrenmatts Kraus-Lektüre trägt, stilistisch und gedanklich, letzteres nämlich in der Idee, daß der scheinbare Nachahmer oft der eigentliche Erfüller sei.

Nun gilt ja im allgemeinen das Gesetz zu Recht, gesprochenes Wort bedürfe vor seiner Drucklegung einer gewissen Umwandlung. Nur Dürrenmatt selber aber hätte eine solche vornehmen können. Und hätte man ihm das auferlegt, so hätte er wahrscheinlich auf die Drucklegung überhaupt verzichtet. Allzu stark ist er davon überzeugt, daß der Schriftsteller Werke und nicht Worte über seine Werke, nicht Literatur aus Literatur zu geben habe. Langer Umgang mit den «Theaterproblemen» ließ mich und viele andere Leser des kleinen Buchs aber unerschüttert wissen, daß Dürrenmatts Überlegungen über seine Kunst wesenhaft und nützlich sind. Darum hat Peter Schifferli diesen Band gewagt. Darum habe ich mich mit vielen Zweifeln an dem Grad allfälliger sprachlicher Eingriffe geplagt – mit dem Ergebnis, daß ich möglichst wenig geändert habe. Dürrenmatt hat seinen unverwechselbaren Sprachton – ihn soll man auch hören.

Wir wollten zuerst den Band betiteln «Dürrenmatt über Dürrenmatt». Wir haben uns zu einer neutraleren Überschrift bekehrt. Denn wenn sich Dürrenmatt zwar in jedem Wort als der er ist verrät, so spricht er hier doch von sehr viel mehr als von sich und seinem Werk. Er zeigt sich als Mensch seiner Zeit, der diese Zeit zu bestehen sucht, sich mit ihr auseinandersetzt, sich von ihr beirren und bestärken läßt. Gibt es hier überhaupt ausschließlich literarische Äußerungen? Wenn Dürrenmatt zum Beispiel unserer Zeit die Tragödie abspricht, so tut er es gegründet auf die von der modernen Physik geschaffene vollkommen neue Situation des Menschen. Und wenn Dürrenmatt vom Menschen spricht, so tut er es als vom Menschen einer Zeit, die die Freiheit zu einem fast unmöglichen Wagnis gemacht hat. Man hat es Dürrenmatt in seinem Vaterland oft übel genommen, daß er, nach seinem eigenen Bekenntnis, nicht zur Stimmurne gehe. Falls das stimmt und nicht nur eine ihn verlockende nonkonformistische Boutade ist, so kann es doch nicht darüber hinwegtäuschen, daß Dürrenmatt eine durchaus politisch bestimmte Natur ist, wenn er auch die engagierte Literatur ablehnt. Nicht aber ablehnt, sich außerhalb seines literarischen Schaffens als auch politischer Mensch zu äußern. Die in diesem Band versammelten Texte belegen es. Dürrenmatt behält die Augen und den Kopf hell für das, was in der Weltpolitik geschieht. Er ist ebenso undenkbar als aktiver Parteistreiter wie als weltferner Dichter, der in der dünnen, sauberen Luft des reinen Geistes zu leben beansprucht. Denkt er nun durchaus großräumig? Hat für ihn die Schweiz keinerlei Interesse? Er denkt immer von der Schweiz aus. Er verliert nie den festen Punkt seines Herkommens. Aber es ist ein Herkommen — welcher Begriff die Bewegung, den Weg in sich schließt. Den Weg, keine Flucht. Nichts bezeichnender als sein Verhältnis zum Provinziellen, diesem roten Tuch so mancher Schweizer Intellektuellen von heute. Der Vortrag, den Dürrenmatt in New York halten mußte über ein Thema, für das er sich in keiner Weise zuständig fühlte, es aber offenbar erst zu spät merkte, ist für sein Verhältnis zum Provinziellen, auf das er dann abbog, ganz besonders aufschlußreich. Unter der Tarnkappe eines fingierten liechtensteinischen Schriftstellers porträtiert er sein eigenes Wirken, gibt sich aber alsobald Weggefährten, nämlich alle die vielen Dichter von Einst und Jetzt, die aus kleinen

Räumen stammend das Ohr der Welt gefunden haben. *Aus einem kleinen Staatsgebilde zu stammen, sei eine Garantie der Freiheit, denn kleine Staatsgebilde könnten nicht überschätzt werden, sie hätten nicht die geringste Begabung dazu, ein Moloch von Staat zu werden, sie müßten, ob sie es wollten oder nicht, dem Menschen dienen. Sie müßten «eine technische Notwendigkeit und nicht ein menschenfressender Mythos» sein. «Der installierte technisch, zivilisatorisch bewältigte Kleinstaat, wie man ihn in Europa findet, hat sich politisch selber entschärft: Die Welt als Ganzes ist nur sein Problem, aber damit ist auch die Welt das Problem seiner Schriftsteller geworden.» Und um ja nicht pathetisch zu wirken, biegt Dürrenmatt gleich ins Materielle ab, spielt sich als Geschäftsmann auf, ein Trick, den man ihm nur allzu gern als bare Münze abnimmt [weil er ja wirklich auch bare Münze einzunehmen pflegt]: «Der Schriftsteller einer kleinen Nation ... kann es sich schon geschäftlich nicht leisten, allzu patriotisch zu sein.» Nie hat Dürrenmatt sich genauer porträtiert als in jenem Schriftsteller, der «mit ungeheurem Vergnügen Liechtensteiner ist und nur Liechtensteiner, für den Liechtenstein viel mehr ist, unermeßlich viel größer ist als die 61 Quadratmeilen, die es tatsächlich mißt, für diesen Liechtensteiner wird Liechtenstein zum Modell der Welt werden, er wird es verdichten, indem er es ausweitet, aus Vaduz ein Babylon und aus seinem Fürsten meinetwegen einen Nebukadnezar schaffen, die Liechtensteiner werden zwar protestieren, alles maßlos übertrieben finden, den liechtensteinischen Jodel und die Liechtensteiner Käseproduktion vermissen, aber diesen Schriftsteller wird man nicht nur in Sankt Gallen spielen, er wird international werden, weil die Welt sich in seinem erfundenen Liechtenstein widerspiegelt ... er wird als Dramatiker revolutionäre Wege einschlagen müssen, und diese Wege werden stimmen, weil es für ihn eben gar keine anderen Wege mehr gibt.» Man hört: ein Engel kam auch nach Liechtenstein. Mit ungeheurem Vergnügen Klein-*

staater sein – vielleicht bedurfte es New Yorks, daß Dürrenmatt sich so gelöst über seine Herkunft äußern konnte. In – sagen wir – Liechtenstein vergeht ihm die Gelöstheit dann und wann. Es gäbe dafür Dokumente, die in diesem Buch fehlen.

Da ist nämlich ein Aufsatz, der als Fragment endet. Es ist die lange, gescheite Kritik von Frischs «Stiller». Sie bricht ab im Moment, wo die Schweiz zur Diskussion steht: «... Das Gefängnis kommt gut davon ... Das Gefängnis ist in Ordnung. Was jedoch die Welt außerhalb betrifft, die Nicht-Gefängnis-Welt, berühmt durch ihre Freiheit, die White hin und wieder zu Konfrontationszwecken oder ähnlichem besuchen darf ...» So weit geht der bereinigte Text Dürrenmatts. Darüber hinaus gibt es handschriftliche Entwürfe, immer neu ansetzende, mühselig sich aufraffende, mißlingende. Was war geschehen? Frisch hatte seine politische Schrift «Achtung, die Schweiz» erscheinen lassen, hatte aktiv in die schweizerische Politik eingegriffen, hatte den glücklichen Weg von Liechtenstein nach Babylon nicht, wie ihn Dürrenmatt ihm angedichtet hätte, eingeschlagen, war knirschend wehrhaft gegen die Kleinheit des Kleinstaates aufgetreten. Plötzlich konnte Dürrenmatt nicht mehr weiter diskutieren mit dem Zeitgenossen, mit dem ihn die Mitwelt etwas voreilig zusammenzuspannen pflegt. Plötzlich standen sie in verschiedenen Räumen. Oder richtiger gesagt: Plötzlich konnte Dürrenmatt die Fiktion, jeder Liechtensteiner sei auf dürrenmattische Weise Liechtensteiner, vor allem aber ein liechtensteinischer Schriftsteller, nicht mehr aufrechterhalten. Frisch spielte plötzlich mit anderen Regeln. So mußte die «Stiller»-Kritik auf das ästhetische Geleise beschränkt bleiben. Dabei hatte sich Dürrenmatt gerade von dieser politischen Auseinandersetzung mit dem «Stiller» viel Spaß versprochen: «Kommen wir nun zu einer der vergnüglichsten, aber auch wichtigsten Seiten dieses erstaunlichen Romans, zu seiner politischen Seite ...» Frisch war ernsthaft geworden, nein: seriös, er hatte Dürrenmatt den Spaß verdorben. Den

Spaß, auf seine Weise Liechtenstein ernst zu nehmen. Mißverständnis spitzte sich hier zu einer echten Komödiensituation zu. Der Gegensatz, den Dürrenmatt in letzter Zeit als einen Gegensatz zwischen einem Problem und einem Konflikt definiert, wobei das Problem Sache der Philosophie oder der Politik wäre, der Konflikt aber Sache der Kunst, war wieder einmal ausgebrochen: Frisch hatte sich um Probleme bemüht, Dürrenmatt, noch im Raum des «Stiller» verharrend, wollte im Konflikt verweilen, um ihn ganz zu erkennen.

Dürrenmatt unternimmt es immer wieder, die Welt, unsere heutige Welt im Drama zu spiegeln. Das Mißverständnis liegt nahe, daß ihm das Publikum nun Lösungen abfordert – nirgends so häufig wie anläßlich der «Physiker». Dürrenmatt wehrt sich dagegen. Er entzieht sich nicht, er verharrt im Konflikt. Er habe Menschen im Konflikt mit der Welt gezeigt, er habe uns gezeigt, daß wir selber im Konflikt ständen, ob wir es wüßten oder nicht, er setzt uns dem Konflikt aus, setzt uns in den Konflikt aus. Schickt uns in die Wüste zu Heuschrecken und wildem Honig, wie wir sie heute synthetisch produzieren. Mögen wir uns bewähren. Gewännen wir nichts anderes als den Beweis unserer Tapferkeit, so wäre viel gewonnen. Theaterstücke können die Welt nicht erlösen. Sie könnten nur – vielleicht – den Menschen streitbar machen. Ihm den Mut zur Gerechtigkeit und zum Gericht geben oder die Demut zum Erleiden der Gnade. Vielleicht. Nicht deshalb aber würden sie geschrieben. Sondern aus dem ebenfalls «ungeheuren Vergnügen» heraus, Geschichten zu erfinden, in denen auch Personen vorkommen mit einem Glauben oder einer Weltanschauung, «lauter Dummköpfe darzustellen, finde ich nicht interessant». So geschrieben am Anfang der «Theaterprobleme».

Also doch Probleme? Dürrenmatt beugt vor: «Die Probleme, denen ich als Dramatiker gegenüberstehe, sind arbeitspraktische Probleme, die sich mir nicht vor, sondern während der Arbeit stellen, ja, um genau zu sein, meistens nach der Arbeit, aus einer gewissen Neugier heraus, wie ich es denn nun eigentlich gemacht habe.» Er laufe freilich bei der Erörterung dieser Probleme Gefahr, «der allgemeinen Sehnsucht nach Tiefe nicht genügend Rechnung zu tragen» und den Eindruck zu erwecken, «man höre einen Schneider sprechen». Aber wie es anstellen, «unschneiderisch über die Kunst zu reden? So kann ich nur zu jenen reden, die bei Heidegger einschlafen.»

Es herrscht in der heutigen Welt ein seltsames Bedürfnis nach Vorträgen. Das Publikum will viel weniger lesen als Gesprochenes hören, am liebsten aber den Sprechenden auch noch sehen. Das ist die Entsprechung zu der heutigen Sucht nach bebilderten Büchern oder betexteten Bildern. Die Schriftsteller unserer Zeit können sich des Anspruchs auf Vorträge kaum erwehren. Ohne diesen oft lästigen Anspruch hätte aber Dürrenmatt vielleicht kaum je Theoretisches formuliert. Die Texte dieses Buchs sind also zu einem großen Teil erzwungene Texte, Dokumente einer Niederlage des Schriftstellers gegenüber den Forderungen der Öffentlichkeit. Dürrenmatt hat kapituliert, er hat Vorträge gehalten. Über Probleme. Er hat erklärt, was er gezeigt zu haben glaubte. Er hat sich auf die Ebene derjenigen Menschen begeben, denen er mehr mißtraut als irgendeiner anderen Sorte, der Kritiker und Literarhistoriker. Er konnte seine Schriftstellerwürde nur wahren, indem er den Schneider spielte unter den Literaten. Aber welcher Handwerker schlüge nicht einen Literaten wenigstens phasenweise recht schnell aus dem Feld? Das müßte ein schlechter Schneider sein. Das müßte aber auch ein schlechter Kritiker sein, der sich einem seines Handwerks würdigen Schneider gegenüber seiner ebenfalls phasenweisen Siege ganz ehrlich freute. Denn der Schneider hat immerhin den Rock verfertigt, um den jetzt gestritten wird. Des Kritikers Tun erschöpft sich in seiner Kritik, den Schneider ruft es schon wieder zu neuen Röcken. Der Kritiker ist kritisierend in seinem Element, der Schneider,

der seine Röcke kritisiert, hat im Grunde keine Zeit zu solcher Nebenbeschäftigung, oder dann ergibt er sich ihr nur, weil er leider Zeit hat, da er in einer Flaute steckt und theoretisierend das Gesicht zu wahren versucht. Auf jeden Fall ist er innerlich unfrei bei seinem kritischen Tun, unlustig, zornig, reizbar, schwierig. Sache des Kritikers ist es dann, diese Unlust, diesen Zorn, diese Reizbarkeit, diese Schwierigkeit des Schneiders – nein, wagen wir jetzt doch, wider Dürrenmatts Willen, die Bezeichnung des schöpferischen Menschen – zu begreifen, dürfte doch immer und überall das Begreifen der eigentliche Inhalt der Kritik sein. Der Kritiker hat nie das Recht, ungerecht zu sein. Dem Künstler muß man es nicht selten einräumen. Aber nur der etwas unintelligente Künstler fühlt sich auf die Länge wohl in der Ungerechtigkeit. Auch er muß diese schließlich als unintelligent erkennen, und das ist nicht angenehm. Daher die schiefe Lage des theoretisierenden Künstlers. Den Kritiker kann nur die Gerechtigkeit rechtfertigen, nur sie kann ihm, wenn er seines Handwerks würdig ist, Lust und Laune und Freude bereiten. Nur in ihr ist er innerlich in Ordnung. Der theoretisierende Künstler ist kaum je wirklich glücklich, das heißt mehr als eine kurze Weile lang.

Es steht sehr viel Böses gegen die Kritiker und die Literarhistoriker, Literaturbetrachter in diesem Buch. In den frühen wie in den neuesten Äußerungen Dürrenmatts. Über Dürrenmatt ausführlich zu schreiben, ist deshalb eine recht asketische Beschäftigung. Man muß es ohne jenes Selbstgefühl tun, das doch zur Arbeit irgendwo unentbehrlich ist. Zwar muß der Kunst- und Literaturkritiker ja sehr oft den Stacheln nachspüren, die zum Ansporn nicht weniger Kunst geworden sind, den geheimen Kränkungen, auf die der Künstler mit seinem Werk reagiert und die er mit seinem Werk zu heilen versucht – ist nun aber der Stachel gerade der Kritiker und sein Handwerk, so wird die Sache seltsam kompliziert. Gereiztheit dem Künstler gegenüber ist dem Kritiker auf die Dauer nicht erlaubt, er muß sie unbedingt auszumerzen vermögen. *Nicht durch ein künstlerisches Tun, sondern durch ein rein intellektuelles, kritisches, durch Gerechtigkeit. So könnten Bücher wie dieses hier dem Kritiker vielleicht heilsam werden gerade durch ihre vorläufige Ärgerlichkeit.* Da muß man also schreiben über einen Menschen, der frank, aber nicht ganz frei behauptet: «*Die Literatur muß so leicht werden, daß sie auf der Waage der heutigen Literaturkritik nichts mehr wiegt: Nur so wird sie wieder gewichtig.*» [Übrigens eine der ganz wenigen Äußerungen Dürrenmatts, die seine Prosawerke, im besonderen seine Kriminalromane betreffen, er äußert sich ja bezeichnenderweise theoretisch fast ausschließlich über seine dramatischen Werke.] Da muß man schreiben über einen Menschen, der über «Dramaturgie von der Aussage her» anmerkt: «*Der Vorteil jener Schriftsteller, die vom Sinne, von der Aussage her schreiben, gegenüber anderen liegt vorerst darin, daß die Kritiker nachkommen. Das ist nicht zu unterschätzen: Der Kritiker, der sich in seiner Hoffnung gestärkt sieht, auch ein Intellektueller zu sein, wird gutartig. Tatsächlich ist durch diese Art des Schreibens oft eine wohltuende Klarheit erreichbar. Der fragwürdige Punkt eines jeden Stoffs, sein an sich dunkler Sinn, ist erhellt, der Autor tritt gleichzeitig als Interpret seiner selbst auf, wird dadurch unangreifbarer ...*» Friedliche Sätze: von gutartigen Kritikern ist die Rede, von wohltuender Klarheit. Aber man wird doch nicht überhören, daß es Sätze jenes Mannes sind, der – im selben Aufsatz kurz vorher – sich zu jenen Schriftstellern rechnet, die «Stoffe, aber keinen Trost fabrizieren, Sprengstoffe, aber keine Tranquillizer». Einem solchen Schriftsteller gerecht zu werden, fordert vom Kritiker die Gabe zur Selbstironie, Dürrenmatt selber gesteht sich «Selbsthumor» zu und hat sich damit richtig bezeichnet. Selbstironie gegen Selbsthumor – das ist ein Duell, das seine Schönheit haben kann, wenn richtig gefochten wird.

Es stehen Seiten in diesem Buch, die Dürrenmatt als einen

Meister der Polemik ausweisen. Ich denke da vor allem an die Rede an die Kritiker des «Frank V.». Vermutlich wäre ich zunächst auch wild geworden, hätte ich im Zuhörerraum gesessen, als sie gehalten wurde. Das war ja auch der Zweck der Übung: unsereins einmal recht wild zu machen. Zu jener Zeremonie zu gelangen, die Dürrenmatt angetönt hat, als er, höchst wohlgelaunt freilich, deutsche Lyriker dem Zürcher Publikum vorstellte: «... sogar die Wilden murmeln ihre Namen, bevor sie aufeinander losstechen, die Begrüßungszeremonien der Menschenfresser übertreffen an Höflichkeit und psychologischer Raffinesse die aller anderen Völker ...» Für Höflichkeit steht hier das, was dem Liebhaber des Wortes mindestens so wert sein muß, die blanke Kampfgesinnung, die wahrscheinlich nur einem im Tieferen als satisfaktionsfähig erkannten Gegner entgegengebracht wird. Innerhalb des polemischen Genres, einer echt literarischen Form, steht diese «Rede an die Kritiker» an hoher Stelle.

Aber es genügte nicht, dieses Buch – und seine Herausgabe – zu rechtfertigen, wenn es nur von den Zufällen eines Schriftstellerlebens bedingt wäre, nur Reaktion wäre und damit nur der Ergründung von Dürrenmatts Psychologie diente. Dazu ist denn Dürrenmatt doch noch zu lebendig, noch zu weit davon entfernt, anatomischen Spielen der Literaturwissenschaft zu dienen. Nicht nur das, was der Dichter Dürrenmatt geschaffen hat und weiter schafft, vermag seinen mehr theoretischen Schriften Beachtung zu erwerben, sondern auch etwas, was er sich selber nicht unbedingt zuschreiben würde: seine echt kritische Begabung. Für mich waren beim Zusammenstellen dieses Bandes die große Überraschung seine Theaterkritiken, die er während kurzer Zeit für die «Weltwoche» geschrieben hat. Ich glaubte, diese Kritiken wirklich zu kennen. Ich hatte sie bei ihrem Erscheinen jeweils gelesen, ich hatte auch dann und wann mit Dürrenmatt im Theater, da er als Kritiker in Sprechnähe zu mir saß, über das gerade Gespielte geschwatzt. Damals schienen seine Kritiken zwar immer fesselnd, immer gescheit, aber doch dem Anlaß nicht immer genau angepaßt. Was nun aber damals ein Mangel scheinen konnte, das hat sich durch die zeitliche Distanz hindurch als Tugend erwiesen. Diese Kritiken sind auf die rechte Art alt geworden: sie haben ihre Beständigkeit erwiesen. Gerade dadurch, daß sie ihren Anlaß oft überschritten, haben sie Freiheit vom vergänglichen Anlaß gewonnen. Solche Theaterkritiken muß man aus der Tageszeitung in das Buch hinüberretten. Alle sind sie wesentlich, ob sie nun ein gutes oder ein schlechtes Stück, eine gute oder eine schlechte Aufführung betreffen. Dürrenmatt hatte damals noch, im Vergleich zu heute, geringe Theaterpraxis. Aber welche Hellsichtigkeit für Fragen der Besetzung: der Vorschlag, einem Ginsberg den Karl und daneben einem Steckel den Franz zu überbürden und damit «statt literarisch gefährlich» zu werden. Welche Spürsamkeit für das Poetische der Theatersprache anläßlich Christopher Frys – ich glaube allerdings nicht, daß Dürrenmatt diese Kritik auch heute noch so schreiben würde, seine Einstellung zur Theatersprache hat sich wohl gewandelt, und vor allem hat ihm die Beschäftigung mit seiner eigenen Theatersprache wohl die Offenheit anderen Theatersprachen gegenüber etwas eingeschränkt, was nur natürlich wäre. Welche Hinrichtung von Sartres philosophischem Schauerdrama «Le Diable et le Bon Dieu», von Zuckmayers «Fröhlichem Weinberg», welch letztere genau in das Herz unserer Nachkriegszeit zielt. Welche Ergründung des Tell-Problems, das zugleich Schillers und die schweizerische Problematik aufrollt und sie ineinander verhakt zeigt – Vorstufe zu der meisterlichen Schiller-Rede des Jahres 1959, an der Dürrenmatt viele Wochen gearbeitet hat, während er die Tageskritik sehr schnell zu schreiben hatte. Welche Reverenz vor dem großen Vorläufer der Modernen, Strindberg, und welch zart geäußerte Liebeserklärung an Lessing und Molière! Und dann vollends jener «Offene Brief des Schriftstellers Friedrich Dürrenmatt an den Theaterkritiker Friedrich

Dürrenmatt, Ferdinand Bruckners *Pyrrhus und Andromache* betreffend» – eine Art Abgesang des Theaterkritikers an sein Tun: «Mit einer Hand kann man nicht klatschen ...» Das alles ist blitzgescheit, ebenso schnell wie subtil in der Reaktion auf das Bühnengeschehen. Nicht übersehen sei, was er in dieser Saison nicht besprochen hat: Shaw, Hebbel. Zufall? Und nicht übersehen, daß Dürrenmatt hier dasjenige Theater kritisiert, das er besonders liebt, das Zürcher Schauspielhaus. Daß beide gute Freunde geblieben sind, spricht angesichts dieser Theaterkritiken für beide.

Es finden sich auch einige Buchkritiken in den hier gesammelten Schriften. Sie sind nicht der ungewichtigste Teil des Buchs. Einesteils zeigen sie, wo die Vorgänger Dürrenmatts zu finden sind: Wiener Volkskomödie, Karl Kraus, die Lasker-Schüler [und nicht Rilke], Wedekind; wo die Weggenossen: Frisch, Mehring, Searle; wo die unmittelbaren Anreger: Jungk mit seinem Buch «Heller als tausend Sonnen», ohne welches vielleicht die «Physiker» nicht geschrieben worden wären, Wicki mit seinem «Ein Tropfen Licht». Gerade diese letzte Besprechung ist bezeichnend für Dürrenmatt als Leser: er hat hier, angeregt durch das Buch, eine seiner großartigsten Visionen geschrieben, ein Bild vorsintflutlicher Zeit, grotesk, aber genau, seine eigene Behauptung belegend: «Das Groteske ist eine der großen Möglichkeiten, genau zu sein», eine Vision, zu der es des großen Griffs bedurfte, der Dürrenmatt natürlich ist und dem die heutige Welt sich nur ungern in die Hand gibt – daher die Abneigung, auf die ein Werk wie «Grieche sucht Griechin» oder gewisse Teile seiner frühen Prosa immer noch nicht selten stoßen. Diese Vision der Saurier, unter denen der Mensch zunächst eine recht schäbige Rolle spielt, mündet aber geradlinig und doch überzeugend in die Vorstellung des Menschen, von der Dürrenmatt sich nie hat auch nur das Geringste abmarkten lassen, in die Vorstellung des die Welt bestehenden Menschen. Der Saurier *andererseits kehrt wieder im «Herkules»: Herkules empfindet sich als aussterbendes Riesentier, alias Helden, der vor dem bescheiden planenden Politiker, Augias, alias Menschen, zurücktreten muß in den Schoß der Geschichte. Es sollte mich nicht wundern, wenn diese Beschwörung der Urzeit später einmal als eine der wichtigsten Seiten in Dürrenmatts Werk erkannt werden sollte. Searle – und ihm wäre heute noch der Zeichner Flora beizugesellen – wäre Vorgänger von Dürrenmatts eigenen satirischen Zeichnungen. Alles ist gegenseitig gebunden in diesem Werk, Frühes und Späteres, für den Tag Geschriebenes und auf Dauer hin Geplantes. Wenn Dürrenmatt selber die Keime zu allem, was er fabuliert hat, in Kindheitserinnerungen entdeckt und in seinem Zimmer eine Karte seines Heimatdorfes aufgehängt hat, in die er die ihn bestimmenden realen Wesen eingetragen hat, was eine dicht beschriebene Karte ergeben hat, so dürfte das nicht nachträgliche Stilisierung sein, sondern abermaliger Beweis für das, was jeden genauen Leser Dürrenmatts immer wieder überraschen muß: für die unerbittliche Konstanz seines Denkens und Erlebens.*

Hier lag nun freilich eine neue Schwierigkeit bei der Herausgabe dieses Buchs. Wiederholungen konnten sich ergeben. Durften sie sich ergeben? Ich hatte ursprünglich im Sinn, sie zu vermeiden. Später bin ich zu der Überzeugung gelangt, man dürfe das nicht; gerade weil es sich hier um die eigentlichen Koordinaten einer Weltanschauung, einer Lebenshaltung handle, müßten die Wiederholungen als solche beibehalten werden. So finden wir denn an vielen Orten den selben Gedanken, ausführlicher oder verkürzt, im Mittelpunkt der Abhandlung oder an den Rand gezeichnet, wörtlich genau wiederholt oder in der Form abgewandelt. Diese Konstanz ist sicher mindestens so wichtig wie die scheinbaren Widersprüche innerhalb dieser Erörterungen, etwa die schillernde Einstellung zum Begriff des «Handwerks», das bald geleugnet, bald wieder genau besprochen wird, wobei der Wider-

spruch nur ein scheinbarer ist: Regeln sind kein An-Sich, sondern erst aus dem Werk, durch die Arbeit hindurch zu gewinnen, Aristoteles bedingt nicht die griechische Tragödie, sondern wird von der Tragödie bedingt, Stil ist erst hinterher zu spüren, usf. Viel wichtiger ist, die Unerschütterlichkeit gewisser Grunderfahrungen zu erkennen. Durchgängig ist die Überzeugung, unserer Zeit sei nur noch die Komödie gemäß, wir hätten kein Recht – nicht mehr, noch nicht? – auf die Tragödie. Uns sei der tapfere Mensch, der die Welt nicht verändern wolle, sondern nur noch sie bestenfalls zu bestehen vermöge, nicht aber der Held zugeteilt. Durchgängig ist die Betonung des Einfalls, dem man sich hingeben müsse: «denn es ist eine meiner künstlerischen Überzeugungen, daß sich ein Schriftsteller vor allem dann der Welt aussetzt, wenn er es wagt, sich seinen Einfällen auszusetzen» – ein Wort, das man freilich nicht zitieren soll ohne die Fortsetzung: «... daß dann die gespenstische Aufgabe an mich herantrat, den so abenteuerlich gefundenen Stoff auch zu begreifen, ist wohl ein anderes Kapitel.» Dieses «andere Kapitel» hat Dürrenmatt nicht geschrieben, es liegt als Resultat vor, im fertigen Stück, hier dem «Mississippi». Durchgängig ist die Forderung nach Distanz, die innerhalb der Komödie nach der Übertreibung rufe, ohne welche es keine Theatersprache gebe und die besonders nötig sei, wo der Stoff der heutigen Welt entnommen sei: «Die Satire ist eine exakte Kunst, gerade weil sie übertreibt, denn nur wer die Nuance und das Allgemeine zugleich sieht, kann übertreiben.» Durchgängig ist der Kampf gegen die Feierlichkeit in der Kunst, Dürrenmatt duldet – will? – es, daß man ihn ernst nimmt, nicht aber «bierernst», feierlich sei der wahre Nihilismus, zum Beispiel das Theater der Nazis. «Die Sprache der Freiheit in unserer Zeit ist der Humor, und sei es auch nur der Galgenhumor, denn diese Sprache setzt eine Überlegenheit voraus auch da, wo der Mensch, der sie spricht, unterlegen ist.» Und: «In der unwillkürlichen Moralität des Theaters liegt seine Moral, nicht in seiner erstrebten.» Diese Unwillkürlichkeit verlangt nun eben eine gewissermaßen naive Moralität – ein instinktives Gefälle zum Moralischen hin, welche Form des Moralischen dieses weit über die Grenzen des landläufig moralisch Genannten hinausträgt, dieses Moralische versteht sich, nach Bismarck, von selbst. Nur war Bismarck kein Komödienschreiber. Im Mund eines Komödienschreibers ist sein Wort noch ganz anders verwegen. Und auf der Bühne der moralischen Anstalt Theater noch ganz anders paradox zu verwerten, als es der auch paradoxe Bismarck gemeint hat, der hier einmal simpel zu sein glaubte. In den «Anmerkungen zur Komödie», einem Aufsatz, der sich in vielem mit den «Theaterproblemen» überschneidet und manchen aus deren Gedanken verkürzt wiedergibt, die geometrischen Orte von Dürrenmatts Kunst gewaltsam benachbart – Aristophanes, Don Quichotte, Rabelais, Swift – möchte man beinahe sagen, Dürrenmatt sei die Feder ausgeglitten, als er über das Groteske schrieb: «... *Es kann nicht geleugnet werden, daß diese Kunst die Grausamkeit der Objektivität besitzt, doch ist sie nicht die Kunst der Nihilisten, sondern weit eher der Moralisten, nicht die des Moders, sondern des Salzes ...*» Der Moralisten, nicht der Nihilisten. Man kann es nicht überhören: Dürrenmatt rechnet sich selber zu den Moralisten. Aber noch selten hat ein Dichter von Phantasie und Reichtum und Lebenslust und paradoxer Spannweite Freude dabei empfunden, sich als Moralisten zu erkennen, und noch weniger, als Moralist erkannt und gar abgestempelt zu werden. Der Moralist ist von vornherein gebunden. Dichten aber muß er, und nicht nur ein Dürrenmatt, auch «ins Blaue hinein», zunächst nicht festgelegt, nur dem Einfall verpflichtet, der Welt. Aus dieser Zwickmühle heraus kommt der Dichter nur, wenn sich das Moralische eben von selber versteht, instinktiv, naiv sich durchwirkt, und wenn die Einfälle so stark, so reich sind, daß sie das Moralische seinerseits zu immer neuer Selbstverteidigung *aufrufen. Das geschieht in Dürrenmatts dichterischen Werken. In seinen theoretischen Werken aber läge es nur allzu nahe, daß sich dieses Moralische ungehindert entfalten könnte, ist es doch der theoretischen Darstellung weit gefügiger als die Welt der Erfindung, der Phantasie. So erklärt sich vielleicht mancher Salto mortale, den Dürrenmatt in seinen Vorträgen wagt, manche groteske Verkürzung eines Gedankens, manche – ja sagen wir es – Fluchtbewegung. Dieser im Letzten unerschütterlich zu dem, was er als richtig erkannt hat, Entschlossene will nicht von außen festgelegt werden, er will sich selber festlegen. So entzieht er sich dann und wann mit einer Boutade. Der moralisch schwer Gepanzerte entwischt dann mit der Geschwindigkeit und Pfiffigkeit, die ihm zu seinem Heil ebenfalls gegeben sind. So ist es nicht der geringste Reiz dieser seiner Aufzeichnungen, seinen Fluchtwegen nachzuspüren. Dieser Hase kann laufen. Den Kritikern dürfte es aufgetragen sein, neben ihm nicht den Swinegel plus Frau zu spielen, die immer schon da sind.*

Etwas darf vielleicht noch hier gesagt werden: Während der ganzen Arbeit an der Zusammenstellung dieses Bandes stand ein anderes Buch lockend im Hintergrund, eine Sammlung von Aphorismen, die aus diesen Texten zu gewinnen wäre. Es wäre eine wichtige Sammlung, würdig, den bedeutenden Werken der Gattung an die Seite gestellt zu werden. Dürrenmatt hat in den «21 Punkten zu den Physikern» und in den «Sätzen für Zeitgenossen» den Anfang zu einem solchen Werk gemacht. Es wird eines Tages zusammengestellt werden müssen. Nicht zu früh. Denn diese Aphorismen Dürrenmatts haben eine schlagharte Kraft, sie würden ihn wohl allzu stark behaften, festnageln. Das braucht er nicht. Das dürfte nicht ihre Wirkung sein. Ihre Wirkung müßte sein, uns Dürrenmatt zu zeigen als einen Menschen, der die Sprache auch in ihrem gedrängtesten Element meistert.

Elisabeth Brock-Sulzer

Ich wurde am 5. Januar 1921 in Konolfingen [Kanton
Bern] geboren. Mein Vater war Pfarrer, mein Großvater
väterlicherseits Politiker und Dichter im großen Dorfe
Herzogenbuchsee. Er verfaßte für jede Nummer seiner
Zeitung ein Titelgedicht. Für ein solches Gedicht durfte
er zehn Tage Gefängnis verbringen. «Zehn Tage für
zehn Strophen, ich segne jeden Tag», dichtete er darauf.
Diese Ehre ist mir bis jetzt nicht widerfahren. Vielleicht
liegt es an mir, vielleicht ist die Zeit so auf den Hund
gekommen, daß sie sich nicht einmal mehr beleidigt fühlt,
wenn mit ihr aufs allerschärfste umgesprungen wird.
Meine Mutter [der ich äußerlich gleiche] stammt aus
einem schönen Dorfe nahe den Bergen. Ihr Vater war
Gemeindepräsident und Patriarch. Das Dorf, in welchem
ich geboren wurde und aufwuchs, ist nicht schön, ein
Konglomerat von städtischen und dörflichen Gebäuden,
doch die kleinen Dörfer, die es umgeben und die zur
Gemeinde meines Vaters gehörten, waren echtes Em-
mental und wie von Jeremias Gotthelf beschworen [und
so ist es noch heute]. Es ist ein Land, in welchem die
Milch die Hauptrolle spielt. Sie wird von den Bauern
in großen Kesseln nach der Milchsiederei, einer großen
Fabrik mitten im Dorfe, der Stalden AG., gebracht. In
Konolfingen erlebte ich auch meine ersten künstlerischen
Eindrücke. Meine Schwester und ich wurden vom Dorf-
maler gemalt. Stundenlang malte und zeichnete ich von
nun an im Atelier des Meisters. Die Motive Sintfluten
und Schweizerschlachten. Ich war ein kriegerisches Kind.
Oft rannte ich als Sechsjähriger im Garten herum, mit
einer langen Bohnenstange bewaffnet, einen Pfannendeckel

als Schild, um endlich meiner Mutter erschöpft zu melden, die Österreicher seien aus dem Garten gejagt. Wie sich meine kriegerischen Taten aufs Papier verzogen und immer grausamere Schlachten die geduldige Fläche bedeckten, wandte sich meine Mutter verängstigt an den Kunstmaler Kuno Amiet, der die blutrünstigen Blätter schweigend betrachtete, um endlich kurz und bündig zu urteilen: Der wird Oberst. Der Meister hat sich in diesem Falle geirrt: Ich brachte es in der schweizerischen Armee nur zum Hilfsdienst-Soldaten und im Leben nur zum Schriftsteller. Die weiteren Wege und Irrwege, die mich dazu führten, will ich hier nicht beschreiben. Doch habe ich in meine heutige Tätigkeit aus der Welt meiner Kindheit Wichtiges herübergerettet: Nicht nur die ersten Eindrücke, nicht nur das Modell zu meiner heutigen Welt, auch die «Methode» meiner Kunst selbst. Wie mir im Atelier des Dorfkünstlers die Malerei als ein Handwerk gegenübertrat, als ein Hantieren mit Pinsel, Kohle und Feder usw., so ist mir heute die Schriftstellerei ein Beschäftigen und Experimentieren mit verschiedenen Materien geworden. Ich schlage mich mit Theater, Rundfunk, Romanen und Fernsehen herum, und vom Großvater her weiß ich, daß Schreiben eine Form des Kämpfens sein kann.

Die Geschichte meiner Schriftstellerei ist die Geschichte meiner Stoffe, Stoffe jedoch sind verwandelte Eindrücke. Man schreibt als ganzer Mann, nicht als Literat oder gar als Grammatiker, alles hängt zusammen, weil alles in Beziehung gebracht wird, alles kann so wichtig werden, bestimmend, meistens nachträglich, unvermutet. Sterne sind Konzentrationen von interstellarer Materie, Schriftstellerei die Konzentration von Eindrücken. Keine Ausflucht ist möglich. Als Resultat seiner Umwelt hat man sich zur Umwelt zu bekennen, doch prägen sich die entscheidenden Eindrücke in der Jugend ein, das Grausen blieb, das mich erfaßte, wenn der Gemüsemann in seinem kleinen Laden unter dem Theatersaal mit seinem handlosen Arm einen Salatkopf auseinanderschob. Solche Eindrücke formen uns, was später kommt, trifft schon mit Vorgeformtem zusammen, wird schon nach einem vorbestimmten Schema verarbeitet, zu Vorhandenem einverleibt, und die Erzählungen, denen man als Kind lauschte, sind entscheidender als die Einflüsse der Literatur. Rückblickend wird es uns deutlich. Ich bin kein Dorfschriftsteller, aber das Dorf brachte mich hervor, und so bin ich immer noch ein Dörfler mit einer langsamen Sprache, kein Städter, am wenigsten ein Großstädter, auch wenn ich nicht mehr in einem Dorfe leben könnte.

Das Dorf selbst entstand, wo die Straßen Bern–Luzern und Burgdorf–Thun sich kreuzen; auf einer Hochebene, am Fuße eines großen Hügels und nicht weit vom Galgenhubel, wohin die vom Amtsgericht einst die Mörder und Aufwiegler gekarrt haben sollen. Durch die Ebene fließt ein Bach, und die kleinen Bauerndörfer und Weiler auf ihr brauchten einen Mittelpunkt, die Aristokraten ringsherum waren verarmt, ihre Sitze wandelten sich in Alters- oder Erholungsheime um. Zuerst war an der Straßenkreuzung wohl nur ein Wirtshaus, dann fand sich ihm schräg gegenüber die Schmiede ein, später belegten die beiden anderen Felder des Koordinatenkreuzes Konsum und Theatersaal, letzterer nicht unwichtig, wies doch das Dorf einen bekannten Dramatiker auf, den Lehrer Gribi, dessen Stücke von den dramatischen Vereinen des ganzen Emmentals gespielt wurden, und sogar einen Jodlerkönig, der Schmalz hieß. Der Thunstraße entlang siedelten sich der Drucker, der Textilhändler, der Metzger, der Bäcker und die Schule an, die freilich schon gegen das nächste Bauerndorf zu, dessen Burschen mich auf dem Schulweg verprügelten und dessen Hunde wir fürchteten, während das Pfarrhaus, die Kirche, der Friedhof und die Ersparniskasse auf einer kleinen Anhöhe zwischen der Thun- und der Bernstraße zu liegen kamen. Doch erst die große Milchsiederei, die Stalden AG, an der steil ansteigenden Burgdorfstraße errichtet, machte das Dorf zu einem ländlichen Zentrum, die Milch der ganzen Umgebung wurde hergeschleppt, auf schweren Lastwagen, die wir in Gruppen erwarteten, als wir später nach Großhöchstetten in die Sekundarschule mußten, an die wir uns hängten, um so auf unseren Velos die Burgdorfstraße hinaufgezogen zu werden, voller Furcht, jedoch nicht vor der Polizei, dem dicken Dorfpolizisten fühlten sich alle gewachsen, sondern vor dem Französisch- und Schreiblehrer, den wir Baggel nannten, vor dessen Lektionen wir zitterten, war er doch ein bösartiger Prügler, Klemmer und Haarzieher, der uns auch zwang, einander die

Hände zu schütteln: Grüß Gott gelehrter Europäer, und aneinandergehängt hinter dem rasselnden Lastwagen mit den tanzenden, am Morgen leeren Milchkesseln, malten wir uns den Lehrer als einen riesigen Berg aus, den wir zu besteigen hatten, mit grotesken Ortsbezeichnungen und entsprechend schwierigen Kletterpartien. Doch das war schon kurz bevor ich in die Stadt zog, der Bahnhof ist in meiner Erinnerung wichtiger als die Milchsiederei mit ihrem Hochkamin, das mehr als der Kirchturm das Wahrzeichen des Dorfes war. Er hatte das Recht, sich Bahnhof zu nennen, weil er ein Eisenbahnknotenpunkt war, und wir vom Dorfe waren stolz darauf: Nur wenige Züge hatten den Mut, nicht anzuhalten, brausten vorbei nach dem fernen Luzern, nach dem näheren Bern, auf einer Bank vor dem Bahnhofgebäude sitzend, sah ich ihnen oft mit einer Mischung von Sehnsucht und Abscheu entgegen, dann dampften sie vorüber und davon. Aber noch weiter zurück gleitet die Erinnerung in die Unterführung, dank deren die Bahngeleise die Burgdorfstraße überbrücken und von der aus man auf einer Treppe geradewegs zum Bahnhof gelangt. Sie stellt sich mir als eine dunkle Höhle dar, in die ich als Dreijähriger geraten war, mitten auf der Straße, von zu Hause ins Dorf entwichen; am Ende der Höhle war Sonnenlicht, aus dem die dunklen Schatten der Autos und Fuhrwerke heranwuchsen, doch ist nicht mehr auszumachen, wohin ich eigentlich wollte, denn durch die Unterführung gelangte man nicht nur zur Milchsiederei und zum Bahnhof, auch die besseren Leute hatten sich am Steilhang des Ballenbühls angesiedelt, so meine Gotte, welche die Gattin des Dorfarztes war, der ich später meine nie befriedigenden Schulzeugnisse zur Einsicht bringen mußte, der Kirchgemeindepräsident und außerdem der Zahnarzt und der Zahntechniker. Die beiden betrieben das Zahnärztliche Institut, das noch heute weite Teile des Landes malträtiert und den Ort berühmt macht. Die beiden besaßen Automobile und waren schon deshalb privilegiert, und des Abends schütteten sie das mit Plombieren, Zahnziehen und Gebißverfertigen gewonnene Geld zusammen, um es mit bloßer Hand zu teilen, ohne noch genauer abzuzählen. Der Zahntechniker war klein und dick, mit Fragen der Volksgesundheit beschäftigt, ließ er ein Volksbrot verfertigen, vor dem einen das kalte Grausen überkam, der Zahnarzt jedoch war ein stattlicher Mann, dazu Welschschweizer, wohl Neuenburger. Er galt als der reichste Mann im ganzen Amtsbezirk; später sollte sich diese Meinung als tragischer Irrtum erweisen. Aber sicher war er der frömmste, redete er doch als Mitglied einer extremen Sekte noch während des Bohrens von Christus, und wurde er doch im Glaubenseifer nur noch von einer hageren Frau unbestimmten Alters erreicht, die sich stets schwarz kleidete, zu der freilich die Engel nach ihrer Behauptung niederstiegen, die noch während des Melkens die Bibel las und zu der ich nachts vom Pfarrhaus über die Ebene die Hausierer und Vaganten zum Übernachten bringen mußte, denn meine Eltern waren gastliche Pfarrsleute und wiesen niemanden ab und ließen mitessen, wer mitessen wollte, so die Kinder eines Zirkusunternehmens, welches das Dorf jährlich besuchte, und einmal fand sich auch ein Neger ein. Er war tiefschwarz, saß am Familientisch links neben meinem Vater und aß Reis mit Tomatensoße. Er war bekehrt, aber dennoch fürchtete ich mich. Überhaupt wurde im Dorfe viel bekehrt. Es wurden Zeltmissionen abgehalten, die Heilsarmee rückte auf, Sekten bildeten sich, Evangelisten predigten, aber am berühmtesten wurde der Ort in dieser Hinsicht durch die Mohammedaner-Mission, die in einem feudalen Chalet hoch über dem Dorfe residierte, gab sie doch eine Weltkarte heraus, auf der in Europa nur ein Ort zu finden war, das Dorf, eine missionarische Wichtigtuerei, die den Wahn erzeugte, sich einen Augenblick lang im Mittelpunkt der Welt angesiedelt zu fühlen und nicht in einem Emmentaler Kaff. Der Ausdruck ist nicht übertrieben. Das Dorf war häßlich, eine Anhäufung von Gebäuden im Kleinbürgerstil, wie man das überall im Mittelland findet, aber schön waren die umliegenden Bauerndörfer mit den großen Dächern und den sorgfältig geschichteten Misthaufen, geheimnisvoll die dunklen Tannenwälder ringsherum, und voller Abenteuer war die Ebene mit dem sauren Klee in den Wiesen und mit den großen Kornfeldern, in denen wir herumschlichen, tief innen unsere Nester bauend, während die Bauern an den Rändern standen und fluchend hineinspähten. Doch noch geheimnisvoller waren die dunklen Gänge im Heu, das die Bauern in ihren Tenns aufgeschichtet hatten, stundenlang krochen wir in der warmen, staubigen Finsternis herum und spähten von den Ausgängen in den Stall hinunter, wo in langen Reihen die Kühe standen. Der unheimlichste Ort jedoch war für mich der obere fensterlose Estrich im Elternhaus. Er war voll alter Zeitungen und Bücher, die weißlich im Dunkeln schimmerten. Auch erschrak ich einmal in der Waschküche, ein unheimliches Tier lag dort, ein Molch vielleicht, während der Friedhof ohne Schrecken war. In ihm spielten wir oft Verstecken, und war ein Grab ausgehoben, richtete ich mich darin häuslich ein, bis der herannahende Leichenzug, vom Glockengeläute angekündigt, mich vertrieb. Denn nicht nur mit dem Tode waren wir vertraut, auch mit dem Töten. Das Dorf kennt keine Geheimnisse, und der Mensch ist ein Raubtier mit manchmal humanen Ansätzen, beim Metzger müssen die fallen gelassen werden. Wir schauten oft zu, wie die Schlächtergesellen töteten, wir sahen, wie das Blut aus den großen Tieren schoß, wir sahen, wie sie starben und wie sie zerlegt wurden. Wir Kinder schauten zu, eine Viertelstunde, eine halbe Stunde, und dann spielten wir wieder auf dem Gehsteig mit Marmeln.

Doch das genügt nicht. Ein Dorf ist nicht die Welt. Es mögen sich in ihm Lebensschicksale abspielen, Tragödien und Komödien, das Dorf wird von der Welt bestimmt, in Ruhe gelassen, vergessen oder vernichtet und nicht umgekehrt. Das Dorf ist ein beliebiger Punkt im Weltganzen, nicht mehr, durch nichts bedeutend, zufällig, auszuwechseln. Die Welt ist größer als das Dorf. Über den Wäldern stehen die Sterne. Ich machte mit ihnen früh Bekanntschaft, zeichnete ihre Konstellationen: den unbeweglichen Polarstern, den kleinen und den großen Bären mit dem geringelten Drachen zwischen ihnen, ich lernte die helle Wega kennen, den funkelnden Atair, den nahen Sirius, die ferne Deneb, die Riesensonne Aldebaran, die noch gewaltigeren Beteigeuze und Antares, ich wußte, daß das Dorf zur Erde und die Erde zum Sonnensystem gehöre, daß die Sonne mit ihren Planeten sich um das Zentrum der Milchstraße bewege Richtung Herkules, und ich vernahm, daß der gerade noch von bloßem Auge erkennbare Andromedanebel eine Milchstraße sei wie die unsrige. Ich war nie ein Ptolemäer. Vom Dorfe aus kannte ich die nähere Umgebung, ferner die nahe Stadt, einen Ferienkurort auch in den nahen Bergen, darüber hinaus einige

Kilometer Schulreisen, das war alles, doch nach oben, in den Raum hinein, baute sich ein Gerüst von ungeheuerlichen Entfernungen auf, und so war es auch mit der Zeit: Das Entfernte war wirksamer als das Unmittelbare. Das Unmittelbare wurde nur wahrgenommen, soweit es in das Erfaßbare dringen konnte, als das reale Leben des Dorfes; schon die Dorfpolitik war zu abstrakt, noch abstrakter die Politik des Landes, die sozialen Krisen, die Bankzusammenbrüche, bei denen die Eltern ihr Vermögen verloren, die Bemühungen um den Frieden, das Aufkommen der Nazis, zu unbestimmt, zu bildlos alles, aber die Sintflut, die war faßbar, ein plastisches Ereignis, Gottes Zorn und Wasserlassen, den ganzen Ozean kippte er über die Menschheit aus, nun schwimmt mal, und dann der mutige David, der prahlende Goliath, die Abenteuer des Herkules, des stärksten Mannes, den es je gab, der königliche Theseus, der Trojanische Krieg, die finsteren Nibelungen, der strahlende Dietrich von Bern, die tapferen Eidgenossen, die Österreicher zusammendreschend und bei St. Jakob an der Birs einer unermeßlichen Übermacht erliegend, alles zusammengehalten, der Mutterschoß des Dorfes und die wilde Welt des Draußen, der Geschichte und der Sagen, die gleich wirklich waren, aber auch die unermeßlichen Gestalten des Alls durch einen schemenhaften Lieben Gott, den man anbeten, um Verzeihung bitten mußte, von dem man aber auch das Gute, das Erhoffte und Gewünschte erwarten durfte als von einem rätselhaften Überonkel hinter den Wolken. Gut und Böse waren festgesetzt, man stand in einem ständigen Examen, für jede Tat gab es gleichsam Noten, und darum war die Schule auch so bitter: Sie setzte das himmlische System auf Erden fort, und für die Kinder waren die Erwachsenen Halbgötter. Schrecklich-schönes Kinderland: Die Welt der Erfahrung war klein, ein läppisches Dorf, nicht mehr, die Welt der Überlieferung war gewaltig, schwimmend in einem rätselhaften Kosmos, durchzogen von einer wilden Fabelwelt von Heldenkämpfen, durch nichts zu überprüfen. Man mußte diese Welt hinnehmen. Man war dem Glauben ausgeliefert, schutzlos und nackt.

II   DER SCHRIFTSTELLER
                     IN DER ZEIT

Der fromme Glaube, der die Teppiche von Angers schuf,
wissend um die Vergänglichkeit der Welt und dennoch
ohne Verzweiflung, da es für ihn, noch wirklicher als der
Tod, die Auferstehung gab und das selige Erwachen der
Christen auf einer neuen Erde und in einem neuen Himmel
nach den Schrecken der Apokalypse, hat einer Angst Platz
gemacht, für die das Jüngste Gericht nur noch das Ende
bedeutet, eine schauerliche Götterdämmerung der Zivilisation, der, dank der Atombombe, das Nichts folgen soll,
das sinnlose Kreisen eines ausgebrannten Planeten um
eine gleichgültig gewordene Sonne. Der Trost, daß auch
das Zusammenbrechen aller Dinge Gnade ist, ja, daß es
die Engel selbst sind, die töten, ist der Gewißheit gewi-
chen, daß der Mensch aus eigenem Antrieb ein Inferno der
Elemente zu entfesseln vermag, das man einst nur Gottes
Zorn zuzuschreiben wagte; und Grausamkeiten werden
verübt, die jene des Teufels mehrfach übertreffen. So ist
Ereignis geworden, was Offenbarung war, aber es ist
nicht mehr ein Kampf um Gut und Böse, so gern dies jede
Partei auch darstellt. Die Menschheit ist als ganze schuldig
geworden, ein jeder will mit den Idealen auch die Kehr-
seite retten: die Freiheit und die Geschäfte, die Gerechtigkeit und die Vergewaltigung. Der Mensch, der einst vor
der Hölle erzitterte, die den Schuldigen im Jenseits er-
wartete, hat sich ein Diesseits errichtet, das Höllen aufweist, die Schuldige und Unschuldige in einer Welt glei-
cherweise verschlingen, in der sich Gog und Magog
nicht als Verbündete treffen, sondern als Feinde gegenüberstehen. Unfähig, die Welt nach seiner Vernunft zu
gestalten, formte er sie nach seiner Gier und umstellte sich

selbst mit den schwelenden Bränden seiner Taten, die jetzt seine Horizonte röten, ein Gefangener seiner eigenen Sünde. Seine Hoffnung ist nicht mehr jene des Gläubigen, das Gericht zu bestehen, sondern jene des Verbrechers, ihm zu entgehen, und auch der Giftkelch, den er sich selber mischte, soll von ihm genommen werden. Die Zeit ist in eine Wirklichkeit getaucht, die sie mit Blindheit schlägt, denn die Distanz, die zwischen dem heiligen Seher und dem Bilde war, ist dahingeschwunden und mit diesem unendlichen Verlust, nicht nur an Schönheit, sondern auch an Welt, die Möglichkeit, die Apokalypse ohne jene Verzerrung zu sehen, die sie heute durch die Gegenwart bekommt: die immer düsterer aufsteigenden Wolken der Katastrophen verbergen die Strahlen der Gnade, die immer noch nicht von uns genommen ist. Die wilden Bilder eines Dürer und eines Bosch sind Wirklichkeit geworden, die Wandteppiche von Angers ein verlorenes Paradies, in welchem dem Glauben, der Berge versetzt, möglich war, was uns jetzt, da wir es erleben, wie Hohn erscheint: die Welt auch noch im Untergang in jener Herrlichkeit zu sehen, in der sie erschaffen wurde, Anfang und Ende eine makellose Einheit, das Zusammenstürzen der Städte wie ein Spiel weißer Blüten im Wind, der Tod ein müheloses Hinübergleiten, blumenhaft selbst die Tiere des Bösen, eingehüllt alles in die Lichtfülle des Gottes, dem die Welt nur ein Schemel seiner Füße ist und dessen Kinder wir sind.

Daß die Kunst ohne Objekt, daß ihr Ziel in ihr und nicht außer ihr zu suchen sei, ist eine unmögliche Forderung, liegt doch ihr Wert nicht in ihrem Ziel, sondern stets im Wagnis, ihr Ziel, die Objekte, die Welt zu erobern: Im Weg, nicht im Ausgangspunkt oder in der Ankunft, durchaus in ihrem Gefälle, so wie ein Fluß nur dadurch ist, weil er fließt, noch besser, so wie der Sinn der Schiffahrt, ihr Wesen, darin besteht, in See nach einem fremden Hafen zu stechen, und nicht in den Regeln, auf festem Land eine Galeere zu bauen oder auf einer fernen Insel einzukaufen. Die Kunst der Navigation, des Steuerns, macht sie groß oder gering. Dies ist das Abenteuer, das ihr aufgegeben worden ist und das zu bestehen ihre Würde ausmacht. Kunst ist Welteroberung, weil Darstellen ein Erobern ist und nicht ein Abbilden, ein Überwinden von Distanzen durch die Phantasie. [Es gibt keine andere Überwindung von Distanzen, keine andere Fahrt zum Mond, genauer, zur Beteigeuze oder zum Antares, noch exakter: keine andere Überwindung des Abgrunds zwischen den Dingen als durch die Phantasie.] Kunst ist Mut, dies immer wieder zu tun, Beharrlichkeit, nicht abzulassen, Ursprünglichkeit, zu sehen, daß die Welt immer von neuem entdeckt und erobert werden muß. Denn nur dann ist unser Dasein eine Gnade oder ein Fluch und nicht bloß eine mechanische Existenz, wenn wir in ihm die Welt in *jedem* Augenblick gewinnen oder verlieren können. Die Krise der Kunst kann nur darin liegen, daß die Meinung aufkommt – und in welcher Zeit kommt sie nicht auf –, die Welt sei schon entdeckt oder erobert, wenn statt dessen aus der Kunst etwas

Statistisches wird, etwa eine Bestandesaufnahme, oder etwas Erklärendes, etwa eine Illustration, oder gar etwas Nützliches, gut für trauliche Stunden am Kamin, zur Verführung einer Frau, zur Verschönerung einer Augustfeier oder zur Bekränzung eines Weltmetzgers.

Meine Damen und Herren,
Wenn man schon in einem so kleinen Lande wie dem
unsrigen die Donquichotterie begeht, ein Schriftsteller
deutscher Sprache zu sein und nichts anderes, nicht etwa
noch zu drei Vierteln oder vier Fünfteln ein Redaktor,
Lehrer oder Bauer, oder was es sonst noch bei uns für
Berufe gibt, so muß man sich doch vielleicht langsam
fragen, ob denn ein solches Unternehmen, das sich seiner Natur gemäß immer um den Bankrott dreht, ungefähr so, wie die Erde um die Sonne, absolut und unter
allen Umständen notwendig sei. Es reden ja nicht einmal
alle in unserem Lande deutsch, und sogar die, die es tun,
stehen im allgemeinen dieser Sprache etwas fremd gegenüber, da sie ja Dialekt sprechen, wie es natürlich ist,
und das Land, in welchem siebzig Millionen Deutsche
leben, ist untergegangen und auseinandergebrochen. In
dieser Zeit ein Schriftsteller sein zu wollen, heißt mit dem
Kopf durch die Wand rennen. Meine Damen und Herren, das tue ich leidenschaftlich gern, und ich bin der
Meinung, daß Wände gerade dazu erfunden sind. Ich bin
daher in diesem Lande Schriftsteller geworden, *gerade
weil* man da die Schriftstellerei nicht nötig hat. Ich bin
es geworden, um den Leuten lästig zu fallen. Ob ich ein
guter Schriftsteller bin, weiß ich nicht, und ich kümmere
mich nicht sehr um diese müßige Frage; aber ich hoffe,
daß man von mir sagen wird, ich sei ein unbequemer
Schriftsteller gewesen. So fällt es mir denn gar nicht ein,
mich in erster Linie an die Deutschen zu wenden, sondern ich wende mich vor allem an die Schweizer, vor
allem, da Sie nun ja vor mir sitzen, an Sie, meine Damen

und Herren. Man wird mir vorwerfen, die Schweiz sei eine Provinz und wer sich an eine Provinz wende, sei ein provinzieller Schriftsteller. Gesetzt, daß es noch Provinzen gibt, haben jene unrecht, die so sprechen. Man kann heute die Welt nur noch von Punkten aus beobachten, die hinter dem Mond liegen, zum Sehen gehört Distanz, und wie wollen die Leute denn sehen, wenn ihnen die Bilder, die sie beschreiben wollen, die Augen verkleben? Der Einwand wird aufgeworfen, es sei unerlaubt, das zu schildern, was man nicht selber erlebt habe, als ob Leiden eine Art Monopol zum Dichten schüfe, aber war Dante in der Hölle? Darum müssen Sie sich jetzt auch einen Schriftsteller wie mich gefallen lassen, der nicht von dem redet, was er mit den Augen, sondern von dem, was er mit dem Geiste gesehen hat, der nicht von dem redet, was einem gefällt, sondern von dem, was einen bedroht. Ich bin ein Protestant und protestiere. Ich zweifle nicht, aber ich stelle die Verzweiflung dar. Ich bin verschont geblieben, aber ich beschreibe den Untergang; denn ich schreibe nicht, damit Sie auf mich schließen, sondern damit Sie auf die Welt schließen. Ich bin da, um zu warnen. Die Schiffer, meine Damen und Herren, sollen den Lotsen nicht mißachten. Er kennt zwar die Kunst des Steuerns nicht und kann die Schiffahrt nicht finanzieren, aber er kennt die Untiefen und die Strömungen. Noch *ist* das offene Meer, aber einmal werden die Klippen kommen, dann werden die Lotsen zu brauchen sein.

Meine Damen, meine Herren,
Ich bin sehr stolz und sehr verlegen, diesen Preis erhalten zu haben, stolz, weil nun einmal das Hörspielschreiben eine Tätigkeit ist, die ich mit einer gewissen Leidenschaft betreibe, das heißt, was meine Schriftstellerei angeht, durchaus nicht nur nebenamtlich – verlegen, weil diese Preisentgegennahme mit einer wenn auch zeitlich humanen Redepflicht verbunden ist, die es nun auszuüben gilt. Zu dieser natürlichen Verlegenheit kommt jedoch noch eine andere. Ich bin Schweizer, wenn auch mein Fall insofern etwas gemildert wird, als ich aus Neuchâtel komme, einer Stadt, die bis vor etwas mehr als hundert Jahren zu Preußen gehörte. Nun ist das selbstverständlich an sich kein Grund, verlegen zu sein; die Verlegenheit kommt nur daher, daß zwischen den Schweizern und den Deutschen ein gewisses Problem mir noch nicht ganz gelöst zu sein scheint; ich sage ausdrücklich zwischen den Deutschen und den Schweizern und nicht zwischen der Schweiz und Deutschland, denn es ist ein menschliches Problem, worum es geht, ein Problem, das sich hinter der Feststellung verbirgt, die ein Schweizer oft zu hören bekommt, nämlich er habe nichts durchgemacht. Präziser, er habe keinen Krieg durchgemacht. Denn anders hätte diese Feststellung ja keinen Sinn. Sie ist nun kaum zu bestreiten, doch macht der Schweizer jetzt seit fast hundertfünfzig Jahren den Frieden durch, eine, wie mir scheint, gerade heute interessante Tatsache. Zwar mag es auf den ersten Blick zynisch erscheinen, das Verbum durchmachen auf den Frieden

anzuwenden, doch – und es wird mir immer deutlicher – es ist ein sehr gutes Verbum. Den Frieden muß man durchmachen, durchhalten, aushalten; ja, in einer ganz bestimmten Weise ist das vielleicht viel schwerer als das Durchmachen eines Krieges. Genauer gesagt: wir nähern uns dem Punkt – oder wir haben ihn schon erreicht –, wo wir keinen Krieg mehr, weil der Krieg das Ende bedeuten würde, sondern nur noch den Frieden durchmachen können.

Was ist nun Friede? Vom Kriege aus gesehen – wie man ihn heute leider noch oft betrachtet – etwas Positives, ausschließlich Positives, wie das Land für den Seemann in Seenot. Friede bedeutet dann vor allem Kind in der Wiege, wogende Kornfelder, je nach Politik Glockengeläute von Kirchen oder Gesang im Kolchos. Sieht man jedoch den Frieden nicht vom Kriege her, sondern vom Frieden selber aus, verliert er das positive Vorzeichen, er bekommt aber auch kein negatives. Der Friede ist etwas Inkommensurables. Allein vom Verstande her wäre er leicht zu bewältigen, seine Axiome sind leicht zu finden. Daß er aber nicht leicht zu verwirklichen ist, brauche ich in Berlin nicht noch zu erzählen. Die ungeheuren Aufgaben, vor denen die Welt steht und die allen sichtbar sind, werden ständig durchkreuzt von Machtfragen, Dogmen, Nationalismen, das politische Denken geht meistens nach. Doch von jedem einzelnen aus gesehen, vom Einzelmenschen aus, nimmt der Friede ein noch anderes Gesicht an, sein wahrstes: Er wird zum Alltag, zur Sorge um das tägliche Brot, er wird zur Bühne, auf der sich das menschliche Leben normalerweise abzuspielen hat, als Komödie, als Tragödie, meistens aber als ein recht mäßiges und spannungsloses Drama, bei dem es kein Davonlaufen gibt. Die Schweiz nun ist, dort, wo sie stimmt, Alltag geworden, und diese ihre Alltäglichkeit nehme ich wichtiger, ernster als ihre Mythen: Wir sind schon längst kein Volk der Hirten mehr, so wenig wie Sie ein Volk der Dichter und Denker.

Wenn ich nun anfangs sagte, ich sei stolz auf meine Auszeichnung, so kann ich jetzt diesen meinen Stolz auch näher begründen. Ich bin stolz darüber, daß man etwas von meinem Anliegen begriffen hat, daß ich gute Hörer fand. Je mehr ich mich in meinem Berufe, oder besser, mit meinem Berufe beschäftige, desto klarer ist es mir geworden, daß ich meine Stoffe im Alltag, jenseits der Fiktionen, in der Gegenwart zu suchen habe. Wir müssen den Mut haben, zu unserer Zeit zu stehen. Nur getrost, auch sie hat ihre Helden und Raubritter, und in der Wirtschaft geht es nicht gnädiger zu als in der Schlacht im Teutoburgerwalde. Nicht Herzöge und Feldherren, sondern Geschäftsleute, kleine Krämer, Industrielle, Bankiers, Schriftsteller sind die Rollenträger unserer Zeit – noch genauer: Wir alle sind es, und die Handlung, die wir durchmachen, durchstehen müssen, ist die unseres Alltags. Doch – und nun kann ich den Kreis schließen – wer wüßte besser als die Blinden, was Alltag ist, wie schwer an sich schon das Alltägliche durchzumachen, zu bestehen ist! Die Welt als ganze ist in Verwirrung, allzuviel rächt sich nun, allzuschnell ist die Menschheit angewachsen. Die Welt des einzelnen dagegen ist noch zu bewältigen, hier gibt es noch Schuld und Sühne. Wie der einzelne die Welt besteht oder wie er untergeht, ist das Thema auch meines Hörspiels, das hier ausgezeichnet wird, auch wenn der Hauptheld, der Textilreisende Alfredo Traps, nicht sehr viel von dem, was vorfiel, kapierte. Nur im Privaten kann die Welt auch heute noch in Ordnung sein und der Frieden verwirklicht werden. Ein grausamer Satz. Doch geben wir alle die Hoffnung auf einen allgemeinen Frieden nicht auf. Wir fordern nicht viel. Denn seien wir uns im klaren: Der Friede ist nichts als eine Selbstverständlichkeit, die an sich keine Probleme löst. Das ist seine immanente Schwierigkeit. Hier lauert die Gefahr, daß man von ihm zu viel erwartet. Keine Politik der Welt kann die entscheidenden Fragen lösen, die uns bewegen. Richtige Politik denke ich mir als etwas höchst Bescheidenes, Unauffälliges, Praktisches; die Politik der Elefanten und Ochsen ordne ich den Naturkatastrophen zu. Erst hinter den Kulissen dessen, was von der Politik, vom Staat vernünftigerweise zu fordern ist und was auch zu leisten wäre, nämlich Freiheit und soziale Gerechtigkeit, beginnen die nicht selbstverständlichen, die entscheidenden Fragen, die nicht gemeinsam zu lösen sind, die aber jeder einzelne zu lösen hat. Dorthin vorzustoßen, durch die Schichten der Politik, tiefer noch, durch die Schichten des Alltags hindurch, ist nicht nur die Aufgabe der heutigen Schriftstellerei, es ist auch Ihre Aufgabe, meine Damen und Herren. Ich danke noch einmal für den Preis der Kriegsblinden.

Schriftstellerei: Von allen Fragen, die sich bei meiner Tätigkeit einstellen, hat mich die, ob ich ein Schriftsteller oder ein Dichter sei, am wenigsten interessiert. Ich habe mich von vorneherein entschieden, nur ein Schriftsteller sein zu wollen. Ein Dichter ist zwar etwas Schönes, wer wäre nicht gern einer, doch ist der Begriff so konfus und unbestimmt geworden, daß er sich nur noch in geschlossenen Zirkeln mit einheitlicher Meinung über gewisse Schriftsteller anwenden läßt, nicht öffentlich, nicht sachlich, nicht als Berufsbezeichnung. Die Konfusion entsteht dadurch, daß in Fachkreisen eben zwischen Dichtern und Schriftstellern unterschieden wird, wobei gerade diese Trennung öfters die Gefahr in sich birgt, schlechte Schriftsteller als Dichter auszugeben, für die dann die Definition zutrifft, daß sie zwar dichten aber nicht schreiben können, eine in der deutschsprachigen Literatur nicht allzu seltene Erscheinung. Beruf: Dieses Wort sei hier in einem praktischen Sinne genommen zur Bezeichnung einer Tätigkeit, durch die versucht wird, Geld zu verdienen. Amtlicherseits teilt man denn auch die Schriftstellerei den freien Berufen zu, wobei ausgedrückt wird, daß der Schriftsteller als freier Mann einen Beruf gewählt hat, für dessen Rentabilität er selber verantwortlich ist. Bei dieser Feststellung wird wohl mancher Schriftsteller stutzen müssen. Probleme stellen sich. Einen Beruf haben bedeutet innerhalb der Gesellschaft eine gewisse Funktion ausüben, wie nun diese Funktion sei, wird er sich fragen, sich überlegen müssen, ob überhaupt eine wirkliche Funktion da sei und nicht nur eine fingierte, auch wird er zu untersuchen haben, ob sich noch ein Bedürfnis nach den Produkten seines Berufs melde, oder ob er nicht besser täte, sein Unternehmen als sinnlos zu liquidieren. In der Öffentlichkeit jedenfalls scheint die Überzeugung vorherrschend zu sein, daß es die Schriftstellerei als seriösen Beruf gar nicht geben könne, weil sie keine ganz anständige Voll-, sondern höchstens eine angenehme und leicht spleenige Nebenbeschäftigung sei. Die Künstler sind nun einmal in der Schweiz immer noch etwas Dubioses, Lebensuntüchtiges und Trinkgeldbedürftiges, wohnhaft in jenem stillen Kämmerlein, das bei jeder offiziellen Dichterehrung vorkommt. Doch gibt es bestimmte Gründe, die zu dieser Einstellung geführt haben, so die Tatsache, daß sich Gottfried Keller in bejammernswerter Weise gezwungen sah, zürcherischer Staatsschreiber zu werden, um existieren zu können, und der Umstand, daß Gotthelf Frühaufsteher war – wohl die schweizerischste und fürchterlichste aller Tugenden –, so daß er neben seinem Beruf als Schriftsteller unkollegialerweise noch den eines Pfarrers auszuüben vermochte.

Marktlage: Wer eine Ware verkaufen will, muß den Markt studieren. Auch der Schriftsteller. Der Schweizer verträgt an sich in dem, was er treibt, keinen Spaß, alles gerät ihm leicht ins Feierliche, Biedere, und so versteht er denn auch in der Kunst gar keinen: Die Musen haben bei ihm nichts zu lachen, sondern seiner Forderung nach solider Qualität zu entsprechen und ewig zu halten. Wer im schweizerischen Alltag steckt, braucht seine Ordnung, die Ideale nimmt er zwar im Schein der Leselampe gern zur Kenntnis, im Amt oder im Geschäft jedoch kommen sie ihm nicht ganz zu Unrecht deplaziert vor; Kunst und Wirklichkeit sind getrennt, jene darf diese verschönern doch nicht untergraben, je unethischer es in der Realität zugeht, desto ethischer und positiver soll es in der Kunst zugehen [nicht nur das russische Politbüro fordert positive Helden], die Welt soll wenigstens beim Schriftsteller stimmen, der Geist soll den Konsumenten bestätigen, rühmen, nicht beunruhigen, er soll ein Genußmittel darstellen, nicht eine Schikane: Die Literatur des Positiven, die man sich wünscht, ist nun gewiß nebenamtlich zu leisten, im stillen Kämmerlein eben, und so wirkt denn auch in der Öffentlichkeit die Frage nach dem Beruf des Schriftstellers beinah genierlich, nur die Frage nach der Berufung stellt sich, die natürlich *auch* möglich und wichtig ist, die ich aber hier ausklammern möchte. Denn wer nach dem Berufe des Schriftstellers fragt, stellt eine präzise Frage an die Wirklichkeit.

Freiheit: Da man für unsere Gesellschaftsordnung die Freiheit in Anspruch nimmt, hat man sich auch angewöhnt, von der Freiheit des Schriftstellers zu reden, allgemein wird erleichtert festgestellt, der westliche Schriftsteller sei frei, der östliche dagegen ein Sklave, der zwar gut bezahlt werde, doch nicht schreiben dürfe, was er wolle. Die Freiheit des Geistes ist das Hauptargument gegen den Kommunismus geworden, ein nicht unbedenkliches: Wer nur ein geringes die Entwicklung der Dinge verfolgt, sieht leicht, daß die Russen mehr für den Geist tun als wir, und sei es nur, daß sie sich vorerst mehr um die Volksbildung und um die Wissenschaft bemühen, daß sie hungriger sind als wir: Sie mästen geradezu einen Geist in Ketten, wobei sich die Frage stellt, wie lange die Ketten halten.

Grundbedingung: Wenn wir das Problem der Schriftstellerei als Beruf aufwerfen, haben wir zu untersuchen, wie es denn mit der Freiheit des Schriftstellers in unserer schweizerischen Wirklichkeit bestellt sei. Soll die Schriftstellerei einen freien Beruf darstellen, so muß der Schriftsteller ehrlicherweise in der Gesellschaft einen freien Geschäftspartner erblicken, den er mit keiner Verpflichtung behaften darf, seine Werke zu akzeptieren, denn eine Verpflichtung der Gesellschaft ihm gegenüber könnte nur eintreten, wenn auch er sich der Gesellschaft gegenüber verpflichtet hätte: Die Schriftstellerei wäre jedoch in diesem Falle kein freier Beruf mehr, sondern ein Amt. Nimmt man daher unsere Freiheit ernst, so ist gerade der Schriftsteller der Freiheit zuliebe verpflichtet, der Gesellschaft gegenüber unverpflichtet, kritisch aufzutreten, während die Gesellschaft, will sie frei sein, zwar verpflichtet ist, die grundsätzlich freie Position des Schriftstellers als dessen Grundbedingung zu respektieren, doch nicht verpflichtet werden kann, die Rentabilität seiner Schriftstellerei als Beruf zu garantieren.

Der Konflikt: Als Beruf ist die Schriftstellerei eine ungemütliche Sache. Nicht nur für den Schriftsteller. Auch für die Gesellschaft. Die Freiheit, auf die man sich gerne beruft, wird von der Frage abhängig gemacht, die man gerne verschweigt, ob man sich denn auch diese Freiheit leisten könne. Der Schriftsteller ist zwar frei, aber muß um seine Freiheit kämpfen. Der Kampf spielt sich auf einer wirtschaftlichen Ebene ab. Auch der Geist kostet. Er unterliegt dem Gesetz von Angebot und Nachfrage: ein auf der Ebene des Geistes grausamer Satz.

Auf die Schweiz bezogen: In der Regel vermag es sich hier ein Schriftsteller nicht zu leisten, nur seinen Beruf auszuüben, die Nachfrage ist durch die Kleinheit und Viersprachigkeit des Landes zu gering; hat der Schriftsteller jedoch Erfolg, so lebt er zur Hauptsache vom Ausland. Dieser geschäftliche Umstand gibt zu denken, der schweizerische Schriftsteller ist mehr denn ein anderer zum Erfolg gezwungen, will er seinen Beruf frei ausüben, er ist aufs Ausland angewiesen, die Schweiz ist zwar sein Arbeitsplatz, doch nicht sein Absatzgebiet: In unserem Lande ist die Schriftstellerei als Beruf nur als Exportgeschäft möglich. Diese Tatsache erklärt das Mißtrauen, das dem Exportschriftsteller entgegengebracht wird. Der Schweizer wird durch die Exportschriftstellerei an die Weltöffentlichkeit gebracht, und gerade das möchte der Schweizer nicht, er möchte das idealisierte Wesen bleiben, in welches ihn der Heimatschriftsteller meistens verwandelt, als solches er aber für die Welt unglaubwürdig geworden ist.

Aufs Allgemeine bezogen: Die Schriftstellerei wird erst durch den Erfolg als freier Beruf möglich; der Erfolg sagt jedoch nichts über den Wert einer Schriftstellerei aus, er deutet allein darauf hin, daß der Schriftsteller eine Ware herstellt, die sich verkaufen läßt: Daß dieser Umstand nicht befriedigt, sei zugegeben, doch ist er immer noch der einzig mögliche: Die Schriftstellerei als freier Beruf bleibt zwar ein Wagnis mit ungerechtem Ausgang für viele [und ohne Instanz die Klage vorzubringen]. Wirklich demoralisierend ist die Lage des Schriftstellers jedoch erst, wenn sich der Staat einmischt: An Stelle des wirtschaftlichen tritt der Kampf um die Position innerhalb des staatlichen Schriftstellerverbandes. Doch sind für den freien Schriftsteller Milderungen eingetreten. Nicht nur durch die Hochkonjunktur. Auch durch neue Kunden. Der westdeutsche Rundfunk und das westdeutsche Fernsehen etwa sind nicht zufällig für die Schriftsteller oft lebenswichtig, diese Anstalten brauchen einfach Stücke [auch hier ist die Schweiz nicht konkurrenzfähig]. Überhaupt tut es dem Schriftsteller gut, sich nach dem Markte zu richten. Er lernt so schreiben, listig schreiben, das Seine unter auferlegten Bedingungen zu treiben. Geldverdienen ist ein schriftstellerisches Stimulans.

Trost: Daß der Mensch unterhalten sein will, ist noch immer für den Menschen der stärkste Antrieb, sich mit den Produkten der Schriftstellerei zu beschäftigen. Indem sie den menschlichen Unterhaltungstrieb einkalkulieren, schreiben gerade große Schriftsteller oft amüsant, sie verstehen ihr Geschäft.

Über den Sinn der Dichtung in unserer Zeit ist nicht eben leicht etwas Sinnvolles zu sagen, so schwierig jedenfalls, daß ich mir nicht zutraue, dieses Thema allein zu bewältigen. Was ich zu liefern imstande bin, sind Gedanken zum vorgeschlagenen Thema, Hinweise, in welcher Richtung im Urwalde und Dickicht des heutigen denkerischen Durcheinanders wir möglicherweise zu suchen haben, wenn wir einige Lichtungen finden wollen. Ich will freimütig meine Gedanken äußern, nicht ganz zu Ende formuliert; ich tue es allein aus dem Grunde, weil man mich als einen Schriftsteller, einen Komödienschreiber fragt, und nicht, weil ich ihnen einen mehr als persönlichen Wert beimesse. Das ist auch ganz in Ordnung. Im Symposium ließ Plato neben Sokrates auch Aristophanes zu Wort kommen. Ich lehne es deshalb ab, als Denker aufzutreten; als Dilettant in dieser Tätigkeit kann ich mich jedoch auch unbekümmerter äußern, als wenn ich zur Zunft gehörte, und das mag manchmal auch sein Gutes haben. Ich gehe von einigen trockenen Begriffen aus, doch oft sagt man das Wichtige besser, indem man es ausklammert.

Nun, ich will gleich zu Beginn gestehen, daß ich mit dem Thema auch sonst Mühe habe. Ich liebe es nicht, vom Sinn der Dichtung zu reden. Ich schreibe, weil ich nun einmal den Trieb dazu habe, weil ich es liebe, Geschichten zu erzählen, ohne mich bemüßigt zu fühlen, bei der Auflösung der Welträtsel dabei zu sein. Das alles verlangt eine Erklärung.

Unser Denken, scheint mir, ist immer mehr und zwangsläufiger aus der Domäne des Wortes herausgetreten und mathematisch abstrakt geworden, wenigstens was die exakte Wissenschaft angeht. Gewiß, Physik und Mathematik sind nicht ein und dasselbe. Weite Teile der Mathematik haben überhaupt nur einen Sinn innerhalb der Mathematik, doch stellt die Physik die Natur durch die Mathematik dar, sie ist sowohl ihr Ausdrucksmittel als auch ihre Denkmethode. Natürlich kann ich eine mathematische oder physikalische Formel auch durch die Sprache wiedergeben, doch wird damit die Sprache zu umständlich und verliert so ihre wichtigste Bestimmung, die der Unmittelbarkeit nämlich. Für den Mathematiker dagegen wird sie unhandlich, weshalb er sie durch Chiffren und Zeichen abkürzt und übersichtlich macht, um mit ihr mathematisch hantieren zu können. Die Mathematik wird eine Sprache für Eingeweihte, zu einer «säkularisierten» Sprache gleichsam, von makelloser Klarheit nur für die Wissenden, ihr Inhalt ist nur sie selber, die Beziehungen ihrer Begriffe zueinander [das alles nur sehr allgemein gesprochen].

In der Physik nun gewinnt die Mathematik einen bestimmten Inhalt, der außer ihr liegt [in der Physik eben], doch nur insoweit, als die Physik die Mathematik braucht. Da aber die Mathematik das Bild nicht benötigt, an sich sein kann als ein Operieren mit reinen Gedankendingen, anderseits eine sichere, immanente Logik besitzt, ist nun auch die Physik der Genauigkeit des Denkens zuliebe immer mehr, verstehe ich ihre neueren Tendenzen richtig, dazu übergegangen, ebenfalls die Anschauung, das Bild, das Modell endlich, fallen zu lassen. Sie stellt die Verhaltensweisen der Natur nicht nur mathematisch dar, sie versteht sie auch mathematisch. Ein mehrdimensionaler Raum, aber auch ein Atom, ist ein sinnlicher, doch nicht ein mathematischer Unsinn.

Diese Tendenz, gegen die Sinne zu verstoßen, hat Goethe schon getadelt. Er versuchte mit seiner Farbenlehre, die Physik von der Mathematik zu lösen, vergeblich, wir wissen es. Nun tröstet man sich im allgemeinen damit, daß dieser Weg aus der Sprache heraus in die Begriffswelt der Mathematik nur im naturwissenschaftlichen Denken stattfinde, jedoch nicht in der Philosophie oder in den sogenannten Geisteswissenschaften, die sich immer noch in der Domäne des Wortes aufhalten. Doch möchte ich hier einmal den Verdacht anmelden, ob nicht die Form der heutigen Philosophie die Naturwissenschaft sei, ob wir uns nicht einer Täuschung hingeben, wenn wir glauben, immer noch die alte Philosophie des Worts in irgendeiner Form aufrechterhalten zu können, ob es nicht einfach so sei, daß wir bei Einstein oder Heisenberg die Ansätze einer neuen Philosophie finden und nicht bei Heidegger. Wir haben uns zu sehr angewöhnt, die Resultate der Naturwissenschaften als nebensächlich zu betrachten, als Nachricht über eine ungeistige oder mechanische Welt. Vielleicht müssen wir bescheiden werden. Vielleicht ist durch exaktes, ehrliches Denken über die Welt wirklich nichts anderes auszumachen als einige wenige Einblicke in die Funktionen einer ewig geheimnisvollen Urkraft, und der Rest wäre für den Philosophen Schweigen. Vielleicht ist das Weltbild der Physik nur ein sehr genauer Ausdruck dessen, wie wenig wir wissen. Vielleicht ist die Philosophie eben nichts Berauschendes, sondern etwas maßlos Nüchternes, dem wir gar nicht den Titel «Philosophie» zuzuerkennen wagen, weil wir angesichts einer philosophisch erkannten Wirklichkeit entweder in Verzückung oder in Verzweiflung zu fallen lieben, aber nie in Gähnen – und das tun ja bei der Physik die meisten! Wichtig ist aber noch etwas anderes.

Die Physik, die Naturwissenschaft ist durch ihre notwendige Verbindung mit der Mathematik weitgehend dem Verständnis des Nichtphysikers entrückt, d. h. dem Verständnis der überwiegenden Anzahl der Menschen. Das wäre nicht schwerwiegend, wenn die Naturwissenschaften in sich abgeschlossen, ohne Wirkung nach außen blieben. Das aber ist nun keineswegs der Fall. Im Gegenteil, sie schleudern immer neue Möglichkeiten in die Welt, Radar, Fernsehen, Heilmittel, Transportmittel, elektronische Gehirne usw. Der Mensch sieht sich immer gewaltiger von Dingen umstellt, die er zwar handhabt, aber nicht mehr begreift. Dazu kommt, daß der Friede vorläufig nur deshalb besteht, weil es Wasserstoff- und Atombomben gibt, die für den unermeßlich größten Teil der durch sie bedrohten wie auch bewahrten Menschheit vollends unverständlich sind. Die Technik, können wir mit einer gewissen Vorsicht sagen, ist das sichtbar bildhaft gewordene Denken unserer Zeit. Sie steht zur Physik ähnlich wie die Kunst zur Religion des alten Ägypten, die nur noch von einer Priesterkaste verstanden wurde.

Dazu kommt noch ein weiterer Umstand. Die Menschheit ist, um einen Ausdruck der Physik anzuwenden, aus dem Bereich der kleinen Zahlen in jenen der großen Zahl getreten. So wie in den Strukturen, die unermeßlich viele Atome umschließen, andere Naturgesetze herrschen als im Innern eines Atoms, so ändert sich die Verhaltensweise der Menschen, wenn sie aus den relativ übersichtlichen und, was die Zahl ihrer Bevölkerung betrifft, kleineren Verbänden der alten Welt in die immensen Großreiche unserer Epoche geraten. Wir sehen uns heute Staatsorganisationen gegenüber, von denen die Behauptung, sie seien Vaterländer nur noch mit Vorsicht aufzunehmen ist. Ebenso bemüht sich die heutige Politik oft, Ideen aufrechtzuerhalten, die der staatlichen Wirklichkeit nicht mehr entsprechen: Daher das allgemeine Gefühl, einem boshaften, unpersönlichen, abstrakten Staatsungeheuer gegenüberzustehen. Politik im alten Sinne ist kaum mehr möglich. Wir brauchen eine technische Bewältigung von technischen Räumen, vor allem eine neue, genaue Unterscheidung von dem, was des Kaisers, von dem, was Gottes ist, von jenen Bezirken, in denen Freiheit möglich, und jenen, in denen sie unmöglich ist. Die Welt, in der wir leben, ist nicht so sehr in eine Krise der Erkenntnis gekommen, sondern in eine Krise der Verwirklichung ihrer Erkenntnisse. Sie ist ohne Gegenwart entweder zu sehr der Vergangenheit verhaftet oder einer utopischen Zukunft verfallen. Der Mensch lebt heute in einer Welt, die er weniger kennt, als wir das annehmen. Er hat das Bild verloren und ist den Bildern verfallen. Daß man heute unser Zeitalter eines der Bilder nennt, hat seinen Grund darin, daß es in Wahrheit eines der Abstraktion geworden ist. Der Mensch versteht nicht, was gespielt wird, er kommt sich als ein Spielball der Mächte vor, das Weltgeschehen erscheint ihm zu gewaltig, als daß er noch mitbestimmen könnte; was gesagt wird, ist ihm fremd, die Welt ist ihm fremd. Er spürt, daß ein Weltbild errichtet wurde, das nur noch dem Wissenschaftler verständlich ist, und er fällt den Massenartikeln von gängigen Weltanschauungen und Weltbildern zum Opfer, die auf den Markt geworfen werden und an jeder Straßenecke zu haben sind.

Das ist die Zeit, in der auch der Schriftsteller lebt. Er ist ebenfalls bedroht als Lebewesen und in seiner Eigenart. Ich meine jedoch mit dieser Bedrohung nicht etwa, daß der Schriftsteller sich nun neuen technischen Mitteln gegenüber befände. Man kann sogar noch im Fernsehen oder im Rundfunk dichten. Die Tatsache, daß es heute einen Rundfunk, ein Fernsehen usw. gibt, stellt für den Schriftsteller nur eine Erweiterung seiner Mittel dar, für den dramatischen Schriftsteller, will ich hier gleich einschränken, denn bei ihm ist ja das Wort, die Sprache nicht alles, sondern ein letztes Resultat, das vom Schauspieler immer wieder neu erreicht werden muß. Das reine Wort gibt es weder im Theater noch im Rundfunk noch im Fernsehen, weil im dramatischen Spiel nie vom Menschen abstrahiert werden kann. Es handelt sich überall um den Menschen, um den Menschen, der redet, der durch das Spiel zum Reden gebracht wird. Sieht man im Film, wie im Fernsehen, durch ein Schlüsselloch, im Theater wie in einen Guckkasten, so lauscht man im Hörspiel an einer verschlossenen Tür ohne Schlüsselloch. Was nun besser sei, scheint mir müßig zu fragen. Es ist ein Streit um Methoden, in der jeder recht hat. Im Hörspiel ist die Welt auf die eine Ebene des Hörens abstrahiert, das ist seine große Möglichkeit und seine große Schwäche. Der Vorteil des Theaters gegenüber dem Hörspiel, aber auch der Vorteil des Films oder des Fernsehens liegt gerade darin, daß in ihnen die Sprache nicht als das unmittelbare Medium, sondern als der eigentliche Höhepunkt erreicht wird. Das Theater hat eine viel größere Steigerung als das Hörspiel. Die Welt ist im Hörspiel auf das Hören amputiert, im Film auf das Bild hin. Bei beiden wird eine zu große Intimität erzielt. Sieht man im Film, wie sich die Leute ausziehen, so hört man im Hörspiel, wie sie miteinander flüstern. Gegenüber diesen verschiedenen Möglichkeiten der Technik hat sich der Schriftsteller nun künstlerisch zu bewähren, und das ist möglich, wenn er begreift, daß die verschiedenen technischen Möglichkeiten schon an sich verschiedene Stoffe verlangen: daß ein Theaterstoff etwas ganz anderes ist als ein Hörspielstoff oder ein Fernsehstoff. Die Gefahr für den Schriftsteller liegt heute anderswo. Der Schriftsteller wird allzu leicht verführt, eine Rolle zu spielen, die ihm nicht zukommt. Die versagende Philosophie überreichte ihm das Szepter. Nun sucht man bei ihm, was man bei ihr nicht fand, ja, er soll gar die fehlende Religion ersetzen. Schrieb der Schriftsteller einst Dinge, so schreibt er jetzt über Dinge. Er gilt als Prophet und, was noch schlimmer ist, er hält sich für einen. Nichts ist gefährlicher für den Künstler als die Überschätzung der Kunst. Sie vermag jede Unterschätzung zu ertragen. Im Weihrauchklima der heutigen Verabsolutierung kann sie ersticken.

Der Schriftsteller verspürt, daß wir heute auf eine Wirklichkeit gestoßen sind, die jenseits der Sprache liegt, und dies nicht auf dem Wege der Mystik, sondern auf dem Wege der Wissenschaft. Er sieht die Sprache begrenzt, doch macht er bei dieser Feststellung oft einen logischen Fehler. Er sieht nicht, daß die Begrenzung etwas Natürliches ist – weil die Sprache nun einmal mit dem Bilde verhaftet sein muß, will sie Sprache bleiben –, sondern er versucht, sie über ihre Begrenzung zu erweitern oder sie gleichsam aufzulösen. Nun ist die Sprache etwas Unexaktes. Exaktheit bekommt sie nur durch den Inhalt, durch den präzisen Inhalt. Die Exaktheit, der Stil der Sprache wird durch den Grad der immanenten Logik ihres Inhalts bestimmt. Man kann nicht an der Sprache arbeiten, sondern nur am Gedanken, am Gedanken arbeitet man durch die Sprache. Der heutige Schriftsteller arbeitet oft an der Sprache. Er differenziert sie. Dadurch wird es im Grunde gleichgültig, was er schreibt. So schreibt er denn auch meistens über sich selber. Was soll der Schriftsteller tun? Zuerst hat er zu begreifen, daß er in dieser Welt zu leben hat. Er dichte sich keine andere, er hat zu begreifen, daß unsere Gegenwart auf Grund der menschlichen Natur notwendigerweise so ist. Das abstrakte Denken des Menschen, die jetzige Bildlosigkeit der Welt, die von Abstraktheiten regiert wird, ist nicht mehr zu umgehen. Die Welt wird ein ungeheurer technischer Raum werden oder untergehen. Alles Kollektive wird wachsen, aber seine geistige Bedeutung einschrumpfen. Die Chance liegt allein noch beim einzelnen. Der einzelne hat die Welt zu bestehen. Von ihm aus ist alles wieder zu gewinnen. Nur von ihm, das ist seine grausame Einschränkung. Der Schriftsteller gebe es auf, die Welt retten zu wollen. Er wage es wieder, die Welt zu formen, aus ihrer Bildlosigkeit ein Bild zu machen.

Wie aber formt der Schriftsteller die Welt, wie gibt er ihr ein Gesicht? Indem er entschieden etwas anderes betreibt als eine Philosophie, die vielleicht nicht mehr möglich ist. Indem er entschieden den Tiefsinn fahren läßt, indem er die Welt als Materie verwendet. Sie ist der Steinbruch, aus dem der Schriftsteller die Blöcke zu seinem Gebäude schneiden soll. Was der Schriftsteller treibt, ist nicht ein Abbilden der Welt, sondern ein Neuschöpfen, ein Aufstellen von Eigenwelten, die dadurch, daß die Materialien zu ihrem Bau in der Gegenwart liegen, ein Bild der Welt geben. Was ist nun eine Eigenwelt? Das extremste Beispiel: Gullivers Reisen. Alles in diesem ist erfunden, es ist gleichsam eine Welt neuer Dimensionen erstellt worden. Doch durch die innere, immanente Logik wird alles wieder zu einem Bilde unserer Welt. Eine logische Eigenwelt kann gar nicht aus unserer Welt fallen. Das ist ein Geheimnis: die Übereinstimmung der Kunst mit der Welt. Wir haben allein am Stoffe zu arbeiten. Das genügt. Stimmt der Stoff, wird auch das Werk stimmen. Hat dies der Schriftsteller begriffen, wird er sich auch vom Privaten abwenden, die Möglichkeit einer neuen Objektivität, einer neuen Klassik, wenn Sie wollen, eine Überwindung der Romantik wird sich ihm auftun.

Der Schriftsteller hat ein Arbeiter zu werden. Er hat sich die Stoffe nicht durch eine Dramaturgie zu verbauen, sondern jeden Stoff durch die dem Stoffe gemäße Dramaturgie zu ermöglichen. Es gibt in der deutschen Sprache die zwei Ausdrücke «sich ein Bild machen» und «im Bilde sein». Wir sind nie «im Bilde» über diese Welt, wenn wir uns über sie kein Bild machen. Dieses Machen ist ein schöpferischer Akt. Er kann auf zwei Arten verwirklicht werden: durch Nachdenken, dann werden wir notgedrungen den Weg der Wissenschaft gehen müssen, oder durch Neuschöpfen, das Sehen der Welt durch die Einbildungskraft. Den Sinn dieser beiden Haltungen, oder besser – dieser beiden Tätigkeiten, stelle ich dahin. Im Denken manifestiert sich die Kausalität hinter allen Dingen, im Sehen die Freiheit hinter allen Dingen. In der Wissenschaft zeigt sich die Einheit, in der Kunst die Mannigfaltigkeit des Rätsels, das wir Welt nennen. Sehen und Denken erscheinen heute auf eine eigenartige Weise getrennt. Eine Überwindung dieses Konflikts liegt darin, daß man ihn aushält. Nur durch Aushalten wird er überwunden. Kunst, Schriftstellerei ist, wie alles andere auch, ein Bewähren. Haben wir das begriffen, ahnen wir auch den Sinn.

Der Mensch muß sich dem Menschen vorstellen, sogar die Wilden murmeln ihre Namen, bevor sie aufeinander losstechen, die Begrüßungszeremonien der Menschenfresser übertreffen an Höflichkeit und psychologischem Raffinement die aller andern Völker. Doch bereitet die Vorstellerei vielen technische Schwierigkeiten. Sie hat sich nach gewissen Regeln abzuspielen, die oft verwechselt werden. Fragen stellen sich. Der Herr der Dame? Wann umgekehrt? Wann überhaupt nicht? Ich stehe vor ähnlichen Schwierigkeiten. Wenn es heute abend meine Pflicht ist, vorzustellen, so muß ich vor allem überlegen, wen ich wem vorzustellen habe. Das Bekannte dem Unbekannten oder das Unbekannte dem Bekannten? Wohl das letztere. Das heißt, ich muß Euch, meine liebe Ingeborg Bachmann, lieber Karl Krolow, lieber Graß und lieber Enzensberger, das Publikum vorstellen, Euch, die Ihr hier als eine Auswahlsendung deutscher Dichter bester Qualität eingetroffen seid. Hoffentlich zollfrei. Ihr werdet diesem Publikum bald entgegentreten müssen. Doch muß ich euch Schriftstellern nicht nur etwas Unbekanntes, sondern auch etwas Unbestimmtes vorstellen, denn es gibt nichts Unbestimmteres, Vageres als das Publikum, es wechselt ständig und ist doch immer das gleiche. Man müßte schon mit Statistik dahinter, etwa untersuchen, wie viele Prozent Zürcher und wie viele Prozent Ausländer zugegen sind, um sicher zu gehen; man müßte belegen, daß – ich schieße ins Ungefähre – der Anteil an Kritikern 8 Prozent, der an Politikern 12 Promille, jener an Bankiers 6 Promille und jener an Lehrern – wir sind in der Schweiz – 18 Prozent ausmache usw., kurz – die

Vorstellerei nähme kein Ende. Wir müssen deshalb auf etwas Sicheres gehen, auf eine Feststellung, die allgemein gilt, und da ist festzuhalten, daß Ihr euch eben in Zürich befindet und daß Ihr euch damit einem zürcherischen, das heißt der Hauptsache nach wohl schweizerischen Publikum ausgesetzt habt. Nun wird man sich aber fragen und werden sich vor allem Sie, meine Damen und Herren, als das vorzustellende Publikum fragen, ob dieser allgemeine nationale Nenner, auf den ich Sie brachte, denn auch am Platze sei, ob es nicht vielmehr ersprießlicher wäre, sich auf einen etwas spezielleren Nenner zu einigen, etwa auf ein Publikum von Literaturfreunden, worauf der Vorsteller doch dann höflicherweise einige positive Hinweise auf das Völkerverbindende der Literatur geben könnte, einige warme Worte auf die ihr innewohnende Kraft, Vater- und Abendländer zu retten. Warum gleich mit dem Schlimmsten kommen, warum gleich mit dem Nationalen? Die Zürcher bilden sich doch im allgemeinen viel auf ihre kleine Weltstadt ein, sie geben sich Mühe, sich wie ein internationales Publikum zu betragen, sie hören es möglicherweise gar nicht so gerne, wenn ich sie nun als schweizerisches Publikum behafte. Auch wir Schriftsteller sträuben uns schließlich dagegen, als Österreicher, als Deutsche, als Schweizer usw. und nicht als etwas Internationales, als ein europäischer Kulturwert angeschaut zu werden. Und dennoch ist eine Nation ja nicht nur etwas Abstraktes. Dahinter verbirgt sich eine Realität. Ein gemeinsames Schicksal nämlich, denn wir leben nun einmal in einer Welt, in der wir nicht nur durch das bestimmt sind, was uns als einzelnen zustößt, sondern auch durch das, was sich mit dem Staate ereignet, dem der einzelne, ob frei oder widerwillig, zugeordnet ist. Und so wie Ihr als Schriftsteller nun eben einmal ein

Schicksal als Österreicher oder als Deutscher habt, so hat dieses Publikum ein Schicksal als schweizerisches Publikum.

Nun ist es gar nicht so leicht, wie man glaubt, Schweizer zu sein, die Position ist zwar eine Ausnahme-Position und steht als Paß hoch im Kurs, aber gleichzeitig kommt dieser Position etwas wenn nicht Genierliches, so doch Komisches zu, und es braucht vor allem eine Tugend, die wir meistens nicht besitzen, nämlich Selbsthumor, um diese Position unbeschadet zu überstehen. Das Publikum nämlich, das vor Euch sitzt, hat mehr als hundertfünfzig Jahre Friede hinter sich gebracht – gewiß: dieser lange Friede ist das Ergebnis einer manchmal klugen Politik, aber nur zum Teil, alles war nicht unser Verdienst, möglich war der Friede hienieden eben doch nur, weil wir *auch Glück* gehabt haben. Nun ist hundertfünfzig Jahre lang Glück Haben etwas Unvorstellbares, das große Los, und so ist es denn menschlich, wenn diesem Publikum die Ahnung aufgestiegen ist, so könne es nicht in alle Ewigkeit weitergehen, die nächste Sintflut müsse auch über unseren Staat hereinbrechen. Damit ist sehr viel erklärt. Der Schweizer ist ein vorsintflutliches Wesen in ständiger Erwartung der Sintflut. Doch spielt ihm hier die Vergangenheit einen Streich. Er leitet sich geschichtlich von Helden ab, seine Vorstellungswelt ist geschichtlich durchaus eine martialische, heldische; daß er im wesentlichen das Produkt zweier Niederlagen ist, der von Marignano und der gegen Napoleon, verdrängt er und feiert die Siege der Ur-Urahnen; sein Unglück ist nur, daß sich dieser Drang zum Heldentum nie ernstlich bewähren konnte, die Weltgeschichte verschonte ihn glücklicherweise immer. Im letzten Moment. So lebt er denn ganz auf den imaginären Augenblick dieser zukünf-

tigen Bewährung hin, beteuert sich unaufhörlich, er werde standhalten. Nirgends findet man so viele potentielle
Helden wie bei uns, der Kurs, den unsere Redaktoren
und Obersten einschlagen, ist eisenhart, kompromißlos –
kurz, Ihr steht einem antediluvialen Publikum gegenüber, Ihr, die Ihr nun einer Generation zugehört, die aus
einer Sintflut hervorgegangen ist, einer Generation, deren Erfahrungsbereich und deren Verhalten natürlicherweise anders ist. Wer vor einer möglichen Katastrophe
steht, dichtet die lecken Stellen seiner Arche ab, versucht
das möglichste zu tun, sein Schiff seetüchtig zu halten;
den Schiffbrüchigen dagegen ist nicht mehr das ja unter-
gegangene Schiff wichtig, sondern die Rettungsboote,
die möglicherweise herumtreibenden Planken oder gar
nur noch die eigene Schwimmkunst, ferner die Seemeilen,
die einen vom rettenden Berge Ararat trennen. Treibt
uns die Furcht, so treibt *sie* die Hoffnung. Alles wird zu
einem Versuch, an Land zu kommen. Auch wird in den
Katastrophen der Feind als Mensch erkannt, das ist das
Merkwürdige, während jene, die in Furcht vor einer
Katastrophe leben, den Feind als Feind brauchen, als
Phantom, als das absolut Tödliche, und nichts so sehr
fürchten wie den persönlichen Augenschein, die persönliche Auseinandersetzung. Wir müssen uns im klaren
sein: Diese zwei verschiedenen Erfahrungsbereiche, jener
vor einer möglichen und jener *nach* einer wirklichen Katastrophe, trennen uns immer noch. Der Dialog zwischen
uns ist schwierig geblieben. Wir sehen in unserer Regierung eine Behörde. Opposition ist etwas leicht Unstatt-
haftes, oft gleich Kommunistisches. Ihr seht in der Behörde die Regierung. Opposition ist eine bürgerliche
Pflicht, und deshalb gehört Ihr als Schriftsteller auch der
Opposition an. Wir werfen Euch vor, als politische Den-

68

ker zu versagen, Ihr weißt uns vor, uns das politische Denken zu versagen.

Nun wird man sich wundern, daß ich hier politisch geworden bin, geht es doch darum, vier Lyriker vorzustellen, selbst Graß ist ja neben vielem auch Lyriker. Aber gerade weil Ihr Lyriker seid, kann ich erfreulicherweise politisch werden. Der Lyriker kann heute die Politik nicht mehr übersehen, darf sie nicht mehr übersehen; dichten heißt heute mit jeder Art von Politik in Konflikt kommen. Graß und Enzensberger sind ohne ihren politischen Instinkt nicht denkbar, ebenso wenig wie Ingeborg Bachmann ohne den Hintergrund ihrer Philosophiestudien. Es ist eine mutige Generation, der Sie, meine Damen und Herren des Publikums, vorgestellt werden. Es geht ihr darum, sagten wir, Land zu gewinnen. Man erwartet Falsches von ihr, Riesenschlachtenberichte, gewaltige Epen, im Grunde Sensationen. Aber nicht die Katastrophe war ihnen das Wichtige, sondern das Überwinden, das Lernen des Menschenwürdigen, die Schleichwege zur Freiheit, der rettende Handgriff: Heimat war ihnen die Sprache, es gab keine andere mehr. Diesem Erlebnis ist sie treu geblieben, es gibt kein größeres. Darum ist vielleicht das Beste, was diese Generation schuf, das Gedicht. Es ist nicht mehr das romantische, aber auch nicht mehr das feierliche der George-Zeit oder das überschwängliche des Expressionismus, es ist das den Untergängen und Wechseln der Dinge entgegengehaltene, menschliche Gedicht, das vom zerbrechlichen, schwachen Menschen zeugen will, nicht von Helden und Siegern, von Algabalen und Göttern, es ist die Leuchtspur eines Meteors auf die photographische Platte gebannt, das Vergängliche im Bleibenden. Es ist das Gedicht, das Zeugnis ablegt von einer Zeit, in der der

Mensch vom Menschen bedroht ist wie noch nie, in der wir uns von allen Seiten von Unsresgleichen umstellt sehen. Es ist unsere Zeit, die hier zur Sprache kommt, deren Rechnung nicht aufgeht, weil unsere eigene Rechnung nicht aufging. Gewiß, ein Gedicht bleibt ein Gedicht; doch je nach dem Ort und der Zeit, an welchem und in der es vernommen wird, verändert es sich; was nur schön war, kann mit einem Male notwendig werden, das Vollkommene kann uns auf einmal richten, uns fürchterlich, gefährlich werden. Auch diese Generation hat ihre vollkommenen Gedichte geschrieben, vollkommen: ich sage es bewußt. Denn das Geheimnis des Gedichts ist gerade seine Möglichkeit, vollkommen zu sein. Sich Gedichten auszusetzen, sie notwendig werden zu lassen, sich ihnen zu unterwerfen, ist ein Wagnis, nicht ein Genuß. Sie, meine Damen und Herren, haben zu entscheiden, ob Sie ein genießendes oder ein wagendes Publikum sein wollen, es liegt an Ihnen.

Meine Damen, meine Herren,
Ich stehe etwas sorgenvoll vor Ihnen. Gewiß, der Entschluß der Schweizerischen Schillerstiftung, ausgerechnet mir den Großen Schillerpreis zu übergeben, stimmt mich dankbar, aber eben, stimmt mich auch nachdenklich. Nicht, daß ich mich nun überhaupt für preisunwürdig halte, das möchte ich nicht behaupten, aber wenn ich auf mein nun bald fünfzehnjähriges Bemühen zurückschaue, unsere Zeit in auf der Bühne spielbare Komödien zu verwandeln, stutze ich doch sehr, wenn ich dabei stets mit Schillerpreisen überhäuft werde, was durchaus nicht der Fall wäre, würde mir der Große Nestroypreis zugesprochen, aber den gibt es wohl nicht. Doch es sei. Mit dieser etwas unheimlichen Tatsache muß ich mich denn nun eben abfinden, auch wenn diese Tatsache – wollen wir ehrlich sein, und dies können wir ja auch einmal bei einer Feier – nicht nur mir, sondern wohl auch vielen von Ihnen, meine Damen und Herren, zu schaffen macht. Doch bleibt ein leichtes Unbehagen bestehen. Ein Schillerpreis, und nun gar ein großer, ehrt und belohnt nicht nur, er verpflichtet auch, und falsch verpflichtet möchte ich denn doch nicht werden. Darum ist es meine Pflicht, das verehrte Schiller-Komitee noch einmal vor mir zu warnen, auch wenn diese Warnung nun eigentlich zu spät kommt und ich das Geld schon habe.
Ich bin beunruhigt. Nicht eigentlich darüber, daß man mich ernst, sondern daß man mich bierernst nehmen, daß man mich entweder in ein moralisches Licht hineinstoßen könnte, welches mir weder zukommt noch bekömmlich ist, oder daß man mir gar einen Zynismus zuschreiben

möchte, der auch nicht zutrifft. Es gibt Witze, die mit Blitzesschnelle ankommen müssen, wollen sie wirken. Werden sie nicht auf der Stelle begriffen, bleiben sie wirkungslos. Ich bin nun einmal in der Welt der literarischen Erscheinung so ein Witz, und ich weiß, für viele ein schlechter und für manche ein bedenklicher. Auch neigt ja unsere Zeit vielleicht etwas dazu, die Komödie und das Komödiantische als zweitrangig zu betrachten. Logischerweise, verwandelt doch der Komödienschreiber eine Welt, in der einem das Lachen vergeht, in eine Bühnenwelt, über die er lacht – oft allein. So mag denn das Komödiantische notgedrungen als suspekt erscheinen, der Situation nicht gewachsen. Doch ist dies vielleicht eine Täuschung. Nur das Komödiantische ist möglicherweise heute noch der Situation gewachsen. Wer verzweifelt, verliert den Kopf; wer Komödien schreibt, braucht ihn.

Eines sei hier festgenagelt. Vor allem der Zynismus dem Leben oder den Lebensumständen gegenüber, in welchen man steckt, oder das Weiterwursteln in längst als falsch Erkanntem, verlangt den Ernst, den man der Wirklichkeit gegenüber nicht aufbringt, in der Kunst, den falschen Ernst, das falsche Pathos. Der wahre Nihilismus ist immer feierlich wie das Theater der Nazis. Die Sprache der Freiheit in unserer Zeit ist der Humor, und sei es auch nur der Galgenhumor, denn diese Sprache setzt eine Überlegenheit voraus auch da, wo der Mensch, der sie spricht, unterlegen ist.

Doch was vom Komödienschreiber gilt, gilt auch vom Theater. Die falsche Weihe, die allzugroße Mission, der tierische Ernst schaden auch der Bühne. Wir haben offenbar in Dingen der Kunst bescheidener zu werden, aus dem Tiefsinn aufzutauchen. Die Freiheit liegt jedoch im

Realisierbaren, nicht im Unverbindlichen. Darin *scheint* nun ein Gegensatz zu liegen: Das Realisierbare scheint den vollen Ernst einer Sache zu verlangen, das Komödiantische auszuschließen. Gegen diese Forderung sträubt sich die Bühne an sich. Sie ist nicht die Welt, nicht einmal deren Abbild, sondern eine vom Menschen in seiner Freiheit erstellte, erdichtete, erfabulierte Welt, in der die Leiden und Leidenschaften gespielt sind und nicht erduldet werden müssen und in welcher der Tod selbst nicht etwas Schreckliches, sondern nur einen dramaturgischen Kniff darstellt. Sterben ist auf der Bühne immer noch einer der besten aller denkbaren Abgänge, denn das Theater ist an sich komödiantisch, und auch die Tragödie, die es spielt, kann es nur durch die komödiantische Lust an eben der Tragödie vollziehen. Die literarische Unterscheidung zwischen der Tragödie und der Komödie wird von der Bühne, vom Schauspieler her bedeutungslos. Der Dramatiker kann heute nicht mehr von der Bühne abstrahiert werden, die Frage, wie soll er gespielt, ist eins mit der Frage, wie soll er, wie muß er interpretiert, ja gesprochen werden; das Komödiantische ist das Medium, in welchem er sich bewegen muß, aus welchem er, das ist sein Gesetz, sowohl das Tragische wie auch das Komische zu erzielen hat. Dies alles zugegeben. Aber gerade dadurch, daß das Theater Theater ist und nichts anderes, scheinbar das Unverbindlichste, wird es etwas Verbindliches, ein Gegenüber, ein Objektives, ein Maßstab, denn es vermag nur an das Gewissen der Menschen zu appellieren, wenn es dies aus seiner Freiheit heraus tut: das heißt unwillkürlich. In der unwillkürlichen Moralität des Theaters liegt seine Moral, nicht in seiner erstrebten.

Dies, meine Damen und Herren, ist alles, was ich zu sagen habe. Der Rest ist Dank. Ich danke der Schillerstiftung für die Ehrung – nach den vielen Verrissen ist man ja ganz gern auch wieder etwas gepriesen –, Herrn Doktor Weber für seine Rede, die mich etwas verlegen machte, dem Publikum für sein Erscheinen, dem Schauspielhaus für seine Freundschaft und vor allen den Schauspielern für ihre große Bereitwilligkeit, sich immer wieder durch mich strapazieren zu lassen.

Meine Damen, meine Herren,
Ich spreche nicht als Vertreter der Schweiz. Die Schweizer sind ernste Leute, und ich schreibe Komödien. Ich rede zu Ihnen als Vertreter der bürgerlichen Dekadenz. Meine Damen und Herren, es geht hier überaus würdig zu. Die Reden sind feierlich, und Sie werden es vielleicht verstehen, wenn ich mich als Komödienschreiber etwas fehl am Platze fühle. Doch inzwischen habe ich mir etwas Mut gemacht. Ich erinnere mich, daß vor mehr als zweitausend Jahren in Athen auch ein Symposion stattfand, und zwar über die Liebe, bei dem der Komödienschreiber Aristophanes aufgefordert wurde, das Wort zu ergreifen. Kein Geringerer als der weise Sokrates forderte Aristophanes auf, und der große Komödiant erzählte bei dieser Gelegenheit dann auch eine der ersten surrealistischen Geschichten, die wir kennen, ob zur Freude des Athenischen Schriftstellervereins oder nicht, wissen wir nicht. Meine Damen und Herren, meine Lage hat ebenfalls etwas Surrealistisches. Ich muß in einer Sprache, die vor Ihnen zu sprechen ich unwillkürlich etwas Hemmungen habe, über einen Dichter reden, dessen Werk ich nicht kenne, weil ich seine Sprache nicht verstehe. Und so kann ich mich denn nicht an das Werk Schewtschenkos halten, sondern nur an seine Persönlichkeit. Man nennt ihn ein Genie. Nun, mit einem Genie ist eigentlich nichts anzufangen. Ein Genie ist in den literarischen Himmel entrückt. Genie ist für mich – entschuldigen Sie – ein bürgerlich unexakter Begriff. Man staunt davor und denkt nicht mehr nach. Nein, Schewtschenko ist für mich mehr: ein ganz

bestimmter Mensch, ein ganz bestimmtes Schicksal, ein Individuum mit einer Biographie, ein Einzelwesen, das durch keine Gewalt, durch keine Organisation und durch keinen Staat zu unterdrücken war, ein Mann, der litt, liebte, weinte und lachte, ein Mann, den Ihr liebt, weil er Euch nicht fremd, sondern weil er einer von Euch ist, und den ich nur lieben kann, weil Ihr ihn liebt, denn Eure Liebe zu ihm überzeugt mich. Sein Werk kann ich nur ahnen. Begehen wir nicht den Fehler, aus Schewtschenko oder aus Shakespeare – den wir ja dieses Jahr auch feiern – Götter zu machen? Machen wir aus ihnen Menschen – auch in der Literatur darf es keinen Personenkult geben. Schewtschenko ist nicht der größte Dichter, aus dem einfachen Grund, weil der Begriff eines größten Dichters zum literarischen Küchenlatein gehört. Er ist ein wahrer Dichter. Feiern wir denn Schewtschenko richtig. Ziehen wir aus ihm nicht falsche literarische Axiome, mit denen sich ja immer am bequemsten hinrichten läßt. Er war etwas Lebendiges, nicht eine Theorie. Wen man liebt, den soll man nicht verallgemeinern, sonst mordet man ihn. Schewtschenko ist einer der populärsten Dichter, populär wie etwa Lafontaine für die Franzosen. Nun ist populär zu sein kein literarisches Programm. Ich kann mich nicht hinsetzen und mir vornehmen: Mensch, werde populär. Schlager schließlich sind auch populär und noch lange keine Kunst. Nein, Schewtschenko ist kein Kunstprogramm, sondern ein Naturphänomen. Den Dnjepr kann man nicht nachmachen. Solche Dichter sind einmalig. Sie mahnen uns, sie mahnen vor allem den Kritiker. Auch Schewtschenko wurde in seiner Zeit nicht nur geliebt. Der herrschenden Klasse war er ein Ärgernis, ein negativer Dichter. Die Zeit hat ihn gerechtfertigt. Aber als Dichter gehört er zu allen Dichtern, ist er einer der Ihren, sitzt er an einer Tafel mit Homer und Kafka, und als Dichter wird er auch einmal Beckett und Ionesco die Hand drücken. Nun erzähle ich doch eine surrealistische Geschichte. Die Literatur ist nicht für die Literatur da, sie ist in ihrer Gesamtheit das Gewissen der Menschheit, eine ihrer Dokumentationen. Die einzelnen Stimmen mögen manchmal irren, oft ungerecht sein, was tut's? Es sind menschliche Stimmen, wir haben sie zu akzeptieren, dem Ganzen zuliebe. Die Menschheit spiegelt sich in der Literatur, muß sich in ihr spiegeln, um nicht zu erblinden. Wagen wir den Blick in diesen Spiegel. Verstellen wir ihn nicht. Allzuleicht verzerrt er sich, pfuschen fremde Hände an ihm herum. Seien wir vor allem als Kritiker Wissenschafter. Schreiben wir der Kunst nichts vor, sondern spüren wir ihr nach. Die sogenannten Quasi-Sterne, diese unvorstellbar fernen, riesenhaften Explosionen, die russische und amerikanische Astronomen jüngst entdeckten, mögen für unsere physikalischen Systeme unbequem sein, sie sind nun einmal da. Große Tote feiert man nicht ungeschoren, sie sind keine Monumente, sie nehmen einen beim Wort. Meine Damen und Herren, es gilt den lebendigen Schewtschenko zu feiern, ihn nicht nur zu lieben, sondern auch seine Härte und seine Wildheit zu spüren, denn nur so, als ein Unbequemer, ist er ein Hüter seines Volkes, seines Staates und kein totes Denkmal.

Gibt es noch mögliche Geschichten, Geschichten für
Schriftsteller? Will einer nicht von sich erzählen, roman-
tisch, lyrisch sein Ich verallgemeinern, fühlt er keinen
Zwang, von seinen Hoffnungen und Niederlagen zu
reden, durchaus wahrhaftig, und von seiner Weise, bei
Frauen zu liegen, wie wenn Wahrhaftigkeit dies alles
ins Allgemeine transponieren würde und nicht viel mehr
ins Medizinische, Psychologische bestenfalls, will einer
dies nicht tun, vielmehr diskret zurücktreten, das Private
höflich wahren, den Stoff vor sich wie ein Bildhauer
sein Material, an ihm arbeitend und an ihm sich ent-
wickelnd und als eine Art Klassiker versuchen, nicht
gleich zu verzweifeln, wenn auch der bare Unsinn kaum
zu leugnen ist, der überall zum Vorschein kommt, dann
wird Schreiben schwieriger und einsamer, auch sinnloser,
eine gute Note in der Literaturgeschichte interessiert
nicht – wer bekam nicht schon gute Noten, welche
Stümpereien wurden nicht schon ausgezeichnet –, die
Forderungen des Tags sind wichtiger. Doch auch hier
ein Dilemma und ungünstige Marktlage. Bloße Unter-
haltung bietet das Leben, am Abend das Kino, Poesie
die Tageszeitung unter dem Strich, für mehr, doch sozia-
lerweise schon von einem Franken an, wird Seele gefordert, Geständnisse, Wahrhaftigkeit eben, höhere Werte sollen geliefert werden, Moralien, brauchbare Sen-
tenzen, irgend etwas soll überwunden oder bejaht werden, bald Christentum, bald gängige Verzweiflung,
Literatur alles in allem. Doch wenn dies zu produzieren
der Autor sich weigert, immer mehr, immer hartnäckiger,
weil er sich zwar im klaren ist, daß der Grund seines

Schreibens bei ihm liegt, in seinem Bewußten und Un-
bewußten in je nach Fall dosiertem Verhältnis, in
seinem Glauben und Zweifeln, jedoch auch meint,
gerade dies gehe das Publikum nun wirklich nichts an,
es genüge, was er schreibt, gestaltet, formt, man zeige
appetitlicherweise die Oberfläche und nur diese, arbeite
an ihr und nur dort, im übrigen sei der Mund zu halten,
weder zu kommentieren noch zu schwatzen? Angelangt bei dieser Erkenntnis, wird er stocken, zögern,
ratlos werden, dies wird kaum zu vermeiden sein. Die
Ahnung steigt auf, es gebe nichts mehr zu erzählen, die
Abdankung wird ernstlich in Erwägung gezogen, vielleicht sind einige Sätze noch möglich, sonst aber
Schwenkung in die Biologie, um der Explosion der
Menschheit, den vorrückenden Milliarden, den unablässig liefernden Gebärmüttern wenigstens gedanklich
beizukommen, oder in die Physik, in die Astronomie,
sich über das Gerüst ordnungshalber Rechenschaft ab-
zulegen, in welchem wir pendeln. Der Rest für die
Illustrierte, für Life, Match, Quick und für die Sie und
Er: der Präsident unter dem Sauerstoffzelt, Onkel Bul-
ganin in seinem Garten, die Prinzessin mit ihrem Tau-
sendsassa von Flugkapitän, Filmgrößen und Dollarge-
sichter, auswechselbar, schon aus der Mode, kaum wird
von ihnen gesprochen. Daneben der Alltag eines jeden,
westeuropäisch in meinem Fall, schweizerisch genauer,
schlechtes Wetter und Konjunktur, Sorgen und Plagen,
Erschütterungen durch private Ereignisse, doch ohne
Zusammenhang mit dem Weltganzen, mit dem Ablauf
der Dinge und Undinge, mit dem Abspulen der Notwendigkeiten. Das Schicksal hat die Bühne verlassen,
auf der gespielt wird, um hinter den Kulissen zu lauern,
außerhalb der gültigen Dramaturgie, im Vordergrund

wird alles zum Unfall, die Krankheiten, die Krisen. Selbst der Krieg wird abhängig davon, ob die Elektronen-Hirne sein Rentieren voraussagen, doch wird dies nie der Fall sein, weiß man, gesetzt die Rechenmaschinen funktionieren, nur noch Niederlagen sind mathematisch denkbar; wehe nur, wenn Fälschungen stattfinden, verbotene Eingriffe in die künstlichen Hirne, doch auch dies weniger peinlich als die Möglichkeit, daß eine Schraube sich lockert, eine Spule in Unordnung gerät, ein Taster falsch reagiert, Weltuntergang aus technischem Kurzschluß, Fehlschaltung. So droht kein Gott mehr, keine Gerechtigkeit, kein Fatum wie in der fünften Symphonie, sondern Verkehrsunfälle, Deichbrüche infolge Fehlkonstruktion, Explosion einer Atombombenfabrik, hervorgerufen durch einen zerstreuten Laboranten, falsch eingestellte Brutmaschinen. In diese Welt der Pannen führt unser Weg, an dessen staubigem Rande nebst Reklamewänden für Ballyschuhe, Studebaker, Icecream und den Gedenksteinen der Verunfallten sich noch einige mögliche Geschichten ergeben, indem aus einem Dutzendgesicht die Menschheit blickt, Pech sich ohne Absicht ins Allgemeine weitet, Gericht und Gerechtigkeit sichtbar werden, vielleicht auch Gnade, zufällig aufgefangen, widergespiegelt vom Monokel eines Betrunkenen.

Daß Dummheit schadet, ist ein eminent politischer Satz.

Die Menschheit hat eine Diät nötig und nicht eine Operation.

Daß man schon wieder an Kriege denkt, muß doch auch an den Politikern liegen.

Nicht jeder verdient die Freiheit, der Geld verdient.

Das Peinlichste am jetzigen Weltkonflikt ist, daß er nicht ganz überzeugt.

Wer einen Diktator einen Dämon nennt, verehrt ihn heimlich.

Es hat viele entmutigt, daß ein Trottel wie Hitler an die Macht kommen konnte, aber auch einige ermutigt.

Daß es nicht öfter donnert, ist ein Wunder.

Wenn nur alle Frauenzimmer siebzig Jahre nicht gebären wollten, könnte die Natur wieder frisch von vorne anfangen.

Ich bin eigentlich nur dann vom Weltuntergang überzeugt, wenn ich Zeitungen lese.

Es gibt jetzt nichts Billigeres als den Pessimismus und nicht leicht etwas Fahrlässigeres als den Optimismus.

Bei der Menschheit kommt zuerst der Krach und dann der Blitz.

Wenn die Atombombe kommt, muß die Ohrfeige eingeführt werden.

Nach den Reden der Staatsmänner zu schließen, müssen ihre Zuhörer darüber einschlafen.

Das allermerkwürdigste scheint mir, daß viele an einen Gott glauben, den man photographieren kann.

In Klubsesseln kann man eben auch morden.

Die Kultur ist keine Ausrede.

Leider ist die Ausbeutung schon lange nicht mehr das alleinige Vorrecht der Kapitalisten.

Ein Sowjeter kommt ebenso schwer ins Paradies wie ein Bankier in den Himmel.

Ich finde die Methode, mit der sich die Menschheit umzubringen anschickt, nicht mehr originell.

Es ist schon ein großes Kunststück, noch an den dogmatischen Marxismus zu glauben.

Daß die Lehre des Christentums die Welt nicht gebessert hat, daran sind die Christen schuld, nicht die Kommunisten.

Die Menschen unterscheiden sich darin von den Raubtieren, daß sie vor dem Morden noch beten.

Es ist ein großer Jammer, daß die Völker so durchaus Pech mit ihren Führern haben.

Daß so wenige rot werden, wenn sie von der Freiheit reden, ist kein gutes Zeichen.

Es wird immer schwieriger werden, davonzukommen.

Von den Idealen redet man so viel, weil sie nichts kosten.

Mit den ungeborenen Enkeln pflegt man oft alles zu entschuldigen.

Wenn die Russen auch noch das Pulver erfinden, ist der Friede gesichert.

Nichts kommt die Menschheit teurer zu stehen als eine billige Freiheit.

Oft ist es Pflicht, boshaft zu sein.

Von allen Biestern ist der Brutalität am schwersten beizukommen.

Daß man sich auch durch den Tod aus dem Staube machen kann, ist manchmal ungerecht.

Das Beste an der heutigen Weltlage ist noch, daß die Schriftstellerei wieder anfängt, gefährlich zu werden.

Es ist leicht, angesichts einer Nelke zu hoffen, einen Sonnenstrahl Leben zu nennen, den Sündenfall, den diese Welt seit Anbeginn tat, in Gedanken ungeschehen zu machen. Europa, das seine Gnade verspielte und seine Hand immer wieder mit Blut färbte, versucht sich nun, endlich vor Gottes Thron gestellt, mit dem Geist herauszureden, der auf seinem Boden Großes schuf und den es verleugnete. Die Ausnahme wird zur Regel gemacht, denn nicht Geist war die Regel, sondern Blut. Doch gilt die Ausrede nicht. Von Gott unbarmherziger durchforscht, läßt es mehr und mehr die Ideale fallen, die es nichts kosten und greift zu jenen Waffen, die etwas kosten. Immer nackter zeigt sich der Grund seines Handelns: Unter der sinkenden Maske des Geistes tritt der bloße Trieb zum Vegetieren als das Motiv seines Widerstandes hervor. Der einzige Weg seiner Rettung, sich selbst zu ändern, wird aufgegeben und ein Notstand proklamiert, mit dem man alles zu retten hofft: die Freiheit und die Bankiers, die Geschobenen und die Schieber. Der Konkurs wird erklärt, um sich vor der Schuld zu retten. So kapituliert es vor sich selbst, bevor der Feind angreift. Es baut eine Arche, nicht fromm wie Noah, sondern mit der Absicht, auch jene zu retten, die der Grund der Sintflut sind. Die unnötige Bagage, von der es sich nicht trennen will, wird es um so sicherer in den Abgrund ziehen. Man kann nicht zweien Herren dienen, es hat allen Herren gedient. Blind dafür, daß sein Feind in ihm selbst liegt und es von innen heraus zerstört, sieht es sich einem Henker gegenüber, den es durch sein Versagen selbst gebar und dem es selbst das

Beil in die Hände spielte. Gott läßt seiner nicht spotten. Indem es zwar den Geist hochleben läßt, aber ihm keine Wirkung zumißt und nach den Profiten lebt, indem es zu kleinmütig ist, die nationalen Vorteile der einzelnen zu überwinden, und unfähig bleibt, das zu tun, was die Vernunft mit unerbittlicher Klarheit vorschreibt, begeht es ein größeres Verbrechen als jener, der den Geist leugnet und dem es, eine groteske Selbstverspottung, den Geist entgegenzuhalten wagt. Ein jeder wird nach seinem Maß gerichtet, und der Richter verhüllt schweigend das Haupt. Wer die Freiheit verbietet, nimmt sie wichtiger als der, welcher sie mißbraucht; wer die Persönlichkeit aufgibt, gewinnt mehr als der, dessen Rechte nicht weiß, was die Linke tut, und wer das Christentum unterjocht, begreift es wesentlicher als der, dem es gleichgültig ist. Der Haß ist eine Dimension höher als die Lauheit, ein Gleichgültiger ist noch nie zu einem Paulus geworden. Dem Entweder-Oder des Geistes zu entgehen, ist unmöglich, doch Europa hat noch immer das Unmögliche ins Mögliche verfälscht und sich in ein Sowohl-als-auch gerettet, aus dem es keinen Ausweg mehr gibt: Seine Taten strafen seine Worte ewig Lügen. An den Pfahl seines Abfalls geschmiedet, erwartet es nun, daß der Todesstoß ausbleibe. Es wagte nie, alles auf Gott zu setzen, nun muß es alles auf zwei Hoffnungen setzen: daß Gott es nicht ernst nehme und daß vom Osten die Atombombe ernst genommen werde. Gott soll es verschonen und der Teufel retten. Gleichgültig gegen den Glauben, hofft es auf Gnade und von seinem Scharfrichter auf die Einsicht, daß sich die Hinrichtung nicht rentiere, sollte doch die Welt endlich einmal lernen, was Geschäfte sind. So wendet es sich ab, schöneren Dingen zu, mit dem besten Gewissen, in einer Welt, die den Geist nicht kennt, das Seine zu tun, indem es für ihn Reklame macht und die Kultur der Vergangenheit als einen Check betrachtet, der berechtigt, um des Muts und des Opfers jener willen verschont zu werden, die stets nichts neben den Bankaffären galten. So neigt es sich über den Kelch irgendeiner Blume und nennt sie: Leben; und wie es sich die Handschuhe über die roten Hände zieht, beginnt es wieder zu hoffen, zu glauben, zu lieben, ein Greuel vor dem zornigen Antlitz Gottes.

Der Dramatiker beschreibt Menschen. Er nimmt dazu Schauspieler.

Der Dramatiker sagt Menschen aus.

Im Drama muß alles Gegenwart werden.

Daß es im Drama unbedingt dramatisch zugehen muß, ist ein Vorurteil.

Im Drama braucht man die Dramatik nur anzudeuten.

Schreiben ist auch schon Regieführen.

Durch die Arbeit entsteht aus einem Einfall eine Welt.

Eine Welt ist erstanden, wenn ihre Bausteine in Beziehung zueinander gesetzt worden sind.

Wer eine Welt gebaut hat, braucht sie nicht zu deuten.

Auch in der Dramatik wird der Held durch ein Kollektiv ersetzt.

Der Fehler vieler Stücke liegt in ihrer dichterischen Sprache.

Das Bühnenbild kann ein Stück verfälschen.

In mancher Regie nimmt das Schicksal seinen Lauf.

Es werden heute Stücke geschrieben, die einem das Stückeschreiben verleiden.

Wer auch bei den Klassikern nicht streicht, liebt sie nicht.

Schreiben geht entweder unendlich schnell oder unendlich langsam vor sich.

Manche schreiben als wäre die Literatur eine Grabinschrift.

Alle Dilettanten schreiben gern. Darum schreiben einige von ihnen so gut.

Sie wiegen sich mit der Literatur in Sicherheit.

Viele schreiben nicht mehr, sondern treiben Stil.

Wer Stil treibt, vertreibt sich nur die Zeit.

Stilistisch zu gut geschriebene Bücher machen das Lesen zu einer Fleißaufgabe.

Kritiker haben immer auch, nie nur recht.

Es ist noch keinem Kritiker eingefallen, daß er vielleicht nicht lesen könnte.

Der Mond ist kein Onkel mehr.

Sterne sind etwas Fürchterliches.

Das Schwerste: Sich nicht zu rechtfertigen.

Eine Schlamperei, was heute alles geistig geworden ist.

In Gefängnissen bekommt man nur positive Literatur zu lesen.

Freiheiten beruhen auf Spielregeln, welche die Macht innehält, um nicht als solche zu scheinen.

Wahre Geschichte in einem Satz: Als eines Nachts im Westdeutschen Fernsehen über das Betriebsklima diskutiert wurde, meinte ein Großindustrieller, er halte es für ausgeschlossen, in der Geschäftswelt die Demokratie einzuführen, und alle mußten ihm irgendwie recht geben.

Für die meisten Politiker ist Denken naiv.

Falsche Mythen führen zu einer falschen Politik.

Wer die besseren Ausreden hat, besitzt nicht immer die angenehmere Wirklichkeit.

Man darf nie aufhören, sich die Welt vorzustellen, wie sie am vernünftigsten wäre.

Die Welt ist als Problem beinahe und als Konflikt überhaupt nicht zu lösen.

III

DER SCHRIFTSTELLER
UND DAS THEATER

In der Kunst, wie sie in diesen Tagen praktiziert wird, fällt ein Zug nach Reinheit auf. Man ist um das rein Dichterische bemüht, um das rein Lyrische, das rein Epische, das rein Dramatische. Dem Maler ist das rein Malerische, dem Musiker das rein Musikalische ein Ziel, aufs innigste zu wünschen, und schon sagte mir einer, das rein Funkische sei eine Synthese zwischen Dionysos und Logos. Doch noch merkwürdiger ist in dieser Zeit, die sich doch sonst nicht durch Reinheit auszeichnet, daß jeder seine besondere, einzig richtige Reinheit gefunden zu haben glaubt; so viele Kunstjungfrauen, so viele Arten an Keuschheit möchte man meinen. So sind denn auch die Theorien über das Theater, über das rein Theatralische, das rein Tragische, das rein Komische, die modernen Dramaturgien wohl kaum zu zählen, jeder Dramatiker hat deren drei, vier bereit, und schon aus diesem Grunde bin ich etwas verlegen, nun auch mit den meinen zu kommen.

Dann möchte ich bitten, in mir nicht einen Vertreter einer bestimmten dramatischen Richtung, einer bestimmten dramatischen Technik zu erblicken, oder gar zu glauben, ich stehe als ein Handlungsreisender irgendeiner der auf den heutigen Theatern gängigen Weltanschauungen vor der Tür, sei es als Existenzialist, sei es als Nihilist, als Expressionist oder als Ironiker, oder wie nun auch immer das in die Kompottgläser der Literaturkritik Eingemachte etikettiert ist. Die Bühne stellt für mich nicht ein Feld für Theorien, Weltanschauungen und Aussagen, sondern ein Instrument dar, dessen Möglichkeiten ich zu kennen versuche, indem ich damit spiele.

Natürlich kommen in meinen Stücken auch Personen vor, die einen Glauben oder eine Weltanschauung haben, lauter Dummköpfe darzustellen, finde ich nicht interessant, doch ist das Stück nicht um ihrer Aussage willen da, sondern die Aussagen sind da, weil es sich in meinen Stücken um Menschen handelt und das Denken, das Glauben, das Philosophieren auch ein wenig zur menschlichen Natur gehört. Die Probleme jedoch, denen ich als Dramatiker gegenüberstehe, sind arbeitspraktische Probleme, die sich mir nicht vor, sondern während der Arbeit stellen, ja, um genau zu sein, meistens nach der Arbeit, aus einer gewissen Neugier heraus, wie ich es denn eigentlich nun gemacht habe. Von diesen Problemen möchte ich etwas sagen, auch auf die Gefahr hin, daß der allgemeinen Sehnsucht nach Tiefe nicht genügend Rechnung getragen und der Eindruck wach wird, man höre einen Schneider sprechen. Ich habe freilich keine Ahnung, wie ich es anders machen könnte, wie man es anstellen müßte, unschneiderisch über die Kunst zu reden, und so kann ich nur zu jenen reden, die bei Heidegger einschlafen.

Es geht um die empirischen Regeln, um die Möglichkeiten des Theaters, doch da wir in einer Zeit leben, in der die Literaturwissenschaft, die Literaturkritik blüht, kann ich der Versuchung nicht ganz widerstehen, einige Seitenblicke auf die theoretische Dramaturgie zu werfen. Zwar braucht der Künstler die Wissenschaft nicht. Die Wissenschaft leitet ihre Gesetze von etwas Vorhandenem ab, sonst wäre sie nicht Wissenschaft, die so gefundenen Gesetze sind jedoch für den Künstler wertlos, auch wenn sie stimmen. Er kann kein Gesetz übernehmen, das er nicht gefunden hat, findet er keines, kann ihm auch die Wissenschaft nicht helfen, wenn sie ein solches fand, und hat er eines gefunden, so ist es ihm gleichgültig, ob es nun auch von der Wissenschaft gefunden worden sei oder nicht. Doch steht die verleugnete Wissenschaft wie ein drohendes Gespenst hinter ihm, um sich immer dann einzustellen, wenn er über Kunst reden will. So auch hier. Über Fragen des Dramas reden ist nun einmal ein Versuch, sich mit der Literaturwissenschaft zu messen. Doch beginne ich mein Unternehmen mit Bedenken. Für die Literaturwissenschaft ist das Drama ein Objekt; für den Dramatiker nie etwas rein Objektives, von ihm Abgelöstes. Er ist beteiligt. Seine Tätigkeit macht zwar das Drama zu etwas Objektivem [was eben sein Arbeiten darstellt], doch zerstört er sich dieses geschaffene Objekt wieder, er vergißt, verleugnet, verachtet, überschätzt es, um Neuem Platz zu machen. Die Wissenschaft sieht allein das Resultat: Den Prozeß, der zu diesem Resultat führte, kann der Dramatiker nicht vergessen. Sein Reden ist mit Vorsicht aufzunehmen. Sein Denken über seine Kunst wandelt sich, da er diese Kunst macht, ständig, ist der Stimmung, dem Moment unterworfen. Nur das zählt für ihn, was er gerade treibt, dem zuliebe er verraten kann, was er vorher trieb. So sollte er nicht reden, doch redet er einmal, ist es gar nicht so unnütz, ihn zu vernehmen. Eine Literaturwissenschaft ohne Ahnung von den Schwierigkeiten des Schreibens und von den versteckten Riffen [die den Strom der Kunst in oft unvermutete Richtungen lenken] läuft Gefahr, zu einem bloßen Behaupten, zu einer sturen Verkündigung von Gesetzen zu werden, die keine sind.

So ist es etwa zweifellos, daß die Einheit des Ortes, der Zeit und der Handlung, die Aristoteles, wie man lange meinte, aus der antiken Tragödie folgerte, als Ideal einer Theaterhandlung gefordert ist. Dieser Satz ist vom logischen und demnach ästhetischen Standpunkte aus unanfechtbar, so unanfechtbar, daß sich die Frage stellt, ob damit nicht ein für allemal das Koordinatensystem gegeben sei, nach welchem sich jeder Dramatiker richten müßte. Die Einheit des Aristoteles ist die Forderung nach größter Präzision, größter Dichte und größter Einfachheit der dramatischen Mittel. Die Einheit des Ortes, der Zeit und der Handlung wäre im Grunde ein Imperativ, den die Literaturwissenschaft dem Dramatiker stellen müßte und den sie nur deshalb nicht stellt, weil das Gesetz des Aristoteles seit Jahr und Tag niemand befolgt; aus einer Notwendigkeit heraus, die am besten das Verhältnis zwischen der Kunst, Theaterstücke zu schreiben, und den Theorien darüber illustriert.

Die Einheit des Ortes, der Zeit und der Handlung nämlich setzt der Hauptsache nach die griechische Tragödie als Bedingung voraus. Nicht die Einheit des Aristoteles macht die griechische Tragödie möglich, sondern die griechische Tragödie die Einheit des Aristoteles. So abstrakt eine ästhetische Regel auch zu sein scheint, so ist doch das Kunstwerk, aus dem sie gefolgert wurde, in ihr enthalten. Wenn ich mich anschicke, eine Handlung zu schreiben, die sich, sagen wir, innerhalb zweier Stunden am selben Ort entwickeln und abspielen soll, so muß diese Handlung eine Vorgeschichte haben, und diese Vorgeschichte wird um so größer sein müssen, je weniger Personen mir zur Verfügung stehen. Das ist eine Erfahrung der praktischen Dramaturgie, eine empirische Regel. Unter einer Vorgeschichte verstehe ich die Geschichte vor der Handlung auf der Bühne, eine Geschichte, die erst die Bühnenhandlung möglich macht. Die Vorgeschichte des Hamlet etwa ist die Ermordung seines Vaters, das Drama dann die Aufdeckung dieses Mordes. Auch ist die Bühnenhandlung in der Regel kürzer als das

Geschehen, das sie schildert, sie setzt oft mitten im Geschehen ein, oft erst gegen den Schluß: Ödipus muß zuerst seinen Vater getötet und seine Mutter geheiratet haben, Handlungen, die eine gewisse Zeit benötigen, bevor das Theaterstück des Sophokles einsetzen kann. Die Bühnenhandlung konzentriert ein Geschehen, je mehr sie der Einheit des Aristoteles entspricht: Um so wichtiger wird daher die Vorgeschichte, hält man an der Einheit des Aristoteles fest.

Nun kann natürlich eine Vorgeschichte und damit eine Handlung erfunden werden, die für die Einheit des Aristoteles besonders günstig zu sein scheint, doch gilt hier die Regel, daß, je erfundener oder je unbekannter dem Publikum ein Stoff ist, um so sorgfältiger seine Exposition sein muß, die Entwicklung seiner Vorgeschichte. Die griechische Tragödie nun lebt von der Möglichkeit, die Vorgeschichte nicht erfinden zu müssen, sondern zu besitzen: die Zuschauer kannten die Mythen, von denen das Theater handelte, und weil diese Mythen allgemein waren, etwas Vorhandenes, etwas Religiöses, wurden auch die nie wieder erreichten Kühnheiten der griechischen Tragiker möglich, ihre Abkürzungen, ihre Gradlinigkeit, ihre Stichomythien und ihre Chöre und somit auch die Einheit des Aristoteles. Das Publikum wußte, worum es ging, war nicht so sehr auf den Stoff neugierig als auf die Behandlung des Stoffs. Da die Einheit die Allgemeinheit des Stoffs voraussetzt – eine geniale Ausnahme ist etwa der «Zerbrochene Krug» von Kleist – und damit das religiöse, mythische Theater, mußte eben, sobald das Theater die religiöse, mythische Bedeutung verlor, die Einheit des Aristoteles umgedeutet oder fallen gelassen werden. Ein Publikum, das sich einem fremden Stoff gegenüber sieht, achtet mehr auf den Stoff als auf die Behandlung des Stoffs, notwendigerweise muß deshalb ein solches Theaterstück reicher, ausführlicher sein als eines mit bekannter Handlung. Die Kühnheiten des einen sind nicht die Kühnheiten des andern. Jede Kunst nützt nur die Chancen ihrer Zeit aus, und eine chancenlose Zeit wird es nicht so leicht geben. Wie jede Kunst ist das Drama eine gestaltete Welt, doch kann nicht jede Welt gleich gestaltet werden, die natürliche Begrenzung jeder ästhetischen Regel, auch wenn diese noch so einleuchtend ist. Doch ist damit die Einheit des Aristoteles nicht veraltet: was einmal eine Regel war, wird nun eine Ausnahme, ein Fall, der immer wieder eintreten kann. Auch gehorcht ihr der Einakter, wenn auch unter einer anderen Bedingung. An Stelle der Vorgeschichte dominiert die Situation, wodurch die Einheit wieder möglich wird.

Was aber von der Dramaturgie des Aristoteles gilt, ihre Gebundenheit an eine bestimmte Welt und ihre nur relative Gültigkeit, gilt auch von jeder anderen Dramaturgie. Brecht ist nur konsequent, wenn er in seine Dramaturgie jene Weltanschauung einbaut, der er, wie er meint, angehört, die kommunistische, wobei sich dieser Dichter freilich ins eigene Fleisch schneidet. So scheinen seine Dramen manchmal das Gegenteil von dem auszusagen, was sie auszusagen behaupten, doch kann dieses Mißverständnis nicht immer dem kapitalistischen Publikum zugeschoben werden, oft ist es einfach so, daß der Dichter Brecht dem Dramaturgen Brecht durchbrennt, ein durchaus legitimer Vorfall, der nur dann bedrohlich wird, wenn er nicht mehr stattfindet.

Reden wir hier deutlich. Wenn ich das Publikum als einen Faktor eingeführt habe, so mag das viele befremden; doch wie ein Theater ohne Publikum nicht möglich ist, so ist es auch sinnlos, ein Theaterstück als eine Art Ode mit verteilten Rollen im luftleeren Raum anzusehen und zu behandeln. Ein Theaterstück wird durch das Theater, in dem man es spielt, etwas Sichtbares, Hörbares, Greifbares, damit aber auch Unmittelbares. Diese seine Unmittelbarkeit ist eine seiner wichtigsten Bestimmungen, eine Tatsache, die in jenen heiligen Hallen, in denen ein Theaterstück von Hofmannsthal mehr gilt als eines von Nestroy und ein Richard Strauß mehr denn ein Offenbach, oft übersehen wird. Ein Theaterstück ereignet sich. In der Dramatik muß alles ins Unmittelbare, ins Sichtbare, ins Sinnliche gewandt, verwandelt werden, mit dem Zusatz, der heute offenbar berechtigt ist, daß sich nicht alles ins Unmittelbare, ins Sinnliche übersetzen läßt, zum Beispiel nicht Kafka, der denn auch eigentlich nicht auf die Bühne gehört. Das Brot, das einem da vorgesetzt wird, ist keine Nahrung, es bleibt unverdaut in den unverwüstlichen Mägen der Theaterbesucher und Abonnenten liegen. Doch halten zum Glück viele den inneren Druck, den es so ausübt, nicht für Leibschmerzen, sondern für den Alpdruck, der von Kafkas richtigen Werken ausgeht, und so kommt die Sache durch ein Mißverständnis wieder in Ordnung.

Die Unmittelbarkeit, die jedes Theaterstück anstrebt, die Sichtbarkeit, in die es sich verwandeln will, setzt das Publikum, das Theater, die Bühne voraus. So tun wir gut daran, auch das Theater in Augenschein zu nehmen, für das man schreiben muß. Wir kennen alle diese defizitbelasteten Institutionen. Sie sind, wie viele Einrichtungen heutzutage, nur noch ideell zu rechtfertigen: eigentlich gar nicht mehr. Ihre Architektur, ihr Theaterraum und ihre Bühne, hat sich aus dem Hoftheater entwickelt oder, wie wir besser sagen, ist darin stecken geblieben. Das heutige Theater ist schon aus diesem Grunde kein heutiges Theater. Im Gegensatz zur primitiven Bretterbühne der Shakespearezeit etwa, zu diesem «Gerüste», um mit Goethe zu reden, «wo man wenig sah, wo alles nur bedeutete», war das Hoftheater darauf bedacht, der Natürlichkeitsforderung nachzugeben, obgleich so eine viel größere Unnatürlichkeit erreicht wurde. Man war nicht mehr bereit, hinter einem «grünen Vorhang» das Zimmer des Königs anzunehmen, sondern ging daran, das Zimmer nun auch zu zeigen. Das Merkmal dieses Theaters ist die Tendenz, das Publikum und die Bühne zu trennen, durch den Vorhang und dadurch, daß die Zuschauer im Dunkeln einer beleuchteten Bühne gegenüber sitzen, die wohl verhängnisvollste Neuerung, wurde doch so erst die weihevolle Stimmung möglich, in der unsere Theater ersticken. Die Bühne wurde zu einem Guckkasten. Man erfand eine immer bessere Beleuchtung, die Drehbühne, und der drehbare Zuschauerraum soll auch schon erfunden worden sein. Die Höfe gingen, doch das Hoftheater blieb. Zwar fand auch die heutige Zeit ihre eigene Theaterform, den Film. Wie sehr man auch die Unterschiede betont und wie wichtig es auch ist, sie zu betonen, so muß doch darauf hingewiesen werden, daß der Film aus dem Theater hervorgegangen ist und gerade das kann, was sich das Hoftheater mit seinen Maschinerien, Drehbühnen und anderen Effekten erträumte: die Wirklichkeit vortäuschen.

Der Film ist nichts anderes als die demokratische Form des Hoftheaters. Er steigert die Intimität ins Unermeßliche, so sehr, daß er Gefahr läuft, die eigentlich pornographische Kunst zu werden, die den Zuschauer in die Situation des «Voyeurs» zwingt, und die Beliebtheit der Filmstars liegt nur darin, daß jeder, der sie auf der Leinwand sah, auch das Gefühl hat, schon mit ihnen geschlafen zu haben, so gut werden sie photographiert. Eine Großaufnahme ist an sich unanständig.

Was ist nun aber das heutige Theater? Wenn der Film die moderne Form des alten Hoftheaters sein soll, was ist es denn noch? Es ist heute weitgehend ein Museum geworden, das kann nicht verschwiegen werden, in welchem die Kunstschätze alter Theaterepochen gezeigt werden. Dem ist in keiner Weise abzuhelfen. Es ist dies in unserer rückwärtsgewendeten Zeit, die alles zu besitzen scheint außer einer Gegenwart, nur natürlich. Zu Goethes Zeiten spielte man weniger die Alten, hin und wieder einen Schiller und zur Hauptsache Kotzebue und wie sie alle hießen. Es mag hier ausdrücklich auf die Tatsache hingewiesen sein, daß der Film dem Theater die Kotzebue und die Birch-Pfeiffer wegnimmt. Es wäre nicht auszudenken, was man heute auf den Theatern spielen müßte, wenn der Film nicht erfunden wäre und die Filmautoren Theaterstücke schrieben.

Wenn das heutige Theater zum Teil ein Museum ist, so hat das für die Schauspieler, die sich darin beschäftigen, eine bestimmte Auswirkung. Sie sind Beamte geworden, oft pensionsberechtigt, soweit die Filmarbeit sie noch theaterspielen läßt, wie ja überhaupt der einst verachtete Stand, menschlich erfreulich, künstlerisch bedenklich, schon längst ins Bürgertum übergesiedelt ist und heute in der Rangordnung etwa zwischen den Ärzten und den kleinen Großindustriellen liegt; innerhalb der Kunst nur noch von den Nobelpreisträgern, Pianisten und Dirigenten übertroffen. Manche sind eine Art Gastprofessoren oder Privatgelehrte, die der Reihe nach in den Museen auftreten oder Ausstellungen arrangieren. Danach richtet sich auch der Betrieb, der seinen Spielplan immer mehr nach den Gästen richtet: Was spielt man, wenn die oder jene Kapazität auf dem oder jenem Gebiet zu der oder jener Zeit zur Verfügung steht? Ferner sind die Schauspieler gezwungen, sich in den verschiedenen Stilarten zu bewegen, bald im Barock, bald in der Klassik, bald im Naturalismus und morgen bei Claudel, was etwa ein Schauspieler zur Zeit Molières nicht nötig hatte. Der Regisseur ist wichtig, beherrschend geworden wie noch nie, entsprechend dem Dirigenten in der Musik. Die Forderung nach richtiger Interpretation der historischen Werke stellt sich, sollte sich stellen, doch ist man auf den Theatern noch nicht zur Werktreue vorgestoßen, die einigen Dirigenten selbstverständlich ist. Man interpretiert nicht immer, sondern exekutiert allzu oft die Klassiker, der fallende Vorhang deckt einen verstümmelten Leichnam. Doch ohne Gefahr, denn stets stellt sich auch die rettende Konvention ein, die alles Klassische als vollendet hinnimmt, als eine Art Goldwährung in der Kultur, und die aus der Meinung besteht, daß alles Gold sei, was da in Dünndruckausgaben glänzt. Das Publikum strömt zu den Klassikern, ob sie nun gut oder schlecht gespielt werden, der Beifall ist gewiß, ja, Pflicht des Gebildeten, und man ist auf eine legitime Weise der Nötigung enthoben, nachzudenken und ein anderes Urteil zu fällen als das, welches die Schule einem einpaukte.

Doch gerade die vielen Stilarten, die das heutige Theater zu bewältigen hat, weisen ein Gutes auf. Dieses Gute erscheint zuerst als etwas Negatives. Jede große Theaterepoche war möglich, weil eine bestimmte Theaterform gefunden worden war, ein bestimmter Theaterstil, in welchem und durch welchen man Theaterstücke schrieb. Dies läßt sich bei der englischen, der spanischen Bühne verfolgen, oder beim Wiener Volkstheater, bei dieser wundervollsten Erscheinung im Theaterwesen deutscher Zunge. Nur so läßt sich etwa die große Zahl der Theaterstücke erklären, die Lope de Vega schreiben konnte. Stilistisch war ihm das Theaterstück kein Problem. In dem Maße aber, wie es einen einheitlichen Theaterstil nicht mehr gibt, nicht mehr geben kann, in dem Maße wird das Theaterschreiben ein Problem und damit schwieriger. So ist denn das heutige Theater zweierlei, einerseits ein Museum, anderseits aber ein Feld für Experimente, so sehr, daß jedes Theaterstück den Autor vor neue Aufgaben, vor neue Stilfragen stellt. Stil ist heute nicht mehr etwas Allgemeines, sondern etwas Persönliches, ja, eine Entscheidung von Fall zu Fall geworden. Es gibt keinen Stil mehr, sondern nur noch Stile, ein Satz, der die Situation der heutigen Kunst überhaupt kennzeichnet, denn sie besteht aus Experimenten und nichts außer dem, wie die heutige Welt selbst.

Gibt es nur noch Stile, gibt es nur noch Dramaturgien und keine Dramaturgie mehr: die Dramaturgie Brechts, die Dramaturgie Eliots, jene Claudels, jene Frischs, jene Hochwälders, eine Dramaturgie von Fall zu Fall: Dennoch ist eine Dramaturgie vielleicht denkbar, eine Dramaturgie aller möglichen Fälle eben, so wie es eine Geometrie gibt, die alle möglichen Dimensionen einschließt. Die Dramaturgie des Aristoteles wäre in dieser Dramaturgie nur eine der möglichen Dramaturgien. Von einer Dramaturgie wäre zu reden, welche die Möglichkeiten nicht einer bestimmten Bühne, sondern *der* Bühne untersuchen müßte, von einer Dramaturgie des Experiments.

Was läßt sich endlich über die Besucher sagen, ohne die kein Theater möglich ist, wie wir ausführten? Sie sind anonym geworden, nur noch Publikum eben, eine schlimmere Angelegenheit, als es wohl auf den ersten Blick scheinen mag. Der moderne Autor kennt kein bestimmtes Publikum mehr, will er nicht für die Dorftheater schreiben oder für Caux, was doch auch kein Vergnügen wäre. Er fingiert sein Publikum, in Wahrheit ist er es selber, eine gefährliche Situation, die weder zu ändern noch zu umgehen ist. Das Zweifelhafte, Abgenutzte, für politische Zwecke zu Mißbrauchende, das sich heute an die Begriffe Volk und Gesellschaft heftet – von der Gemeinschaft gar nicht zu reden –, hat sich notgedrungen auch ins Theater geschlichen. Wie setzt er nun die Pointen? Wie findet er nun die Stoffe, wie die Lösungen? Fragen, auf die wir vielleicht eine Antwort finden, wenn wir uns über die Möglichkeiten etwas im klaren sind, die das Theater immer noch bietet.

Wenn ich es unternehme, ein Theaterstück zu schreiben, so ist der erste Schritt, daß ich mir klar mache, wo denn dieses Theaterstück zu spielen habe. Das scheint auf den ersten Blick keine wichtige Frage zu sein. Ein Theaterstück spielt in London oder in Berlin, in einem Hochgebirge, in einem Spital oder auf einem Schlachtfeld, wie dies nun eben die Handlung verlangt. Doch stimmt das nicht ganz. Ein Theaterstück spielt auf der Bühne, die London oder das Hochgebirge oder ein Schlachtfeld darstellen muß. Das ist ein Unterschied, den man nicht zu machen braucht, aber machen kann. Es kommt darauf an, wie sehr der Autor die Bühne mit einbezieht, wie sehr er die Illusion will, ohne die kein Theater auskommt, ob dick aufgetragen, wie Farbberge auf eine Leinwand gehäuft, oder nur durchsichtig, durchscheinend, bruchig. Den dramatischen Ort kann ein Theaterschriftsteller blutig ernst nehmen, als Madrid, als das Rütli, als die russische Steppe, oder nur als Bühne, als die Welt oder als seine Welt.

Der Ort, den die Bühne darzustellen hat, ist die Aufgabe des Bühnenmalers. Nun ist die Bühnenmalerei schließlich auch eine Art Malerei, und die Entwicklung, die in der Malerei stattgefunden hat, kann an ihr nicht vorübergegangen sein. Wenn auch das abstrakte Bühnenbild im wesentlichen gescheitert ist, weil das Theater nie vom Menschen und von der Sprache abstrahieren kann, die abstrakt und konkret zugleich ist, und weil das Bühnenbild ja stets etwas Konkretes darstellen muß, auch wenn es sich noch so abstrakt gebärdet, will es einen Sinn haben, so ist man doch wieder zurück zum grünen Vorhang gegangen, hinter dem der Zuschauer das Zimmer des Königs anzunehmen hat. Man erinnerte sich der Tatsache, daß der dramatische Ort auf der Bühne nicht vorhanden ist, und wäre das Bühnenbild noch so ausführlich, noch so täuschend, sondern durch das Spiel entstehen muß. Ein Wort, wir sind in Venedig, ein Wort, wir sind im Tower. Die Phantasie des Zuschauers braucht nur leichte Unterstützung. Das Bühnenbild will andeuten, bedeuten, verdichten, nicht schildern. Es ist transparent geworden, entstofflicht. Entstofflicht kann jedoch auch der Ort des Dramas werden, den die Bühne darstellen soll. Die beiden Theaterstücke der letzten Jahre, die am deutlichsten die Möglichkeit illustrieren, die ich Entstofflichung des Bühnenbildes und Entstofflichung des dramatischen Orts nennen will, sind Wilders «Kleine Stadt» und «Wir sind noch einmal davongekommen». Die Entstofflichung der Bühne in der «Kleinen Stadt» ist diese: Sie ist leer, nur die Gegenstände stehen da, die man zur Probe benötigt, Stühle, Tische, Leitern usw., und aus diesen Alltagsgegenständen entsteht der Ort, der dramatische Ort, die kleine Stadt, allein durch das Wort, durch das Spiel, das die Phantasie des Zuschauers erweckt. Im andern Stück dieses großen Theaterfanatikers ist der dramatische Ort entstofflicht, wo nun eigentlich das Haus der Familie Anthropus steht, in welcher Zeit und in welchem Stand der Zivilisation, wird nie recht ersichtlich, bald befinden wir uns in der Eiszeit, bald während eines Weltkrieges. Überhaupt ist dieses Experiment in der modernen Bühnenliteratur oft anzutreffen: unbestimmt ist es etwa, wo sich bei Frisch der unheimliche Graf Öderland befindet; wo man Herrn Godot erwartet, weiß kein Mensch, und in der «Ehe des Herrn Mississippi» habe ich die Unbestimmtheit des Ortes damit ausgedrückt [um das Stück in den Witz, in die Komödie hinein zu hängen], daß man durch das eine Fenster des selben Raums eine nördliche Landschaft mit einer gotischen Kathedrale und einem Apfelbaum erblickt, durch das andere eine südliche, eine antike Ruine, etwas Meer und eine Zypresse. Entscheidend dabei ist, daß *mit* der Bühne gedichtet wird, um Max Frisch zu zitieren, eine Möglichkeit, die mich seit jeher beschäftigt und die einer der Gründe, wenn nicht der Hauptgrund ist, warum ich Theaterstücke schreibe. Man hat ja jederzeit nicht nur auf, sondern mit der Bühne gedichtet, ich denke etwa an die Komödien des Aristophanes oder an die Lustspiele Nestroys.

Doch dies nur nebenbei. Wie sehen nun die einzelnen Probleme aus, denen zum Beispiel ich mich gegenüberfand, um einen Autor zu nennen, den ich einigermaßen kenne, wenn auch nicht ganz überblicke? Im «Blinden» ging es mir darum, dem dramatischen Ort das Wort entgegenzustellen, das Wort gegen das Bild zu richten. Der blinde Herzog glaubt, er lebe in seinem unzerstörten Schloß, und lebt in einer Ruine, er wähnt, sich vor Wallenstein zu demütigen, und sinkt vor einem Neger nieder. Der dramatische Ort ist der gleiche, aber durch das Spiel, das man dem Blinden vorspielt, wird er ein Doppeltes, ein Ort, den der Zuschauer sieht, und ein Ort, an welchem sich der Blinde glaubt. Und wenn ich in meiner Komödie «Ein Engel kommt nach Babylon» als dramatischen Ort die Stadt des Turmbaus wählte, so habe ich im wesentlichen zwei Probleme lösen müssen: Erstens mußte mit der Bühne zum Ausdruck kommen, daß es in dieser Komödie zwei Orte gibt: den Himmel und die Stadt Babylon. Der Himmel als der geheimnisvolle Ausgangspunkt der Handlung und Babylon als der Ort, wo sich die Handlung abspielt.

Nun, den Himmel könnte man einfach mit einem dunklen Hintergrund wiedergeben, als eine Ahnung seiner Unendlichkeit, doch da es mir in meiner Komödie darum geht, den Himmel nicht so sehr als einen Ort des Unendlichen, sondern des Unbegreiflichen, des ganz anderen einzusetzen, schreibe ich vor, daß den Hintergrund der Bühne, den Himmel über der Stadt Babylon, ein Riesenbild des Andromedanebels einnehmen müsse, wie wir es in dem Spiegel des Mount Palomar sehen. Damit versuche ich zu erreichen, daß der Himmel, das Unbegreifliche, Unerforschliche, auf der Bühne Gestalt annimmt, Theatergestalt. Auch wird damit das Heranrücken des

Himmels gegen die Erde hin deutlich, ein Heranrücken, welches in der Handlung in der Weise zum Ausdruck kommt, daß eben ein Engel Babylon besucht. Auch wird so eine Welt konstruiert, in der das Resultat der Handlung, der Turmbau zu Babel, möglich wird.

Zweitens war zu überlegen, wie nun etwa der Ort, in welchem das Stück spielt, Babylon, durch die Bühne dargestellt werden kann. Was mich an Babylon reizte, war das Heutige, das Zyklopische dieser Stadt, als eine Art New York mit Wolkenkratzern und Elendsvierteln, wobei dadurch, daß sich die beiden ersten Akte am Euphratquai abspielen, Paris hineinkommt: Babylon steht für Großstadt überhaupt. Es ist ein Phantasiebabylon, das einige typisch babylonische Züge aufweisen muß, doch in einer ins Moderne parodierten Form, ebenso moderne Züge, wie etwa eine Straßenlaterne auf babylonisch parodiert. Natürlich ist die Ausführung, der Bau dieser Bühne, Sache des Bühnenmalers, doch muß sich der Dramatiker überlegen, was für eine Bühne er will.

Ich liebe das farbige Bühnenbild, das farbige Theater, die Bühne Teo Ottos, um einen Namen mit Verehrung auszusprechen. Mit dem Theater vor schwarzen Vorhängen, wie es einmal Mode war, oder mit dem Hang, Armut auszustrahlen, dem einige Bühnenmaler nachgeben, kann ich nicht viel anfangen. Gewiß, auf dem Theater ist vor allem das Wort wichtig, aber eben: vor allem. Nach dem Wort kommt noch vieles, was auch zum Theater gehört, auch der Übermut, und wenn einer zu meinem «Mississippi» tiefsinnig fragte, ob denn eigentlich ein vierdimensionales Theater möglich sei, weil darin eine Person durch eine Standuhr die Bühne betritt, so muß ich dazu bemerken, daß ich dabei nicht an Einstein gedacht habe. Es wäre mir im täglichen Leben oft ein Vergnügen, eine Gesellschaft zu besuchen und bei dieser Gelegenheit zum Erstaunen der Anwesenden durch eine Standuhr ins Zimmer zu treten oder durchs Fenster zu schweben. Daß wir Bühnenautoren es manchmal lieben, solchen Wunschen wenigstens auf dem Theater nachzugeben, wo sie nun eben möglich sind, darf uns gewiß niemand verwehren. Der alte Streit, was vorher gewesen sei, das Ei oder das Huhn, kann in der Kunst dahin abgewandelt werden, ob das Ei oder das Huhn darzustellen sei, die Welt als Potential oder als Reichtum. Die Künstler wären dann in solche einzuteilen, die zum Ei, und in solche, die zum Huhne hin tendieren. Der Streit besteht, und wenn Alfred Polgar zu mir einmal bemerkte, es sei doch merkwürdig, daß, während die heutige angelsächsische Dramatik alles im Dialog zur Darstellung bringe, bei mir immer viel zu viel auf der Bühne geschehe, und er sähe einmal gern einen einfachen Dürrenmatt, so steckt hinter dieser Wahrheit nur meine Weigerung, das Ei über das Huhn zu stellen, und mein Vorurteil, das Huhn mehr als das Ei zu lieben. Es ist meine nicht immer glückliche Leidenschaft, auf dem Theater den Reichtum, die Vielfalt der Welt darstellen zu wollen. So wird mein Theater oft vieldeutig und scheint zu verwirren. Auch schleichen sich Mißverständnisse ein, indem man verzweifelt im Hühnerstall meiner Dramen nach dem Ei der Erklärung sucht, das zu legen ich beharrlich mich weigere.

Doch ist ein Theaterstück ja nun nicht nur an einen Ort gebunden, es gibt auch eine Zeit wieder. Wie die Bühne einen Ort darstellt, stellt sie auch Zeit dar, die Zeit, welche die Handlung dauert [und die Zeit, in der sie sich abspielt]. Hätte Aristoteles die Einheit des Ortes, der Zeit und der Handlung wirklich gefordert, so hätte er damit die Zeitdauer einer Tragödie der Zeitdauer ihrer Handlung gleichgesetzt [was die griechischen Tragiker annähernd erreichen], weshalb denn auch alles auf diese Handlung konzentriert sein müßte. Die Zeit würde so «naturalistisch» wiedergegeben als ein fugenloses Nacheinander. Dies braucht jedoch nicht immer der Fall zu sein. Im allgemeinen erscheinen zwar die Handlungen auf der Bühne als ein Nacheinander, in der Zauberposse «Der Tod am Hochzeitstag» von Nestroy aber, um ein Beispiel zu nehmen, gibt es zwei Akte, die gleichzeitig spielen, und mit Geschick ist diese Gleichzeitigkeit dadurch vorgetäuscht, daß die Handlung des zweiten Akts die Geräuschkulisse für den ersten und die Handlung des ersten die Geräuschkulisse für den zweiten Akt bildet. Weitere Beispiele der Anwendung der Zeit als einer Möglichkeit des Theaters könnten mit Leichtigkeit erbracht werden. Die Zeit kann verkürzt, verlangsamt, gesteigert, angehalten, wiederholt werden, wie ein Josua vermag der Dramatiker seiner Theatersonne zuzurufen: Stehe still zu Gibeon, und, Theatermond, im Tal Ajalon.

Hierzu ist weiter zu bemerken, daß die Einheit des Aristoteles auch in der antiken Tragödie nicht vollkommen erfüllt ist. Die Handlung wird durch die Chöre unterbrochen und damit die Zeit durch die Chöre eingeteilt. Der Chor unterbricht die Handlung und ist, im Hinblick auf die Zeit und ganz untiefsinnig, nach Schneiderart gesprochen, das, was heute der Vorhang ist. Durch den Vorhang wird die Zeit einer Handlung zerlegt. Nichts gegen dieses ehrwürdige Mittel. Der Vorhang hat das Gute, daß er einen Akt deutlich schließt, reinen Tisch macht. Auch ist es, psychologisch, oft nur allzu nötig, den erschöpften und erschrockenen Zuschauer ausruhen zu lassen. Doch ist man nun dazu übergegangen, die Sprache mit der Zeit auf eine neue Weise zu verknüpfen.

Wenn ich Wilders «Kleine Stadt» noch einmal heranziehe, so deshalb, weil dieses schöne Theaterstück allgemein bekannt sein dürfte. Jedermann weiß, daß sich in ihm verschiedene Personen ans Publikum wenden und von den Nöten und Sorgen der kleinen Stadt erzählen. Damit erreicht Wilder, daß er keinen Vorhang mehr braucht. Der Vorhang ist durch die Anrede an das Publikum ersetzt. Zu der Dramatik tritt die Epik, die Schilderung. Daher nennt man diese Theaterform episches Theater.

Nun sind jedoch auch, sieht man genau hin, Shakespeare oder etwa der «Götz» in einem gewissen Sinne episches Theater. Nur auf eine andere, versteckter Weise. Da sich Shakespeares Königsdramen oft über längere Zeit hin erstrecken, ist diese Zeitspanne wieder in verschiedene Handlungen eingeteilt, in verschiedene Episoden, die jede für sich dramatisch behandelt wird. «Heinrich der Vierte» weist 19, der «Götz» gegen Ende des vierten Aktes schon 41 Bilder auf. Weiter habe ich nicht gezählt. Betrachtet man den Aufbau der Gesamthandlung, so erscheint er, was die Behandlung der Zeit angeht, dem Epischen angenähert, wie ein Film, der zu langsam gedreht wird, so daß die Bilder einzeln sichtbar werden, denn die Zusammenballung auf eine bestimmte Zeit hin ist zugunsten einer Episodendramatik aufgegeben.

Wenn nun in neueren Theaterstücken sich der Autor ans Publikum wendet, so wird damit versucht, das Bühnenstück kontinuierlicher zu gestalten, als dies sonst einer Episodendramatik möglich ist. Die Leere zwischen den Akten soll aufgehoben, die Zeitspanne nicht durch eine Pause, sondern durch das Wort überbrückt werden, durch die Schilderung dessen, was inzwischen geschehen ist, oder durch die Selbsteinführung einer neuen Person. Die Expositionen werden episch durchgeführt, nicht die Handlungen, zu denen die Expositionen führen. Es ist dies ein Vorstoß des Wortes auf dem Theater, das Wort schickt sich an, ein Terrain zurückzuerobern, das es schon längst verloren hatte. Wird versucht, sagte ich, denn oft dient heute die Ansprache an das Publikum nur dazu, das Stück zu erklären, ein ganz unsinniges Unternehmen: Wenn das Publikum von einer Handlung mitgerissen ist, braucht es nicht nachzukommen, wird es jedoch nicht mitgerissen, kommt es auch nicht mit, wenn es nachkommt.

Im Gegensatz zur Epik jedoch, die den Menschen zu beschreiben vermag, wie er ist, stellt die Kunst des Dramas den Menschen mit einer Einschränkung dar, die nicht zu umgehen ist und den Menschen auf der Bühne stilisiert. Diese Einschränkung ist durch die Kunstgattung hervorgerufen. Der Mensch des Dramas ist ein redender Mensch, das ist seine Einschränkung, und die Handlung ist dazu da, den Menschen zu einer besonderen Rede zu zwingen. Die Handlung ist der Tiegel, in welchem der Mensch Wort wird, Wort werden muß. Das heißt nun aber, daß ich den Menschen im Drama in Situationen zu bringen habe, die ihn zum Reden zwingen. Wenn ich zwei Menschen zeige, die zusammen Kaffee trinken und über das Wetter, über die Politik oder über die Mode reden, sie können das noch so geistreich tun, so ist dies noch keine dramatische Situation und noch kein dramatischer Dialog. Es muß etwas hinzukommen, was ihre Rede besonders, dramatisch, doppelbödig macht. Wenn der Zuschauer etwa weiß, daß in der einen Kaffeetasse

Gift vorhanden ist, oder gar in beiden, so daß ein Gespräch zweier Giftmischer herauskommt, wird durch diesen Kunstgriff das Kaffeetrinken zu einer dramatischen Situation, aus der heraus, auf deren Boden, sich die Möglichkeit des dramatischen Dialogs ergibt. Ohne den Zusatz einer besonderen Spannung, einer besonderen Situation gibt es keinen dramatischen Dialog.

Muß der Dialog aus einer Situation entstehen, so muß er in eine Situation führen, in eine andere freilich. Der dramatische Dialog bewirkt: ein Handeln, ein Erleiden, eine neue Situation, aus der ein neuer Dialog entsteht usw.

Nun ist der Mensch ja nicht nur ein redender Mensch. Die Tatsache, daß er denkt oder doch denken sollte, daß er fühlt, vor allem fühlt, und daß er dies Denken, dies Fühlen anderen nicht immer offenbaren will, hat dazu geführt, das Kunstmittel des Monologs anzuwenden. Zwar ist ein Mensch, der auf der Bühne ein lautes Selbstgespräch führt, nicht gerade etwas Natürliches, was ja auch, und in erhöhtem Maße, von der Arie in der Oper zu sagen wäre. Doch ist der Monolog [und die Arie] ein Beweis, daß ein Kunstkniff, der doch vermieden werden sollte, zu einer unverhofften Wirkung gelangen kann, auf den, und mit Recht, das Publikum immer wieder hereinfällt, so sehr, daß der Monolog «Sein oder Nichtsein» im «Hamlet» oder der Monolog des Faust wohl das Beliebteste und Berühmteste ist, was es auf der Bühne gibt.

Doch ist nicht alles Monolog, was sich wie ein Monolog anhört. Der Sinn des Dialogs ist es nicht nur, den Menschen dahin zu bringen, wo er handeln oder erleiden muß, sondern bisweilen auch in die große Rede zu münden, in die Erklärung seines Standpunktes. Viele haben den Sinn für das Rhetorische verloren, seit, wie Hilpert berichtet, ein textunsicherer Schauspieler den Naturalismus erfunden hat. Das ist schade. Die Rede vermag wie kein anderes Kunstmittel über die Rampe zu dringen. Doch können auch die Kritiker nicht mehr viel mit ihr anfangen. Dem Autor, der heute eine Rede wagt, wird es wie dem Bauern Dikaiopolis gehen, er wird seinen Kopf auf den Richtpflock legen müssen; nur daß im Gegensatz zu den Acharnern des Aristophanes die meisten Kritiker zuschlagen: die normalste Sache der Welt. Niemand köpft leichter als jene, die keine Köpfe haben.

Auch gab es immer eine Erzählung innerhalb des Dramas, man braucht dazu nicht erst an das epische Theater zu denken. So muß etwa eine Vorgeschichte erzählt oder in der Form eines Botenberichts ein Ereignis gemeldet werden. Eine Erzählung auf der Bühne ist nicht ungefährlich, weil sie nicht in der Weise lebt, greifbar ist wie eine Handlung, die auf der Bühne geschieht. Man hat dem oft abzuhelfen versucht, indem man den Boten dramatisiert, ihn etwa in einem spannenden Augenblick auftreten oder einen Dummkopf sein läßt, dem der Bericht nur mit Mühe zu entlocken ist. Doch muß ein sprachliches Moment hinzutreten, will man auf der Bühne erzählen. Die Bühnenerzählung kommt nicht ohne Übertreibung aus. Man achte, wie Shakespeare den Bericht des Plutarch von der Barke der Kleopatra übertreibt. Dieses Übertreiben ist nicht nur ein Merkmal des barocken Stils, sondern ein Mittel, die Barke der Kleopatra gleichsam auf die Bühne zu stellen, sichtbar zu machen. Keine Theatersprache kommt ohne Übertreibung aus, freilich ist es nötig, zu wissen, wo man übertreiben muß und vor allem: wie.

Ferner: Wie die Personen auf der Bühne, kann auch ihre Sprache ein Schicksal erleiden: Der Engel etwa, der nach Babylon kommt, wird von Akt zu Akt über die Schönheit der Erde begeisterter, seine Sprache muß diese steigende Begeisterung ausdrücken und sich bis zum Hymnus steigern. Der Bettler Akki in der gleichen Komödie erzählt sein Leben in Makamenform, in einer Prosa, die Reime enthält und aus dem Arabischen kommt. Damit versuche ich, das Arabische dieser Gestalt, die Freude am Fabulieren, am Wortgefecht, am Wortspiel auszudrücken, ohne jedoch in eine andere Form, etwa ins Chanson, zu fallen. Die Makamen des Akki sind nichts anderes als die äußerste Möglichkeit seiner Sprache und somit eine Verdichtung seiner Gestalt. Akki wird in ihnen ganz Sprache, ist in ihnen Sprache geworden, und das hat ein Bühnenschriftsteller immer anzustreben: daß es in seinem Theater Momente gibt, in denen die Gestalten, die er schreibt, Sprache werden und nichts anderes.

Freilich lauert hier eine Gefahr. Die Sprache kann verführen. Die Freude, mit einem Mal schreiben zu können, Sprache zu besitzen, wie sie mich etwa während der Arbeit am «Blinden» überfiel, kann den Autor überreden, gleichsam vom Gegenstand weg in die Sprache zu flüchten. Nah am Gegenstande zu bleiben ist eine große Kunst, die nur dann erreicht wird, wenn ein Gegentrieb vorhanden ist, den es zu bändigen gilt. Auch Dialoge können verführen, Wortspiele, die einen unvermutet vom Stoffe wegtreiben. Doch gibt es immer wieder Einfälle, denen man nicht widerstehen darf, auch wenn sie drohen, den mühsam errichteten Plan über den Haufen zu rennen. Neben der Vorsicht, den Einfällen zu widerstehen, muß auch der Mut vorhanden sein, sich ihnen auszusetzen.

All diese Elemente und Probleme des Ortes, der Zeit und der Handlung, hier nur angedeutet, eng miteinander verschlungen, gehören zu den Elementen, Kunstgriffen und

Werkzeugen des dramatischen Handwerks. Nun kann ich nicht verschweigen, daß ich mit dem Begriff des dramatischen Handwerks im Kriege stehe. Die Ansicht, daß die Kunst jedem, der sich mit genügendem Fleiß und Ausdauer hinter die Aufgabe setzt, sie zu produzieren, schließlich doch erlernbar sei, scheint längst überwunden, doch findet sie sich offenbar noch in jenen Urteilen, die über die Kunst abgegeben werden, Theaterstücke zu schreiben. Diese wird als etwas Handfestes angenommen, als etwas Biederes und Braves. So wird denn auch das Verhältnis, das der Dramatiker mit seiner Kunst hat, als eine Ehe betrachtet, in der alles legitim vor sich geht, versehen mit den Sakramenten der Ästhetik. Daher kommt es wohl auch, daß hier wie nirgends sonst so oft die Kritik von einem Handwerk spricht, das je nach dem Fall beherrscht oder nicht beherrscht werde; doch untersucht man genauer, was sie unter dem Handwerk eigentlich denn nun versteht, so stellt es sich heraus, daß es nichts anderes ist als die Summe ihrer Vorurteile. Es gibt kein dramatisches Handwerk, es gibt nur die Bewältigung des Stoffs durch die Sprache und durch die Bühne: eine Überwältigung, um es genauer zu sagen, denn jedes Schreiben ist ein Waffengang mit seinen Siegen, Niederlagen und unentschiedenen Gefechten. Vollkommene Stücke gibt es nicht, das ist eine Fiktion der Ästhetik, bei der es immer etwas wie im Kino zugeht, wo allein noch der vollkommene Held zu finden ist. Noch nie hat ein Theaterschreiber unverwundet das Schlachtfeld verlassen, und jeder hat seine Achillesferse. Dabei ist der Gegner, der Stoff, nie fair. Er ist listig, oft nicht aus seiner Festung zu locken und wendet die geheimsten, niederträchtigsten Fallen an, und so muß der Dramatiker denn auch mit allen erlaubten und unerlaubten Mitteln kämpfen, die weisen Mahnungen, Regeln und Sittensprüche der Handwerksmeister und der altehrwürdigen Zunft hin oder her. Mit dem Hute in der Hand kommt man in der Dramatik nicht durchs ganze Land, nicht einmal über die Grenze. Die Schwierigkeiten der Dramatik liegen dort, wo sie niemand vermutet, oft nur in der Schwierigkeit, zwei Personen sich begrüßen zu lassen oder in der Schwierigkeit des ersten Satzes. Was man heute unter dem dramatischen Handwerk versteht, lernt man leicht in einer halben Stunde. Wie schwer es jedoch ist, etwa einen Stoff in fünf Akte zu teilen, und wie wenig Stoffe es gibt, bei denen man dies kann, wie fast unmöglich es ist, noch Jamben zu schreiben, ahnen die Stückezimmerer am wenigsten, die jeden Stoff mühelos in fünf Akte teilen und stets mit Leichtigkeit in Jamben geschrieben haben und noch schreiben. Die wählten ihren Stoff und ihre Sprache wirklich so aus, wie sich die Kritik vorstellt, daß man es mache; bei denen geht es nicht, wenn sie über Kunst reden, wie beim Schneider zu, sondern wenn sie Kunst verfertigen. Da gibt es bei jedem Stoff den immer gleichen Schlafrock, in welchem sich kein Publikum erkältet und ruhig weiterschläft. Nichts Idiotischeres als die Meinung, nur das Genie habe sich nicht an die Regeln zu halten, die der Kritiker dem Talent vorschreibt. Da halte ich mich lieber gleich selbst für ein Genie. Mit allem Nachdruck möchte ich bemerken, daß die Kunst, Theaterstücke zu schreiben, nicht unbedingt mit der Planung eines bestimmten Kindes anfängt, oder wie sich der Eunuch die Liebe denkt, sondern mit der Liebe, die der Eunuch nicht kann. Die Schwierigkeiten, die Mühen, aber auch das Glück des Schreibens liegen jedoch nicht im Bereich dessen, was zu berichten ist, was berichtet werden kann: Berichtet kann nur von einem dramatischen Handwerk werden, welches es nur gibt, wenn man über das Drama redet, aber nicht, wenn man es macht. Das dramatische Handwerk ist eine optische Täuschung. Über Dramen, über Kunst zu reden, ist ein viel utopischeres Unternehmen, als jene glauben, die es meistens tun.

Mit diesem Handwerk nun, das es nicht gibt, machen wir uns daran, einen bestimmten Stoff darzustellen. Er weist meistens einen Mittelpunkt auf, den Helden. In der Dramaturgie wird zwischen einem tragischen Helden, dem Helden der Tragödie, und einem komischen Helden, dem Helden der Komödie, unterschieden. Die Eigenschaften, die ein tragischer Held haben muß, sind bekannt. Er muß fähig sein, unser Mitleid zu erwecken. Seine Schuld und seine Unschuld, seine Tugenden und seine Laster müssen aufs angenehmste und exakteste gemischt und dosiert nach bestimmten Regeln erscheinen, derart etwa, daß, wähle ich zum Helden einen Bösewicht, ich ihm zur Bosheit eine gleich große Menge Geist beimengen muß, eine Regel, die bewirkte, daß in der deutschen Literatur die sympathischste Theatergestalt gleich der Teufel wurde. Das ist so geblieben. Geändert hat sich nur die soziale Stellung dessen, der unser Mitleid erweckt.

In der antiken Tragödie und bei Shakespeare gehört der Held der höchsten Gesellschaftsklasse an, dem Adel. Das Publikum sieht einen Helden leiden, handeln, rasen, der eine höhere soziale Stellung besitzt, als es selber einnimmt. Das ist noch immer für jedes Publikum höchst eindrucksvoll.

Wenn nun bei Lessing und bei Schiller das bürgerliche Trauerspiel eingeführt wird, so sieht damit das Publikum sich selbst als leidenden Helden auf der Bühne. Dann ging man noch weiter. Büchners Woyzeck ist ein primitiver Proletarier, der weniger darstellt, sozial gesehen, als der durchschnittliche Theaterbesucher. Das Publikum soll nun eben gerade in dieser extremen Form des Daseins, in dieser letzten, erbärmlichsten Form auch den Menschen, sich selbst, sehen.

Hier ist endlich Pirandello zu erwähnen, der den Helden, die Person auf der Bühne, als erster, soweit ich sehe, entstofflicht, transparent machte, wie Wilder etwa den dramatischen Ort, wobei das Publikum solchen Schemen gegenüber seiner eigenen Zergliederung beiwohnt, der Psychoanalyse seiner selbst, und die Bühne zum Innenraum, zum Weltinnenraum wird.

Nun hat das Theater auch schon vorher nicht nur von Königen und Feldherren gehandelt, die Komödie kannte seit je den Bauer, den Bettler, den Bürger als Helden, aber eben, die Komödie. Bei Shakespeare tritt nirgends ein komischer König auf, seine Zeit konnte einen Herrscher wohl als bluttriefendes Scheusal, doch nie als Narren zeigen. Komisch sind bei ihm die Hofschranzen, die Handwerker, die Arbeiter. So zeigt sich denn in der Entwicklung des tragischen Helden eine Hinwendung zur Komödie. Das gleiche läßt sich beim Narren nachweisen, der immer mehr zur tragischen Figur wird. Dieser Tatbestand ist jedoch nicht bedeutungslos. Der Held eines Theaterstückes treibt nicht nur eine Handlung vorwärts oder erleidet ein bestimmtes Schicksal, sondern stellt auch eine Welt dar. Wir müssen uns daher die Frage stellen, wie unsere bedenkliche Welt dargestellt werden muß, mit welchen Helden, wie die Spiegel, diese Welt aufzufangen, beschaffen und wie sie geschliffen sein müssen.

Läßt sich die heutige Welt etwa, um konkret zu fragen, mit der Dramatik Schillers gestalten, wie einige Schriftsteller behaupten, da ja Schiller das Publikum immer noch packe? Gewiß, in der Kunst ist alles möglich, wenn sie stimmt, die Frage ist nur, ob eine Kunst, die einmal stimmte, auch heute noch möglich ist. Die Kunst ist nie wiederholbar, wäre sie es, wäre es töricht, nun nicht einfach mit den Regeln Schillers zu schreiben.

Schiller schrieb so, wie er schrieb, weil die Welt, in der er lebte, sich noch in der Welt, die er schrieb, die er sich als Historiker erschuf, spiegeln konnte. Gerade noch. War doch Napoleon vielleicht der letzte Held im alten Sinne. Die heutige Welt, wie sie uns erscheint, läßt sich dagegen schwerlich in der Form des geschichtlichen Dramas Schillers bewältigen, allein aus dem Grunde, weil wir keine tragischen Helden, sondern nur Tragödien vorfinden, die von Weltmetzgern inszeniert und von Hackmaschinen ausgeführt werden. Aus Hitler und Stalin lassen sich keine Wallensteine mehr machen. Ihre Macht ist so riesenhaft, daß sie selber nur noch zufällige, äußere Ausdrucksformen dieser Macht sind, beliebig zu ersetzen, und das Unglück, das man besonders mit dem ersten und ziemlich mit dem zweiten verbindet, ist zu weitverzweigt, zu verworren, zu grausam, zu mechanisch geworden und oft einfach auch allzu sinnlos. Die Macht Wallensteins ist eine noch sichtbare Macht, die heutige Macht ist nur zum kleinsten Teil sichtbar, wie bei einem Eisberg ist der größte Teil im Gesichtslosen, Abstrakten versunken. Das Drama Schillers setzt eine sichtbare Welt voraus, die echte Staatsaktion, wie ja auch die griechische Tragödie. Sichtbar in der Kunst ist das Überschaubare. Der heutige Staat ist jedoch unüberschaubar, anonym, bürokratisch geworden, und dies nicht etwa nur in Moskau oder

Washington, sondern auch schon in Bern, und die heutigen Staatsaktionen sind nachträgliche Satyrspiele, die den im Verschwiegenen vollzogenen Tragödien folgen. Die echten Repräsentanten fehlen, und die tragischen Helden sind ohne Namen. Mit einem kleinen Schieber, mit einem Kanzlisten, mit einem Polizisten läßt sich die heutige Welt besser wiedergeben als mit einem Bundesrat, als mit einem Bundeskanzler. Die Kunst dringt nur noch bis zu den Opfern vor, dringt sie überhaupt zu Menschen, die Mächtigen erreicht sie nicht mehr. Kreons Sekretäre erledigen den Fall Antigone. Der Staat hat seine Gestalt verloren, und wie die Physik die Welt nur noch in mathematischen Formeln wiederzugeben vermag, so ist er nur noch statistisch darzustellen. Sichtbar, Gestalt wird die heutige Macht nur etwa da, wo sie explodiert, in der Atombombe, in diesem wundervollen Pilz, der da aufsteigt und sich ausbreitet, makellos wie die Sonne, bei dem Massenmord und Schönheit eins werden. Die Atombombe kann man nicht mehr darstellen, seit man sie herstellen kann. Vor ihr versagt jede Kunst als eine Schöpfung des Menschen, weil sie selbst eine Schöpfung des Menschen ist. Zwei Spiegel, die sich ineinander spiegeln, bleiben leer.

Doch die Aufgabe der Kunst, soweit sie überhaupt eine Aufgabe haben kann, und somit die Aufgabe der heutigen Dramatik ist, Gestalt, Konkretes zu schaffen. Dies vermag vor allem die Komödie. Die Tragödie, als die gestrengste Kunstgattung, setzt eine gestaltete Welt voraus. Die Komödie – sofern sie nicht Gesellschaftskomödie ist wie bei Molière – eine ungestaltete, im Werden, im Umsturz begriffene, eine Welt, die am Zusammenpacken ist wie die unsrige. Die Tragödie überwindet die Distanz. Die in grauer Vorzeit liegenden Mythen macht sie den Athenern zur Gegenwart. Die Komödie schafft Distanz, den Versuch der Athener, in Sizilien Fuß zu fassen, verwandelt sie in das Unternehmen der Vögel, ihr Reich zu errichten, vor dem Götter und Menschen kapitulieren müssen. Wie die Komödie vorgeht, sehen wir schon in der primitivsten Form des Witzes, in der Zote, in diesem gewiß bedenklichen Gegenstand, den ich nur darum zur Sprache bringe, weil er am deutlichsten illustriert, was ich Distanz schaffen nenne. Die Zote hat zum Gegenstand das rein Geschlechtliche, das darum, weil es das rein Geschlechtliche ist, auch gestaltlos, distanzlos ist und, will es Gestalt werden, eben Zote wird. Die Zote ist darum eine Urkomödie, ein Transponieren des Geschlechtlichen auf die Ebene des Komischen, die einzige Möglichkeit, die es heute gibt, anständig darüber zu reden, seit die Van de Veldes hochgekommen sind. In der Zote wird deutlich, daß das Komische darin besteht, das Gestaltlose zu gestalten, das Chaotische zu formen.

Das Mittel nun, mit dem die Komödie Distanz schafft, ist der Einfall. Die Tragödie ist ohne Einfall. Darum gibt es auch wenige Tragödien, deren Stoff erfunden ist. Ich will damit nicht sagen, die Tragödienschreiber der Antike hätten keine Einfälle gehabt, wie dies heute etwa vorkommt, doch ihre unerhörte Kunst bestand darin, keine nötig zu haben. Das ist ein Unterschied. Aristophanes dagegen lebt vom Einfall. Seine Stoffe sind nicht Mythen, sondern erfundene Handlungen, die sich nicht in der Vergangenheit, sondern in der Gegenwart abspielen. Sie fallen in die Welt wie Geschosse, die, indem sie einen Trichter aufwerfen, die Gegenwart ins Komische, aber dadurch auch ins Sichtbare verwandeln. Das heißt nun nicht, daß ein heutiges Drama nur komisch sein könne. Die Tragödie und die Komödie sind Formbegriffe, dramaturgische Verhaltensweisen, fingierte Figuren der Ästhetik, die Gleiches zu umschreiben vermögen. Nur die Bedingungen sind anders, unter denen sie entstehen, und diese Bedingungen liegen nur zum kleineren Teil in der Kunst.

Die Tragödie setzt Schuld, Not, Maß, Übersicht, Verantwortung voraus. In der Wurstelei unseres Jahrhunderts, in diesem Kehraus der weißen Rasse, gibt es keine Schuldigen und auch keine Verantwortlichen mehr. Alle können nichts dafür und haben es nicht gewollt. Es geht wirklich ohne jeden. Alles wird mitgerissen und bleibt in irgendeinem Rechen hängen. Wir sind zu kollektiv schuldig, zu kollektiv gebettet in die Sünden unserer Väter und Vorväter. Wir sind nur noch Kindeskinder. Das ist unser Pech, nicht unsere Schuld: Schuld gibt es nur noch als persönliche Leistung, als religiöse Tat. Uns kommt nur noch die Komödie bei. Unsere Welt hat ebenso zur Groteske geführt wie zur Atombombe, wie ja die apokalyptischen Bilder des Hieronymus Bosch auch grotesk sind. Doch das Groteske ist nur ein sinnlicher Ausdruck, ein sinnliches Paradox, die Gestalt nämlich einer Ungestalt, das Gesicht einer gesichtslosen Welt, und genau so wie unser Denken ohne den Begriff des Paradoxen nicht mehr auszukommen scheint, so auch die Kunst, unsere Welt, die nur noch ist, weil die Atombombe existiert: aus Furcht vor ihr.

Doch ist das Tragische immer noch möglich, auch wenn die reine Tragödie nicht mehr möglich ist. Wir können das Tragische aus der Komödie heraus erzielen, hervorbringen als einen schrecklichen Moment, als einen sich öffnenden Abgrund, so sind ja schon viele Tragödien Shakespeares Komödien, aus denen heraus das Tragische aufsteigt.

Nun liegt der Schluß nahe, die Komödie sei der Ausdruck der Verzweiflung, doch ist dieser Schluß nicht zwingend. Gewiß, wer das Sinnlose, das Hoffnungslose dieser Welt sieht, kann verzweifeln, doch ist diese Verzweiflung nicht eine Folge dieser Welt, sondern eine Antwort, die er auf diese Welt gibt, und eine andere Antwort wäre sein Nichtverzweifeln, sein Entschluß etwa, die Welt zu bestehen, in der wir oft leben wie Gulliver unter den Riesen. Auch der nimmt Distanz, auch der tritt einen Schritt zurück, der seinen Gegner einschätzen will, der sich bereit macht, mit ihm zu kämpfen oder ihm zu entgehen. Es ist immer noch möglich, den mutigen Menschen zu zeigen.

Dies ist denn auch eines meiner Hauptanliegen. Der Blinde, Romulus, Übelohe, Akki sind mutige Menschen. Die verlorene Weltordnung wird in ihrer Brust wieder hergestellt, das Allgemeine entgeht meinem Zugriff. Ich lehne es ab, das Allgemeine in einer Doktrin zu finden, ich nehme es als Chaos hin. Die Welt [die Bühne somit, die diese Welt bedeutet] steht für mich als ein Ungeheures da, als ein Rätsel an Unheil, das hingenommen werden muß, vor dem es jedoch kein Kapitulieren geben darf. Die Welt ist größer denn der Mensch, zwangsläufig nimmt sie so bedrohliche Züge an, die von einem Punkt außerhalb nicht bedrohlich wären, doch habe ich kein Recht und keine Fähigkeit, mich außerhalb zu stellen. Trost in der Dichtung ist oft nur allzubillig, ehrlicher ist es wohl, den menschlichen Blickwinkel beizubehalten. Die Brechtsche These, die er in seiner Straßenszene entwickelt, die Welt als Unfall hinzustellen und nun zu zeigen, wie es zu diesem Unfall gekommen sei, mag großartiges Theater geben, was ja Brecht bewiesen hat, doch muß das meiste bei der Beweisführung unterschlagen werden: Brecht denkt unerbittlich, weil er an vieles unerbittlich nicht denkt.

Endlich: Durch den Einfall, durch die Komödie wird das anonyme Publikum als Publikum erst möglich, eine Wirklichkeit, mit der zu rechnen, die aber auch zu berechnen ist. Der Einfall verwandelt die Menge der Theaterbesucher besonders leicht in eine Masse, die nun angegriffen, verführt, überlistet werden kann, sich Dinge anzuhören, die sie sich sonst nicht so leicht anhören würde. Die Komödie ist eine Mausefalle, in die das Publikum immer wieder gerät und immer noch geraten wird. Die Tragödie dagegen setzt eine Gemeinschaft voraus, die heute nicht immer ohne Peinlichkeit als vorhanden fingiert werden kann: Es gibt nichts Komischeres etwa, als in den Mysterienspielen der Anthroposophen als Unbeteiligter zu sitzen.

Dies alles zugegeben, muß nun doch eine Frage gestellt werden: Ist es erlaubt, von etwas Allgemeinem auf eine Kunstform zu schließen, das zu tun, was ich eben getan habe, wenn ich von der behaupteten Gestaltlosigkeit der Welt auf die Möglichkeit schloß, heute Komödien zu schreiben? Ich möchte dies bezweifeln. Die Kunst ist etwas Persönliches, und mit Allgemeinheiten soll nie Persönliches erklärt werden. Der Wert einer Kunst hängt nicht davon ab, ob mehr oder weniger gute Gründe für sie zu finden sind. So bin ich denn auch gewissen Problemen aus dem Weg gegangen, so etwa dem Streit, der heute aktuell geworden ist, ob es besser sei, Vers- oder Prosa-dramen zu schreiben. Meine Antwort besteht einfach dar-in, daß ich in Prosa schreibe, ohne die Frage entscheiden zu wollen. Einen Weg muß man schließlich gehen, und warum soll immer einer schlechter sein als der andere? Was nun meine Darstellung der Komödie angeht, so glaube ich, daß auch hier persönliche Gründe wichtiger sind als allgemeine, die ja doch zu widerlegen sind – wel-che Logik in Dingen der Kunst wäre nicht zu widerlegen! Von Kunst redet man am besten, wenn man von seiner Kunst redet. Die Kunst, die man wählt, ist der Ausdruck zugleich der Freiheit, ohne die keine Kunst bestehen kann, und der Notwendigkeit, ohne die auch keine Kunst bestehen kann. Der Künstler stellt immer die Welt und sich selber dar. Wenn einmal die Philosophie lehrte, das Besondere vom Allgemeinen herzuleiten, so kann ich nicht mehr ein Drama wie Schiller bauen, der vom All-gemeinen ausgeht, wenn ich bezweifle, daß je vom All-gemeinen her das Besondere zu erreichen ist: Mein Zwei-fel aber ist der meine und nicht der eines Katholiken zum Beispiel, der in der Dramatik Möglichkeiten besitzt, die sonst niemand hat, das muß zugegeben werden, wenn ihm auch, nimmt er sich ernst, Möglichkeiten verbaut sind, die sonst jedermann hat; und die Gefahr dieses Satzes besteht nur darin, daß es immer wieder Künstler gibt, die ihm zuliebe übertreten, ein merkwürdiger Schritt, bei dem noch das Pech hinzutritt, daß er nichts nützt. Die Schwierigkeiten, die ein Protestant mit der Kunst des Dramas hat, sind genau die seines Glaubens. So ist es denn mein Weg, dem zu mißtrauen, was man den Bau des Dramas nennt, und ihn vom Besonderen, vom Ein-fall her zu erreichen zu suchen, und nicht vom Allgemei-nen, vom Plane her. Es besteht für mich die Nötigung, ins Blaue hinein zu schreiben, wie ich mich ausdrücke, um der Kritik ein Stichwort hinzuwerfen. Sie braucht es denn auch oft genug, ohne es zu begreifen.

Doch geht es bei dem allem um meine Angelegenheit, und darum ist es auch nicht nötig, die Welt heranzuziehen, diese meine Angelegenheit als die Angelegenheit der Kunst im allgemeinen hinzustellen, wie der Dorfrichter Adam den Teufel, um die Herkunft einer Perücke zu erklären, die in Wahrheit nur die seine ist. Wie überall und nicht nur auf den Gebieten der Kunst gilt auch hier der Satz: Keine Ausreden, bitte.

Dennoch bleibt die Tatsache bestehen [mit dem Vorbehalt, den wir gemacht haben], daß wir in ein anderes Verhältnis zu dem geraten sind, was wir Stoff nennen. Unsere ungeformte, ungestaltete Gegenwart ist dadurch gekennzeichnet, daß sie von Gestalten, von Geformtem umstellt ist, die unsere Zeit zu einem bloßen Resultat, weniger noch, zu einem Übergangsstadium machen und die der Vergangenheit als dem Abgeschlossenen und der Zukunft als dem Möglichen ein Übergewicht verleihen. Diese Bemerkung könnte auch ohne weiteres auf die Politik bezogen werden, auf die Kunst bezogen bedeutet sie, daß der Künstler nicht nur von den Meinungen über Kunst umstellt ist und von Forderungen, die man nicht aus ihm, sondern aus etwas Historischem, Vorhandenem folgerte, sondern auch von Stoffen, die nicht mehr Stoffe, das heißt Möglichkeiten, sondern schon Gestalten, das heißt: Geformtes, sind: Cäsar ist für uns kein reiner Stoff mehr, sondern ein Cäsar, den die Wissenschaft zum Objekt ihrer Forschung gemacht hat. Es ist nun einmal so, daß die Wissenschaft, indem sie sich, und immer heftiger, nicht nur auf die Natur, sondern auch auf den Geist und die Kunst stürzte, Geisteswissenschaft, Literaturwissenschaft, Philologie und wer weiß was alles wurde, Fakten schuf, die nicht mehr zu umgehen sind [denn es gibt keine bewußte Naivität, welche die Resultate der Wissenschaft umgehen könnte], dem Künstler aber dadurch die Stoffe entzog, indem sie selber das tat, was doch Aufgabe der Kunst gewesen wäre. Die Meisterschaft etwa, mit der ein Richard Feller die Geschichte Berns schreibt, schließt die Möglichkeit aus, über Bern ein historisches Drama zu schreiben, die Geschichte Berns ist schon Gestalt vor der Dichtung, aber eben, eine wissenschaftliche Gestalt [nicht eine mythische, die den Weg der Tragiker offen ließe], eine Gestalt, die den Raum der Kunst einengt, ihr nur die Psychologie übrigläßt, die auch schon Wissenschaft geworden ist; die Dichtung wäre eine Tautologie, eine Wiederholung mit untauglichen Mitteln, eine Illustration zu wissenschaftlichen Erkenntnissen: gerade das, was die Wissenschaft in ihr sieht. Shakespeares «Cäsar» war auf Grund Plutarchs möglich, der noch nicht ein Historiker in unserem Sinne, sondern ein Geschichtenerzähler war, ein Verfasser von Lebensbildern. Hätte Shakespeare Mommsen gekannt, hätte er den Cäsar nicht geschrieben, weil ihm in diesem Augenblick notwendigerweise die Souveränität abhanden gekommen wäre, mit der er über seine Stoffe schrieb. Das gleiche ist sogar bei den griechischen Mythen der Fall, die für uns, da wir sie nicht mehr erleben, sondern begutachten, erforschen, sie eben als Mythen erkennen und damit vernichten, Mumien geworden sind, die, mit Philosophie und Theologie behängt, nur allzu oft Lebendiges ersetzen.

Aus diesem Grunde muß denn auch der Künstler die Gestalten, die er trifft, auf die er überall stößt, reduzieren,

will er sie wieder zu Stoffen machen, hoffend, daß es ihm
gelinge: Er parodiert sie, das heißt, er stellt sie im bewußten Gegensatz zu dem dar, was sie geworden sind.
Damit aber, durch diesen Akt der Parodie, gewinnt er
wieder seine Freiheit und damit den Stoff, der nicht mehr
zu finden, sondern nur noch zu erfinden ist, denn jede
Parodie setzt ein Erfinden voraus. Die Dramaturgie der
vorhandenen Stoffe wird durch die Dramaturgie der erfundenen Stoffe abgelöst. Im Lachen manifestiert sich die
Freiheit des Menschen, im Weinen seine Notwendigkeit,
wir haben heute die Freiheit zu beweisen. Die Tyrannen
dieses Planeten werden durch die Werke der Dichter nicht
gerührt, bei ihren Klageliedern gähnen sie, ihre Helden-
gesänge halten sie für alberne Märchen, bei ihren religiösen Dichtungen schlafen sie ein, nur eines fürchten sie:
ihren Spott. So hat sich denn die Parodie in alle Gattungen geschlichen, in den Roman, ins Drama, in die Lyrik.
Weite Teile der Malerei, der Musik sind von ihr erobert,
und mit der Parodie hat sich auch das Groteske einge-
stellt, oft getarnt, über Nacht: Es ist einfach auf einmal da.

Doch auch damit wird unsere mit allen Wassern ge-
waschene Zeit fertig, und durch nichts läßt sie sich bei-
kommen: Sie hat das Publikum erzogen, in der Kunst
etwas Weihevolles, Heiliges, Pathetisches zu sehen. Das
Komische gilt als das Minderwertige, Dubiose, Unschick-
liche, man läßt es nur gelten, wo einem so kannibalisch
wohl wird als wie fünfhundert Säuen. Doch in dem Moment, wo das Komische als das Gefährliche, Aufdecken-
de, Fordernde, Moralische erkannt wird, läßt man es
fahren wie ein heißes Eisen, denn die Kunst darf alles
sein, was sie will, wenn sie nur gemütlich bleibt.

Uns Schriftstellern wird oft vorgeworfen, unsere Kunst sei nihilistisch. Nun gibt es heute natürlich eine nihilistische Kunst, doch nicht jede Kunst ist nihilistisch, die so aussieht: Wahre nihilistische Kunst sieht überhaupt nicht so aus, sie gilt meistens als besonders human und für die reifere Jugend überaus lesenswert. Der muß schon ein arger Stümper von einem Nihilisten sein, den die Welt als solchen erkennt. Als nihilistisch gilt nur, was unbequem ist. Nun hat der Künstler zu bilden, nicht zu reden, sagt man, zu gestalten, nicht zu predigen. Gewiß. Doch fällt es immer schwerer, rein zu gestalten, oder wie man sich dies vorstellt. Die heutige Menschheit gleicht einer Autofahrerin. Sie fährt immer schneller, immer rücksichtsloser ihre Straße. Doch hat sie es nicht gern, wenn der konsternierte Mitfahrer «Achtung!» schreit und «Hier ist eine Warnungstafel», «Jetzt sollst du bremsen» oder gar «Überfahre nicht dieses Kind». Sie haßt es, wenn einer fragt, wer denn den Wagen bezahlt oder das Benzin und das Öl geliefert habe zu ihrer Wahnsinnsfahrt, oder wenn er gar ihren Führerschein zu sehen verlangt. Ungemütliche Wahrheiten könnten zutage treten. Der Wagen wäre vielleicht einem Verwandten entwendet, das Benzin und das Öl aus den Mitfahrern selber gepreßt und gar kein Öl und Benzin, sondern unser aller Blut und unser aller Schweiß, und der Führerschein wäre möglicherweise gar nicht vorhanden; es könnte sich gar herausstellen, daß sie zum ersten Mal fährt. Dies wäre freilich peinlich, fragte man nach so naheliegenden Dingen. So liebt sie es denn, wenn man die Schönheit der Landschaft preist, durch die sie fährt, das Silber eines Flusses und das Glühen der Gletscher in der Ferne, auch amüsante Geschichten liebt sie ins Ohr geflüstert. Diese Geschichten zu flüstern und die schöne Landschaft zu preisen, ist einem heutigen Schriftsteller jedoch oft nicht mehr so recht mit gutem Gewissen möglich. Leider kann er aber auch nicht aussteigen, um der Forderung nach reinem Dichten Genüge zu tun, die da von allen Nichtdichtern erhoben wird. Die Angst, die Sorge und vor allem der Zorn reißen seinen Mund auf.

Mit dieser Emphase wäre schön zu schließen und ein halbwegs gesicherter Abgang im Bereich des nicht gerade Unmöglichen. Doch ist aus Ehrlichkeit zu fragen, ob denn dies alles heute noch einen Sinn habe, ob wir uns nicht viel lieber im Schweigen üben sollten. Ich habe gezeigt, daß heute das Theater zu einem Teil ein Museum ist, im besten Sinne des Wortes freilich, und zum andern Teil ein Feld für Experimente, und ich bemühte mich auch, ein wenig zu zeigen, worin etwa diese Experimente bestehen. Kann nun das Theater diese seine andere Bestimmung erfüllen? Ist das Stückeschreiben heute schwierig geworden, so auch das Spielen, das Einstudieren dieser Stücke, schon aus Zeitmangel kommt im besten Falle nur ein anständiger Versuch, ein erstes Abtasten, ein Vorstoß in einer bestimmten, vielleicht guten Richtung heraus. Ein Theaterstück ist allein vom Schreibtisch aus nicht mehr zu lösen, wenn es nicht in einer Konvention geschrieben ist, wenn es ein Experiment sein will: Das Glück Giraudoux' war Jouvet. Leider ist solches fast einmalig. Unsere Repertoiretheater vermögen solches immer weniger zu leisten, können es sich immer weniger leisten. Das Stück muß so schnell wie möglich heraus. Das Museum überwiegt. Das Theater, die Kultur leben von den Zinsen des gut angelegten Geistes, dem nichts mehr passieren kann und dem man nicht einmal mehr Tantiemen zu zahlen braucht. Mit dem Bewußtsein, einen Goethe, einen Schiller, einen Sophokles auf seiner Seite zu haben, nimmt man die modernen Stücke entgegen. Am liebsten nur zur Uraufführung. Heroisch erfüllt man seine Pflicht, um beim nächsten Shakespeare wieder aufzuatmen. Dagegen ist nichts zu sagen. Es läßt sich nur die Bühne räumen. Platz den Klassikern. Die Welt der Museen wächst, birst von Schätzen. Noch sind die Kulturen der Höhlenbewohner nicht zur Gänze erforscht. Custoden anderer Jahrtausende mögen sich mit unserer Kunst abgeben, wenn wir an der Reihe sind. So ist es gleichgültig, ob Neues hinzu kommt, ob Neues geschrieben wird. Die Forderungen, welche die Ästhetik an den Künstler stellt, steigern sich von Tag zu Tag, alles ist nur noch auf das Vollkommene aus, die Perfektion wird von ihm verlangt, die man in die Klassiker hineininterpretiert – ein vermeintlicher Rückschritt, und schon läßt man ihn fallen. So wird ein Klima erzeugt, in welchem sich nur noch Literatur studieren, aber nicht mehr machen läßt. Wie besteht der Künstler in einer Welt der Bildung, der Alphabeten? Eine Frage, die mich bedrückt, auf die ich noch keine Antwort weiß. Vielleicht am besten, indem er Kriminalromane schreibt, Kunst da tut, wo sie niemand vermutet. Die Literatur muß so leicht werden, daß sie auf der Waage der heutigen Literaturkritik nichts mehr wiegt: Nur so wird sie wieder gewichtig.

Es liegt mir daran, festzustellen, daß einer der wesentlichsten Unterschiede der Kunst des Aristophanes zu jener etwa des Sophokles im Einfall liegt, der denn auch eines der wichtigsten Merkmale der alten attischen Komödie ist. Ich will damit nicht sagen, die Tragödienschreiber der Antike hätten keine Einfälle gehabt, wie das heute vorkommt, doch bestand ihre unerhörte Kunst darin, keine nötig zu haben. Das ist ein Unterschied. Eine Vorbedingung des Pathetisch-Dichterischen auf der Bühne ist ein Stoff, der allgemein bekannt ist. Diese merkwürdige Tatsache ist viel wichtiger, als man auf den ersten Blick glauben möchte: der Aufführung jener Tragödie des «Agathon», von der Aristoteles berichtet, ihr Inhalt sei als erster erfunden gewesen, wollte ich nicht unbedingt beigewohnt haben. Die «Braut von Messina» ist darum Schillers zweifelhaftestes Werk, weil er sie erfand, und auch Goethes ungleich dichterischere «Natürliche Tochter» leidet sehr an diesem Umstand. Aristophanes jedoch lebt vom Einfall, ist Einfall, insofern eine Merkwürdigkeit unter den griechischen Künstlern. Seine Stoffe sind nicht Mythen wie jene der Tragiker, sondern erfundene Handlungen, die sich nicht in der Vergangenheit, sondern in der Gegenwart abspielen. In den «Acharnern» schließt ein attischer Bauer mitten im peloponnesischen Krieg mit den Spartanern einen Privatfrieden, in einer seiner andern Komödien errichten die Vögel zwischen Himmel und Erde ein Zwischenreich und zwingen so Menschen und Götter zur Kapitulation, im «Frieden» steigt man mit einem Riesenkäfer in den Himmel, um den Frieden, eine Hure, der Menschheit zurückzubringen, in der «Lysistrata» gelingt es den Frauen, durch ein simples, aber erfolgreiches Mittel den Krieg zwischen den griechischen Männern zu beenden. Das gemeinsame All dieser Vorgänge liegt durchaus im Einfall, darin, daß sie vom Einfall leben, nur durch den Einfall möglich sind. Es sind Einfälle, die in die Welt wie Geschosse einfallen [um ein Bild zu brauchen], welche, indem sie einen Trichter aufwerfen, die Gegenwart ins Komische umgestalten: mit dem Reich der Vögel ist das tollkühne Sizilienabenteuer des Alkibiades gemeint, an dem Athen zu Grunde ging. Diese Komödien sind Eingriffe in die Wirklichkeit, denn die Personen, mit denen sie spielen und die sie auftreten lassen, sind keine abstrakten, vielmehr gerade die konkretesten, die Staatsmänner, Philosophen, Dichter und Feldherren der damaligen Zeit: Kolon, Demosthenes, Euripides, über den sich Aristophanes nicht beruhigen kann, den er in immer neuen unerhörten Situationen lächerlich macht. Sokrates schließlich muß als des Aristophanes Opfer angesehen werden: hier wirkte der gefährliche Spott seiner Komödie «Die Wolken» tödlich.

Ferner ist der Verdacht auszusprechen, daß der Gegensatz, in der sich die alte attische Komödie [Aristophanes] zur neuen attischen Komödie [Menander] befindet, mehr sei als ein Familienzwist. Soweit die Akten einzusehen sind, besitzt die neue attische Komödie den zentralen, gewaltigen Einfall, diese Kraft, die Welt in eine Komödie zu verwandeln, nicht mehr. Sie ist nicht die Komödie der Gesellschaft, sondern die Komödie in der Gesellschaft, nicht politisch, sondern unpolitisch. In ihren Mittelpunkt treten nicht mehr bestimmte Persönlichkeiten des täglichen Lebens, sondern bestimmte Typen: die Kupplerin, der dumme Bauer, die Witwe, der Geizige, der großsprecherische Soldat. Ihre Technik ist jener der Tragödie angenähert.

Die neue attische Komödie konnte Schule machen wie alles, was nicht vom Einfall abhängig ist. Ihre Stoffe wurden von Dichter zu Dichter übernommen. Nicht der Einfall wurde wichtig, sondern die Einfälle, die Pointen, oft nur noch die Kunst der Ausführung, die Fähigkeit zur Variation und, immer entscheidender, die Psychologie. Sie nahm ihren Weg über Menander, Plautus zu Molière und findet in ihm ihren absoluten Höhepunkt. Er ist denn auch nicht der witzigste, aber der präziseste Dichter, der vollendetste in der Beherrschung der Mittel. Die Franzosen spielen ihn denn folgerichtig auch noch heute ganz von außen her, ohne daß seine Dämonie verloren ginge: nicht von innen her, wie wir dies im Deutschen tun müssen, wo wir ja seine Sprache, seine Präzision nicht haben. Derart hat sich die neue attische Komödie eine Dynastie errichtet, die noch heute vorhanden ist, die Dreieckskomödien des französischen Theaters stammen von ihr, Frys großartiger «Ein Phönix zu viel» ist einer ihrer letzten Triumphe. Daß noch Aristophanes in sie einmündete, beweist, wie notwendig ihr Kommen war, wie legitim ihr Siegeszug ist.

Der Weg der alten attischen Komödie ist schwerer aufzuzeigen und wohl mehr Sache der Kriminalisten der Literaturgeschichte als gerade meine. Auch kennen wir von den anderen Dichtern, die mit Aristophanes zur alten attischen Komödie gehörten, nur Bruchstücke. Sie ist ihrem Wesen nach zu grotesk und eigenwillig, als daß sie sich unbeschadet in andere Zeiten hätte hinüberretten können. Zu politisch, um nicht von der Politik abhängig zu sein, und zu derb, um ihren Platz in der Ästhetik einzunehmen, verschwand sie mit ihrem Höhepunkt auf der

Bühne. Daß die Kunst Gozzis, die Zauberpossen Raimunds, das Theater Nestroys viel von ihr haben [aber gerade so viel auch von der neuen attischen Komödie], gebe ich zu: doch sehe ich keinen großen Sinn darin, der naheliegenden Versuchung nachzugeben, nun die Welt der Komödie in einen alten attischen und in einen neuen attischen Kontinent einzuteilen: wesentliche Gebiete würden als Inseln dazwischen liegen und in einen sinnlosen Krieg verwickelt. In den Komödien Shakespeares «Maß für Maß» und «Der Sturm» sehe ich vor allem gewaltige Neuschöpfungen in dieser Gattung, wie auch in Kleists Komödien «Amphitryon» und «Der zerbrochene Krug»: das sind Gleichnisse der menschlichen Situation, Komödien als Ausdruck einer letzten geistigen Freiheit, gerade weil sie nicht Tragödien sind. Doch gibt es Nachfahren des Aristophanes, daran zweifle ich nicht. Bei den Deutschen Wedekind, Brecht und Karl Kraus, bei den Franzosen in vielem Giraudoux. Aristophaneische Kunst kommt jedoch am reinsten in einer anderen Literaturgattung wieder zum Ausdruck: im Gargantua Rabelais' wird das Leben eines Riesen im damaligen Frankreich geschildert, bei Swift kommt Gulliver zuerst zu Zwergen, dann zu Riesen und strandet schließlich auf einer Insel, auf der die Pferde Verstand besitzen und die Menschen Tiere sind, Don Quichotte, der Ritter von der traurigen Gestalt, glaubt an die Riesen und Feen seiner Bücher, und Gogols Tschitschikof kauft tote Bauern ein. Die Ähnlichkeit all dieser Geschichten mit einer Fabel des Aristophanes fällt auf. Wie bei ihm wird durch einen Einfall die Wirklichkeit verändert, ins Groteske gehoben. Wie beim Griechen ist der Einfall die Explosion, die diese Weltgebäude bildet.

Aktuell wird jedoch Aristophanes erst durch die Frage nach der Distanz. Die Tragödien stellen uns eine Vergangenheit als gegenwärtig vor, überwinden Distanz, um uns zu erschüttern. Aristophanes, dieser große Meister der Komödie – warum sollte man nicht einmal von ihm her, von seiner Position Prinzipien der Dramatik folgern, was man von den Tragikern her schon längst getan hat –, Aristophanes geht den umgekehrten Weg. Da sich seine Komödien in der Gegenwart abspielen, schafft er Distanz, und ich glaube, daß das für eine Komödie wesentlich ist. Daraus wäre zu schließen, daß ein Zeitstück nur eine Komödie im Sinne des Aristophanes sein kann: der Distanz zuliebe, die nun einmal in ihm zu schaffen ist, denn einen anderen Sinn als diesen kann ich mir für ein Zeitstück gar nicht denken.

Es ist wichtig, einzusehen, daß es zwei Arten des Grotesken gibt: Groteskes einer Romantik zuliebe, das Furcht oder absonderliche Gefühle erwecken will [etwa indem es ein Gespenst erscheinen läßt], und Groteskes eben der Distanz zuliebe, die *nur* durch dieses Mittel zu schaffen ist. Es ist nicht zufällig, daß Aristophanes, Rabelais und Swift kraft des Grotesken ihre Handlungen *in* ihrer Zeit abspielen ließen, Zeitstücke schrieben, *ihre* Zeit meinten. Das Groteske ist eine äußerste Stilisierung, ein plötzliches Bildhaftmachen und gerade darum fähig, Zeitfragen, mehr noch, die Gegenwart aufzunehmen, ohne Tendenz oder Reportage zu sein. Ich könnte mir daher wohl eine schauerliche Groteske des zweiten Weltkrieges denken, aber *noch* nicht eine Tragödie, da wir noch nicht die Distanz dazu haben können. Darum denn Don Quichotte und Sancho Pansa, aber auch die Vögel des Aristophanes. Diese Kunst will nicht mitleiden wie die Tragödie, sie will darstellen. So sind die grotesken

Reisen des Gulliver gleich einer Retorte, in der durch vier verschiedene Experimente die Schwächen und die Grenzen des Menschen aufgezeigt werden. Das Groteske ist eine der großen Möglichkeiten, genau zu sein. Es kann nicht geleugnet werden, daß diese Kunst die Grausamkeit der Objektivität besitzt, doch ist sie nicht die Kunst der Nihilisten, sondern weit eher der Moralisten, nicht die des Moders, sondern des Salzes. Sie ist eine Angelegenheit des Witzes und des scharfen Verstandes [darum verstand sich die Aufklärung darauf], nicht dessen, was das Publikum unter Humor versteht, einer bald sentimentalen, bald frivolen Gemütlichkeit. Sie ist unbequem, aber nötig ...

A: Kennen Sie Ibsen?

B: Nein, wie macht man das?

Die Ansicht, daß die Kunst jedem, der sich nur mit genug Fleiß und Ausdauer hinter die lobenswerte Aufgabe
setzt, sie zu produzieren, schließlich doch erlernbar sei,
scheint längst überwunden, doch findet sie sich offensichtlich noch in jenen Urteilen, die über die Kunst
abgegeben werden, Theaterstücke zu schreiben. Diese
wird als etwas Handfestes angeschaut, als etwas durchaus
Biederes und Braves, schon deshalb besonders für Bür-
gerkunde und Patriotismus geeignet. So wird denn auch
das Verhältnis, das der Dramatiker mit seiner Kunst hat,
im Gegensatz zu dem der andern Künstler, als eine Ehe
betrachtet, in der alles durchaus legitim geschieht, gewissermaßen versehen mit den Sakramenten der Ästhetik.
Daher kommt es wohl auch, daß hier wie nirgends sonst
so oft die Kritik mit der besorgten Feststellung eingreift,
diese oder jene Regel sei nicht eingehalten worden, und
wie nirgends sonst von einem Handwerk spricht, das je
nach dem Fall beherrscht oder nicht beherrscht werde,
überhaupt ganz unerträglich den sicheren Mann spielt.
Ebenso erstaunlich ist die Art, wie die Literaturwissenschaft das Drama behandelt, in den meisten Fällen ungefähr als eine Kantate mit gesprochenen Worten – oder
wie wir dieses Unding bezeichnen wollen –, die in einem
luftleeren Raum geschieht, was nun möglich macht, daß
ein so schlecht schreibender Dramatiker wie etwa Hebbel
ernster genommen wird als der in jeder Hinsicht und besonders auch im Dichterischen unendlich wichtigere Ne-

stroy. Aber Hebbel samt seinem monströsen Gedanken-
gebäude paßt nun eben einmal in das dramatische Schema
von einer Musterehe, die man ständig einer Kunst zumutet, in der es in Hinsicht auf die Mittel wie in keiner
anderen wichtig ist, ein Don Juan zu sein.

Ich will hier nichts gegen den Fleiß und das Bestreben
jener gesagt haben, die solid gebaute Stücke schreiben,
obgleich es sicher kaum etwas Langweiligeres unter der
Sonne gibt als ein zwar schlecht geschriebenes, aber solid
gebautes Stück, ganz davon zu schweigen, daß es auch
vollendet gebaute Stücke gibt, die gut geschrieben sind
und dennoch langweilig wirken. Ich möchte hier nur mit
allem Nachdruck bemerken, daß die Kunst, Theaterstücke zu schreiben, nicht unbedingt mit der Planung
eines bestimmten Kindes anfängt, sondern entscheidend
von der Möglichkeit entflammt wird, *mit* der Bühne zu
dichten. Die grandiosen, wenn auch nüchternen Bauten
klassischer Dramen mögen in diesen ersten Liebesstun-
den fern liegen, in denen es darum geht, erst einmal den
Raum und die Zeit zu empfinden und die Abenteuer zu
erfahren, die im *gesprochenen* Worte liegen. Das scheint
mir doch auch beachtenswert zu sein. Vielleicht ist es,
weil die Dramatik die sinnlichste Kunst ist, daß ihre
wesentlichsten Gebiete in einer Ästhetik kaum vorkommen, in der notgedrungen alles auf eine Anatomie
zielen muß. Diese ist dann, wenn es einmal ernst wird,
wirklich ganz und gar nicht zu gebrauchen.

Ich möchte hier einschieben, daß ich seit jeher ein großes
Mißtrauen gegen jene Dramatiker habe, von denen es
heißt, sie stellten Menschen aus Fleisch und Blut auf die
Bühne. Hauptmann ausgenommen, wenn auch bei ihm
die Grenze gerade dort liegt, wo nun menschlicherweise
das Blut und das Fleisch endlich einmal aufhören sollten.

Es ist sehr eigentümlich, daß gerade schlechte Schriftsteller sich auf dieses Fleisch und Blut etwas zugute halten, das sie angeblich dichten; sie flüchten sich gleichsam in ein Gebiet, in welchem, wie man doch meinen möchte, vor allem der echte Dichter herrscht und wo sie nun um so leichter Gefahr laufen sollten, entlarvt zu werden. Was die Hasen jedoch vor den Kugeln der Jäger schützt, ist der blinde Glaube, daß alles, was sich in jenem Gestrüpp regt, in welchem man die Vitalität vermutet, gleich ein Löwe sei. Besonders in der deutschen Literatur, die hinter jedem klaren Verstand Papier, hinter jeder Sentimentalität Tiefe und hinter jedem Fluch gleich Kraft vermutet, ist das leicht möglich. Es wird leider nichts so sehr bewundert wie die Flucht in die Vitalität, und es scheint manchmal Mode zu werden, daß ein Dichter auch gleich ein Dummkopf sein muß. Alles Vitale hat einen so großen Kredit, auch wenn kein Hirn mehr dahintersteckt, daß schon der bloße Abklatsch davon angebetet wird, obgleich es doch schließlich die Ochsen sind und nicht die Denker, die uns zu Tode trampeln. Anderseits werden extreme Moralisten wie Wedekind oder Brecht, von denen ich eine hohe Meinung habe, als Nihilisten empfunden, und das ist lächerlich. Die Männer von echtem Schrot und Korn, zwar nicht sehr hell, aber gut, die zu Hauf durch die deutschen Dramen poltern und am Ende meistens die Welt nicht mehr verstehen, sind mir immer unsympathisch vorgekommen. Auch habe ich oft tagelang über das Pech nachdenken müssen, daß die interessanteste deutsche Bühnenfigur gleich der Teufel ist.

Es ist natürlich zu bedenken, daß nicht nur die Leidenschaft, *mit* der Bühne zu dichten, zu dieser Kunst verführt, sondern auch die nicht weniger große, *von* der Bühne her zu dichten. Ich meine hier nicht nur das Abenteuer, die Wahrheit zu sagen, sondern auch jenes, Zuschauer zu haben.

Daß es ein Vergnügen gewährt, zu unterhalten und zu erschüttern, wird kaum bestritten werden, hingegen das Vergnügen, sein Publikum zu ärgern, wird meistens merkwürdigerweise von den Schriftstellern geleugnet, obgleich ich überzeugt bin, daß viele Theaterstücke nur zu diesem Zweck geschrieben worden sind, und nicht die schlechtesten.

Um nun auf die Form zurückzukommen, so ist schon darum hier schwer eine Forderung zu stellen, weil es offenbar nicht allein die Ästhetik ist, die eine Form schafft; das Publikum spielt darin eine ebenso große Rolle. Goethe muß schon eine sehr hohe Meinung vom Weimarer Hof gehabt haben, als er die «Iphigenie» schrieb, und nur die Verbindung mit der Religion macht die Form der griechischen Tragiker möglich: Nicht einmal bei den Kommunisten sind heute die Sprechchöre genießbar. Auf diese Formen greift man denn heute überall da zurück, wo eine Gemeinschaft vorhanden sein soll; doch Gutes ist dabei noch nie herausgekommen. Ein Revolutionär stellt sich dagegen ein anderes Publikum vor und greift zu einer anderen Form; die «Räuber» lassen sich nicht mit Jamben denken. Sich heute ein Publikum vorzustellen, ist nicht eben leicht. Da dieses kaum viel anders sein kann als die Welt, in der wir leben, so muß es sich denn schon aus diesem Grunde auf Verschiedenes gefaßt machen. Doch ist den Liebhabern der strengen Form doch noch eine Chance geblieben, die nämlich, daß eine geschlossene Form aus Kühnheit wieder erstrebt wird, weil es oft so ist, daß etwas, was einmal eine Formel war, auf einmal als ein Abenteuer wünschenswert erscheint, doch dies nicht mehr als Regel, sondern als eine Ausnahme.

Wer die alte Sage noch glaubt, es gebe im Deutschen nur drei Lustspiele, wird wohl etwas erstaunt den über tausend Seiten starken, reich illustrierten Band Otto Rommels betrachten, den der Verlag Anton Schroll in Wien herausgibt. Doch ist es klug vom Verfasser, gleich mit der mehr praktisch als theoretisch brauchbaren Unterscheidung zwischen «Literaturdrama» und «Spielstück» zu beginnen und die alte Wiener Volkskomödie dem Spielstück zuzuweisen, einer Gattung also, die durchaus der Bühne bedarf und durchaus für die Bühne geschrieben ist [was freilich das Literaturdrama auch tun sollte].

So sind es denn vor allem Theaterstücke, die von Schauspielern geschrieben sind. Stranitzky, Kurz, Prehauser, Schikaneder, Raimund und Nestroy, um die Bekanntesten zu nennen [denen sich einige Literaten wie Hafner, Hensler, Kringsteiner, Gleich, Meisel, Bäuerle anschließen, Schriftsteller, von denen viele durch ihr erbärmliches Schicksal auffallen]. Der Vorgang ist legitim. Stranitzky, im Anfang des achtzehnten Jahrhunderts, baute sich als Hanswurst in die Staats- und Götteraktionen des Barocktheaters ein. Dieser Einbruch konnte nun immer mehr erweitert werden. Der Schauspieler weiß, was das Publikum will, und richtet sich nach dem Publikum, ein viel gesünderes Prinzip, als man dort glaubt, wo nur «an sich» gedichtet wird. Raimund und Nestroy sind große Theaterdichter, weil sie große Schauspieler waren; ihr dramatischer Stil und ihre Schauspielkunst sind eins. So stand der Schauspieler denn im Mittelpunkt. Komiker wie Laroche, Hasenhut, Schuster trugen die Theater. Die Komödie wurde zum Textbuch, zu einer

Unterlage, von der aus man seine Rolle frei gestaltete. Es galt, immer neue Gestalten zu finden, in denen sich der Zuschauer sehen konnte, nicht als Held – was ihm gar nicht immer so angenehm ist, wie man glaubt –, sondern als eine Art komische und kosmische Urmaterie, die zwar immer Pech hat, aber immer gerade noch einmal davonkommt. So entstanden der Bernardon, der Kasperl, Thaddädl, Staberl, und endlich, nun nicht mehr als Typen, sondern als Charaktere die Gestalten Raimunds und Nestroys: Valentin und Knieriem und wie sie sonst noch hießen. So wurde das Publikum gewonnen, «Handwerker, kleine Kaufleute, Arbeiter und Angestellte jeder Art», daneben aber auch «die Männer und Frauen des gebildeten Bürgertums», und selten fehlten in den Logen die Vertreter der «ersten Gesellschaft», ja auch des regierenden Hauses. Das sind die Massen, die von den achtziger Jahren des achtzehnten Jahrhunderts bis zu Nestroys Abgang von der Bühne [1860] die Volkstheater in der Leopoldstadt, an der Wien und in der Josefstadt füllen. Rommel kommt auf achtzigtausend Spielabende: eine erstaunliche Tatsache innerhalb einer Kultur, deren größter Dramatiker, Kleist, kein Publikum hatte. Otto Rommel weist nach, daß sich die alte Wiener Volkskomödie aus dem Barocktheater entwickelte, aus einem metaphysischen Theater, bei dem der Himmel und die Hölle um den Menschen kämpfen, Kämpfe, die eine immer raffiniertere Maschinerie notwendig machten. Der Beweis überzeugt. Die Freude an der Theaterei, an der Maschine, an der Verwandlung, Versenkung und was alles dazu gehört, ist der Volkskomödie geblieben. Die Bühne füllt sich mit Gespenstern, Räubern, Ungeheuern, mit Feen, Zauberern und verfolgten Jungfrauen. Schikaneder besonders scheint nicht die geringsten Hemmungen gehabt zu haben. Die Volkskomödie ist ebenso farbig wie phantastisch. Doch auch die formalen Möglichkeiten der Bühne werden ausgenützt, der Monolog neigt bei Nestroy dazu, eine Ansprache ans Publikum zu werden, das Chanson wurde ein fester Bestandteil jeder Komödie, und sogar die Simultanbühne kannte man. Doch bleibt es nicht bei diesen Äußerlichkeiten. Gerade in den Zauberstücken wird oft eine echte Bühnenpoesie erreicht, eine höhere Durchsichtigkeit der Dinge. Das Theater selbst wird Dichtung, das Requisit Poesie, die Verwandlung ein Weiterführen der Handlung auf einer höheren Ebene.

Durch den Andrang des Publikums wurde der Stoffhunger der Volkskomödie ungeheuerlich. Nestroy schrieb dreiundachtzig Stücke, Gleich gegen zweihundertzwanzig, vierzig bis fünfzig war der Durchschnitt, den «Dutzende von Theaterdichtern» erreichten. Nestroy selbst hat über achthundert Rollen gespielt. Carl, Nestroys Direktor, der die Volksdramatiker planmäßig ausbeutete, wurde Millionär. Neben den Zauber-, Besserungs- und Allegorienstücken gab es die echte Parodie: jedes Erfolgsstück der Literatur, jede Oper erschien noch einmal auf der Volksbühne, verwandelt und gleichzeitig kritisiert, und oft war die Parodie besser als das Parodierte. Das passierte keinem Geringeren als Hebbel: sein Holofernes kommt nicht an jenen Nestroys heran. Doch ist es falsch, nun die Wiener Volkskomödie nur grotesk zu sehen. Jedes Publikum will auch seine Probleme sehen, seine Sorgen, seine Schwierigkeiten, und so entstand bald das echte Volksstück, bildeten sich Lokalstücke, mit Dienstboten, vertrottelten Aristokraten, biederen Handwerkern, mit urwüchsigen Bauern aus dem Tirol, Neureichen und Kutschern. Wie bei Aristophanes die Athener, sahen sich die Wiener in der Komödie wieder.

Bleiben wir bei diesem Vergleich. Es ist möglich, die alte Wiener Volkskomödie mit dem Theater des elisabethanischen London oder mit jenem der Athener zu vergleichen, doch besitzt sie weder das Bewußtsein, eine Geschichte, einen Staat zu haben, das die Engländer auszeichnet, noch die Freiheit der Griechen, alles mit Namen zu nennen: Sie zeichnet sich geradezu durch ihre Unpolitik aus. An Stelle der Könige und der Kardinäle sind Zauberer und Feen getreten, ein nicht unbedenklicher Zug. Als Gleich in seinem Volksstück «Der Pächter Valentin» schon vorsichtig an Stelle des Todes einen Vertreter des Todes auftreten ließ, verfügte die Zensur, auch um metaphysische Schicklichkeit bemüht, diesen in einen Vertreter Plutos umzuändern. Die Komödie der Wiener gibt vollendet eine Stadt wieder, doch nicht als ein politisches Gebilde, das Wien doch auch ist, als die Hauptstadt eines Kaiserreichs, sondern als ein Durcheinander von Kleinbürgern und Grafen, denen man nie eine politische Handlung zutraut. Die Regierung, die Kirche, das Kaiserhaus bleiben ausgeklammert, und an Stelle der Politik tritt allzuoft eine verworrene Metaphysik; es ist nicht immer gut, wenn die Dichter gezwungen werden, tief zu sein. Hier mag einer der Gründe liegen, warum diese Komödie nie so recht über Wien hinausgreifen konnte, nicht allgemeiner Besitz des Abendlandes wurde. Nur ein Werk verfiel diesem Schicksal nicht, weil es sich mit jenem Medium verband, in welchem Wien am größten ist, mit der Musik: Schikaneders «Zauberflöte», zu der Mozart die Musik schrieb und deren sonderbare Handlung ihre Seltsamkeit verliert, wenn man sie von der Wiener Volkskomödie her sieht, wohin sie auch als eines deren typischen Stücke gehört.

Literatur nicht aus Literatur: Der Schriftsteller produziert zwar Literatur, doch zu lesen, was heute über die Literatur alles gedacht, gemeint und behauptet wird, fehlt ihm Zeit, wohl auch Neugier. Darin liegt nicht Mißachtung. Er bewundert die stolzen Dome der heutigen Literaturwissenschaft, läßt ihre Päpste herzlich grüßen, ist höflich zu den Gläubigen, zieht überhaupt den Hut, nur tritt er dem Verein nicht bei, weniger aus Prinzip als aus der Befürchtung heraus, Wechselbälge zu kriegen. Der Umgang mit der Zeit verlangt gewisse Vorsichtsmaßnahmen, die aus den umlaufenden Vorurteilen errechnet werden können. So ist die Meinung, Literatur entstehe aus Literatur, unausrottbar. Begreiflicherweise. Die Literatur als ein Geschehen zu sehen, das sich nach immanenten Gesetzen entwickelt, in welchem ein Stil den andern hervorbringt und ein Dichter den anderen, hat viel Bestechendes. Diese Annahme mag denn auch für die Literaturwissenschaft notwendig sein – und sei es nur als Arbeitshypothese –, der Schriftsteller geht ihr aus dem Weg. Er fühlt sich nicht als Resultat einer historischen Entwicklung. Er steht in der Literatur und nicht ihr gegenüber. Er ist weniger ein Erkennender als ein Handelnder. Er muß die Literatur vergessen, soll sie ihn nicht lähmen. Sein Vorrecht ist Ungerechtigkeit den Vorfahren und den Kollegen gegenüber. Brecht kann ihn unsäglich langweilen und irgendein längst verschollener, unspielbarer Dramatiker maßlos aufregen, alles ist da möglich, das Absurdeste kann seiner eigenen Produktion dienlicher sein als das Vernünftige, Gesicherte. Doch vor allem wird ihn nicht die Literatur, sondern die Welt beschäftigen, in der er nun einmal lebt, durch jede Nachricht, die er von ihr erhält, durch jede Zuckung ihrer unermeßlichen Vitalität, dermaßen und so eindringlich, daß ihr gegenüber literarische, artistische Fragen sekundär erscheinen: Die Welt allein liefert den Stoff, den es in Literatur umzumünzen gilt. Hier den Weg aus tappenden alchimistischen Versuchen in bewußte Umwandlungsprozeduren zu finden, ist das Ziel der Dramaturgie.

Schwierigkeiten der Schriftstellerei: Immer wieder wird der Schriftsteller gefragt, warum er eigentlich schreibe. Diese Frage weist auf Schwierigkeiten seines Berufs hin. Sie wird gestellt, weil der Beruf eines Schriftstellers nicht für selbstverständlich, sondern für etwas Besonderes gilt. Gibt der Schriftsteller nun auf die Frage eine selbstverständliche Antwort, etwa, er schreibe, um Geld zu verdienen, oder um die Leute zum Lachen, oder, was doch ebenso wichtig ist, um sie zum Ärger zu bringen, werden die Fragenden ungehalten, denn die fragten in der Hoffnung, von jenem, den sie für etwas Besonderes halten, Besonderes zu hören. Wir haben für sie Dichter zu sein, das ist das Schwierige, Löser von Welträtseln, Aussteller von Lebensrezepten oder gar Magier. Schwierig ist damit natürlich auch das Arbeitsklima geworden. Weihrauch vernebelt die Köpfe, klärt nicht. Die Zeit macht beinahe alle fertig, nicht durch Boshaftigkeit, sondern durch ihr Verlangen nach Tiefsinn. Doch muß hier menschlicherweise zugegeben werden, daß jede Frage ein Denken voraussetzt, sei es nun schwach oder mächtig, und jedes Denken, ja, noch der geringste Ansatz zu dieser Tätigkeit verdient, respektiert zu werden. Wenn das Narrenschiff der Literatur nicht mehr ungestört weitersegeln darf, so nur, weil auch von seiner Besatzung Auskunft und Paß verlangt wird: Was seid ihr für Menschen? Wißt ihr eine Antwort auf unsere Fragen? Vielleicht ohne Wissen, daß ihr etwas wißt, was wir nicht wissen? Nicht nur der Neugierige fragt, auch jener, der in Not geraten ist. Die Menschheit rückt zusammen, was einer unternimmt, unternimmt er nicht mehr allein. Und endlich, auch das muß zugegeben werden, wollen auch die Schriftsteller wissen, was sie da eigentlich treiben, sie selber sind die lästigen Frager. So werden sie denn auch immer wieder und immer aufs neue vor die Fragen gestellt, denen sie gerne entgehen möchten. Warum schreiben sie? Die Antwort fällt nach dem Antwortenden aus. Der eine schreibt aus einem Gefühl des Zornes heraus, ein anderer aus Angst, dieser aus Ordnungsliebe, jener aus Begeisterung, ein anderer will die Welt ändern, wieder ein anderer bewahren, dann gibt es solche, die sich einem bestimmten Programm oder gar einer bestimmten Partei verschreiben. All dies ist legitim, irgendwelche Gründe sind nicht nötig, einen Menschen zum Schreiben zu überlisten. Was für Fiktionen, Einbildungen, Irrtümer, Narrheiten, Lappalien können ihn manchmal dazu bringen, ja oft sogar Größenwahn! Denn der Schriftsteller, vom Grunde seines Schreibens her gesehen, ist damit ja noch nicht erfaßt, diese Frage gibt keine Antwort über seinen Wert oder über sein Können, sondern nur eine Antwort über das, was ihn zu schreiben bewog: Antwort über etwas Gleichgültiges. Der Stein, der die Lawine auslöste, ist nicht wichtig. Wichtig ist nur, daß er im richtigen Augenblick ins Rollen kam und die richtigen Bedingungen vorfand.

Schriftstellerei als Geschäft: Oft tun brutale Gesichtspunkte gut. Der Schriftsteller verdient Geld, indem er Geschriebenes an den Mann bringt, meistens an einen

Mann, der mit Geschriebenem ebenfalls Geld verdienen will, an einen Verleger, an einen Theaterdirektor oder an einen Filmproduzenten usw. Schriftstellerei ist deshalb ein Beruf. Noch genauer: ein Geschäft. Wo aber ein Geschäft ist, stellt sich die Frage nach der Geschäftsführung, nach der Geschäftsmethode. Welche Regeln sind innezuhalten, welche Gesetze zu berücksichtigen, welche zu umgehen, welche Praktiken anzuwenden? Das ist nicht immer ohne weiteres auszumachen. Es gibt Geschäfte, die so beschaffen sind, daß es höchst unmoralisch wäre, sie moralisch zu führen, und andere, die so unmoralisch sind, daß sie nur moralisch geführt werden dürften. Das sind mehr als Nuancen. Diese Unterscheidungen weisen auf Notwendigkeiten hin, die dem Geschäftsleben von seinem Ziele her diktiert werden. Das Ziel eines Geschäfts liegt jedoch in seiner Rentabilität; ein Geschäft zu führen, das nicht rentiert, ist sinnlos. Deshalb muß auch eine Schriftstellerei rentieren. Aber wie? Unter allen Umständen oder unter bestimmten? Versucht man so nicht tiefsinnig, aber wesentlich über Schriftstellerei zu reden, ist es vorerst notwendig, sich über die Art dieses Geschäfts Klarheit zu verschaffen. Hier nun stoßen wir auf eine Schwierigkeit. Ein Bankier weiß oder sollte wissen, was er treibt. Sein Geschäft läßt sich klar umschreiben, ohne daß andere als materielle Werte aufgeboten werden müssen, es zu rechtfertigen. Die Schriftsteller dagegen neigen dazu, ihre Geschäfte und besonders ihre guten als Leistungen darzustellen, von denen gleich das ganze Abendland abhange, der Geist muß als Ausrede her, ein Geschäft erstrebt oder gemacht zu haben, sie tun so, als ob vom Geiste her gesehen die Frage nach der geschäftlichen Seite von vorneherein unerheblich sei. Es findet so ein unmoralischer Wettbewerb statt, der nur deshalb nicht verpönt ist, weil in unserer Welt immer mehr auch die übrigen Geschäftsleute, besonders die Bankiers und die Politiker, dazu übergegangen sind, den Geist als Ausrede zu benutzen. Man macht in Geist, die Geschäfte stellen sich en passant ein. Die erste Frage lautet daher, ob der Schriftsteller da mitmache, ob er sich als Geist mit Sondererlaubnissen in Extraposition betrachte oder als ehrlichen Geschäftsmann. Es ist eine Gewissensfrage, wenn nicht *die* Gewissensfrage. Schätzt sich der Schriftsteller als ein erhabenes Wesen ein, wertet er sich zum Dichter auf, so muß er die Frage nach seinem Geschäft als frivol bezeichnen, nicht einen Beruf ausüben, sondern als Berufener auftreten. Das tun denn auch viele und oft hemmungsloser, als man das für möglich hielte. Sie sind in relativer Sicherheit. Geistliche und Dichter fragt man nicht nach ihren Geschäften, die wickelt der Himmel ab. Reiht sich jedoch der Schriftsteller ein, zählt er sich zu den Geschäftsleuten, so kann er immer noch danach trachten, der Prostitution zu entgehen, für Geist Geld zu nehmen: indem er sich nämlich entschlossen weigert, geistige Werte zu liefern, indem er Stoffe, aber keinen Trost fabriziert, Sprengstoff, aber keine Tranquillizer. Auf die Ware kommt es an.

Von der Aussage: Gibt der Schriftsteller die Berechtigung zu, sich nach dem Grunde seines Schreibens fragen zu lassen, muß er auch die Frage nach dem Sinn dessen gestatten, was er unternimmt, die Frage nach seiner Aussage, mit der heute jeder Kritiker kommt. Eine andere Sache ist es freilich, ob er diese Frage für beantwortbar halte. Er kann sich nämlich für unzuständig erklären und einwenden, daß, falls er diesen Sinn wüßte, er nur den Sinn hinschreiben würde, nur die Aussage, und sich den immerhin doch mühsam genug zu erarbeitenden Rest ersparen könnte. Er behauptet damit keineswegs, seine Stücke hätten keinen Sinn. Er meint vielmehr folgendes: Fragt man etwa nach dem Sinn der Natur, wird der Naturwissenschafter in der Regel ausweichen. Seine Aufgabe ist nicht, dem Sinne der Natur nachzuforschen, sondern der Natur selber nachzugehen, ihren Gesetzen, ihrer Verhaltungsweise, ihrer Struktur, mehr verrät die Natur nicht, im letzten bleibt sie undurchsichtig, unergründlich, unerforschlich, weil ihr Sinn ja nur außerhalb ihrer selbst liegen kann, und so ist denn auch diese Frage nicht eine wissenschaftliche, sondern eine philosophische. Ähnlich liegt es bei der Frage nach dem Sinn eines Theaterstücks zum Beispiel, auch er ist außerhalb desselben angesiedelt, auf einer andern Ebene, und mit einem ganz bestimmten Recht darf deshalb der Schriftsteller behaupten, daß ihn der Sinn, die Aussage dessen, was er da geschrieben habe, nicht interessiere, mit dem Recht des Schöpfers nämlich, dessen Aufgabe es ist, zu erschaffen, nicht zu interpretieren. Er stellt den Stoff zur Interpretation her, nicht die Interpretation selbst. Doch muß hier ein Einwand zugelassen werden. Der Schriftsteller darf so antworten, muß es aber nicht. Er braucht sich zwar um den Sinn seines Arbeitens nicht zu kümmern, kann aber auch gerade von ihm ausgehen. Beides ist möglich: Er kann vom Stoffe her bestimmt sein oder von der Aussage.

Dramaturgie von der Aussage her: Der Vorteil jener Schriftsteller, die vom Sinne, von der Aussage her schreiben, gegenüber anderen liegt vorerst darin, daß die Kritiker nachkommen. Das ist nicht zu unterschätzen: Der Kritiker, der sich in seiner Hoffnung gestärkt sieht, auch ein Intellektueller zu sein, wird gutartig. Tatsächlich ist durch diese Art des Schreibens oft eine wohltuende Klarheit erreichbar. Der fragwürdige Punkt eines jeden Stoffs, sein an sich dunkler Sinn, ist erhellt, der Autor tritt gleichzeitig als Interpret seiner selbst auf, wird dadurch unangreifbarer. Nun hängt die Technik, die man auf der Bühne anzuwenden hat, von den Schwierigkeiten ab, denen man gegenübersteht. Die Schwierigkeit, von der Aussage her zu schreiben, liegt darin, daß man sich in einem beständigen Kampfe mit dem Stoffe befindet. Jeder Stoff besitzt sein immanentes Eigenleben, seine eigene, hartnäckige Gesetzlichkeit; ihn der Aussage anzupassen, verlangt eine ständige dialektische Prozedur, denn in jedem Stoffe liegen verschiedene und gegensätzliche Aussagen verborgen. Ein Stoff ist nie eindeutig, eine Aussage will es sein. Die Dramatik muß daher darauf zielen, die Mehrdeutigkeit zu überwinden. Sie muß den Stoff zur Illustration einer These machen. Mehr als eine solche Illustration kann jedoch der so bearbeitete Stoff nie sein, vor allem beweist er die These nicht, von welcher er gewonnen wurde, ebensowenig wie eine mathematische Operation das Axiom zu beweisen vermag, von dem sie ausgeht. Kunst beweist überhaupt nie etwas. Sie kann in sich stimmen, das ist alles. Mehr als Kunst vermag sie nur in Beziehung auf etwas zu sein, das außerhalb ihrer selbst liegt: Ist es eine These, wird sie deren Gleichnis, aber eines einer These und nicht eines der Wirklichkeit. Denn wie der Stoff ist auch die Wirklichkeit nie eindeutig; ein Gleichnis, das sie zu bannen versuchte, müßte mehrdeutig sein.

Verhältnis zum Publikum: Gerade bei dieser Art von Dramatik spielt das Publikum eine Rolle. Ihm gegenüber wird eine bestimmte These verfochten, das Theater in eine moralische Anstalt verwandelt, zum Katheder einer bestimmten Lehre gemacht. Das Publikum soll beeinflußt oder geändert werden. Dieses Ziel ist jedoch an eine

Bedingung geknüpft: das Publikum muß dann auch das Geschehen auf der Bühne im Sinne des Autors sehen und deuten. Dem Publikum muß vorgeschrieben werden, wie es den dramatischen Vorgang zu verstehen hat. Zum Kampfe mit dem Stoff gesellt sich jener mit dem Publikum. Es muß unter Kontrolle gebracht werden. Die Dramaturgie hat dafür verschiedene Mittel bereit: Chor, Monolog, epische Unterbrüche, Verfremdungseffekte usw. Doch widersteht das Publikum immer wieder. Es ist zwar falsch, anzunehmen, daß es nur genießen und nicht belehrt werden möchte, aber jede Gesellschaft neigt dazu, sich zu entschuldigen und nicht, sich beschuldigen zu lassen. Dem Publikum wohnt eine hartnäckige Kraft inne, zu hören, was es will und wie es will. Gerade jene, die eine Gesellschaftsordnung ändern wollen, liefern ihr daher nur allzu oft unfreiwillig die Ausreden, die sie zum Weiterwursteln benötigt. Gegen Mißverständnisse hilft nichts. Weder eine Dramaturgie noch ein Meisterwerk. Es ist darum vielleicht besser, sich auf einen Kampf mit dem Publikum gar nicht einzulassen. Man kann sehr viel mehr erreichen, wenn man ihm scheinbar nachgibt.

Die Dramaturgie des wissenschaftlichen Zeitalters: Ich verfolge mit diesen Hinweisen nicht die Absicht, die dramaturgische Methode, von der Aussage auszugehen, in Frage zu stellen. Sie ist eine der Möglichkeiten der Dramatik und leistet Hervorragendes. Der Hinweis auf Schwierigkeiten einer Technik zweifelt diese nicht an, sondern ist Pflicht. Nur ihren Anspruch möchte ich zurückweisen, *die* Dramaturgie des wissenschaftlichen Zeitalters zu sein. Sie hat keine Beweiskraft, sondern nur eine Demonstrationsfähigkeit. Sie kann propagieren, das ist alles, was sie ihrer Methode verdankt. Was sie mehr kann, verdankt sie der von jeder Taktik unabhängigen dichterischen Kraft. Die muß vorhanden sein trotz der Methode, oder dann wird sie eben fehlgehen. Auch trotz der Methode.

Natürlich vermag die «Dramaturgie von der Aussage her» auch wissenschaftliche Erkenntnisse zu propagieren, das heißt in den Dienst der Wissenschaft zu treten [oder in den Dienst einer anderen Sache], aber ihrer inneren Struktur nach gehört sie mehr dem dogmatischen Zeitalter an, falls wir ein solches postulieren wollen. Die Frage lautet daher: Gibt es eine Dramatik des wissenschaftlichen Menschen? Wie müßte sie vorgehen? Eine mögliche Frage, nur glaube ich, müßten die Antwort die Wissenschafter liefern, und solange sie nicht Dramen schreiben, vermögen wir nicht bündig zu antworten.

Wohl stets neigen einige Dramatiker dazu, die Bühne mit genauen Partiturvorschriften zu beherrschen. Die Vorstellung, die sie vom Theater haben, ist die einer Hierarchie. In ihr nimmt der Schriftsteller die oberste Stellung ein, der alles unterzuordnen ist. Eine solche Herrschaft kann rechtmäßig erworben sein. Es gibt schriftstellerische Päpste, die legitimerweise auf dem Thron der von der Zeit akzeptierten Dramatik sitzen. Sie erfinden nicht. Sie vollziehen die Dramatik wie ein Hofzeremoniell. Dann gibt es Ketzer, Vorsteher von Sekten. Ihnen ist die Dramatik eine kultische Handlung, die dramaturgischen Regeln heilige Gesetze; ein neues Weltbild, ein neues Zeitalter bricht an, das übrige ist profan, hoffnungslos veraltet, stinkt zum Himmel. Andere wieder nehmen ihren Platz als Usurpatoren ein, Dschingiskhane des Theaters, wie etwa Brecht, Gründer neuer Stile und leider auch Schulen. Doch gibt es auch immer wieder Autoren, die ihre Herrschaft nur beschränkt ausüben. Sie zweifeln, ob sich die Bühne überhaupt beherrschen lasse, begnügen sich, Theater zu ermöglichen, oft erstaunt und amüsiert, was sie alles anrichten, sei es bloß durch ein Mißverständnis. Zwar ist die Bühne auch bei diesen Schriftstellern das Material, mit dem und an dem sie arbeiten, doch als solches lebendig, eigenwillig, eigengesetzlich. Dann endlich einige wenige Dichter, denen weit ab vom Metier und außerhalb jeder Zunft gleich auf Anhieb, ohne Bühnenerfahrung, Theater glückt. Wie, begreift niemand.
Aber auch die Theater sind verschieden. Es ist nicht gleichgültig, ob der Schriftsteller einer kleinen Bühne oder einer großen, einem Repertoire- oder einem Ensuite-

theater gegenübersteht, ob er mit einer Institution rechnen muß, die finanziell gesichert ist, oder mit einer, die Gefahr läuft, bei jedem Fehlschlag zu verschwinden, ob das Theater, an das er sich wendet, von der Willkür des Publikums abhängig ist oder ob es über dem Publikum steht, indem dieses durch Abonnemente bis zu einem gewissen Grade als ein sicherer Faktor eingesetzt werden kann [dies alles freilich nur vorsichtig gesprochen, denn welches Theater steht schon über dem Publikum]. Gesetze zeichnen sich ab. So gibt es etwa für die kleinen, stets vom Ruin bedrohten Theater in Paris nur zwei Haltungen: Sie spielen auf Nummer Sicher oder wagen alles. In «En attendant Godot» oder in Ionesco spiegelt sich vielleicht mehr die wirtschaftliche und organisatorische Situation der Pariser Theater wider als die des geistigen Europa oder gar der Welt, wie man öfters und besonders natürlich in Deutschland meint. Dem gegenüber sind anderswo die subventionierten Theater oft weniger mutig, wie große Banken neigen sie zu gesicherten Geschäften, die auch den Ministerien und Verwaltungsräten einleuchten: zu den Klassikern und zu jenen der Heutigen, mit deren Erfolg sie rechnen können. Gerade die, welche es sich leisten könnten, etwas zu wagen, wagen meistens nichts. Daneben spielen natürlich noch andere Faktoren mit. Ein Theater muß sich über seine Fähigkeiten im klaren sein, seine Truppe berücksichtigen, politische und religiöse Rücksichten nehmen, an diesen und jenen Star denken, und schließlich hat der Intendant oder der Dramaturg seine Vorurteile.

Theater ist ein Resultat, die Begegnung des Schriftstellers mit der Bühne. Auf ihr muß die Arbeit des Dramatikers aufgehen. Die Bühne «beweist» ein Theaterstück. Zwar ist der Beweis nicht unfehlbar. Wie der Dramatiker kann sich auch das Theater irren, und es ist oft nicht leicht, zu unterscheiden, ob nun eine Szene schlecht geschrieben oder schlecht gespielt wurde; wenn es wohl auch öfters, als es dem Schriftsteller lieb ist, vorkommt, daß eine schlecht geschriebene Szene eben auch gar nicht gut zu spielen ist. Natürlich können die Regie und die Schauspielkunst nachhelfen oder auch einiges verpatzen, doch ein Stück stimmt erst dann, wenn es auch schlechte Aufführungen aushält. Die Bühne ist immer die Lehrmeisterin des Autors, von ihr kann er immer lernen. Vor allem das Schwierigste: die Unterscheidung, was des Schriftstellers und was des Theaters ist. Wie oft müht sich der Autor am Schreibtisch mit einer Szene ab, die sich dann, kommt sie auf die Bühne, als so nebensächlich erweist, daß sie gestrichen werden kann. Ferner weist jedes Stück Möglichkeiten auf, die erst auf der Bühne sichtbar werden, Wirkungen, an die man nicht im Traume dachte. Anderes dagegen, von dem sich der Autor viel versprach, bleibt wirkungslos.

Dies ist nun freilich allgemein gesprochen, die Praxis kennt konkretere Sorgen. Besetzungs- und Textschwierigkeiten usw. Jede Bühne hat ihre besonderen Eigenheiten. So glaube ich kaum, daß es ein zweites Theater gibt, in welchem sich die Dramatik aller Zeiten besser widergespiegelt sieht als im Schauspielhaus Zürich, gezwungenermaßen, gilt es doch, jede Saison an die zwanzig Stücke herauszugeben, dazu Gastspiele anderer Bühnen. Es ist eine schnell atmende Bühne mit einem instruierten Weltkleinstädter Publikum, das freilich – etwas schwierig für einen Berner – mit Zürchern durchsetzt ist und von Aischylos bis Osborne alles kennt. Doch bedingen die vielen Premieren eine kurze Probenzeit. Perfektion ist unmöglich [beurteilt man die Aufführungen im ganzen und nicht im einzelnen]. An ihre Stelle muß die Intensität treten. Daß das in den entscheidenden Aufführungen immer wieder geschah und geschieht, nur das macht den Ruhm dieser Bühne aus. Jede Premiere des Schauspielhauses kann nur durch einen besonderen Einsatz zu einem großen Abend werden, auch wenn allererste Kräfte vorhanden sind. Mit diesen Umständen muß deshalb der Autor auch rechnen. Es wird ihm auf dieser Bühne kaum gelingen, seinem Werk bei einer Uraufführung eine endgültige Bühnengestalt zu geben, vieles wird vorläufig bleiben müssen, doch sein Stück wird kaum eine bessere Feuerprobe durchmachen können. Das Schauspielhaus ist mit seinen Autoren strenger als andere Bühnen, es kann sich nicht leisten, seine Fehler zu retouchieren, denn es ist eine handelnde, nicht eine ausklügelnde Bühne, aber gerade wie der Schauspieler sich an diesem Ort nur dann behaupten kann, wenn er schauspielerische Substanz mitbringt, so auch der Schriftsteller. Das Zürcher Schauspielhaus ist gerade durch seine Unvollkommenheit ein vollkommenes Theater, und ich liebe es deshalb auch mehr als andere Häuser.

Meine Damen, meine Herren,

In Europa hört man oft die Meinung, der Gegensatz zwischen dem amerikanischen und dem europäischen Theater bestehe in der Hauptsache darin, daß die großen Dramatiker Amerikas realistisch, ja naturalistisch schrieben, im Gegensatz zu jenen Europas, die abstrakt seien, mehr Spekulationen nachgingen, kurz, die Avant-Garde bildeten. Das ist nun freilich ein sehr allgemeines Urteil, aber eben doch ein Urteil, das man öfter zu hören bekommt. Das amerikanische Theater ist in Europa als konservativ verschrien, man wirft ihm vor, es treibe im Grunde nichts anderes, als was vor ihm das europäische Theater zur Zeit Ibsens, Hauptmanns, Tschechows auch schon getrieben habe; dem europäischen Theater dagegen hält man vor, es verliere sich in Experimenten, habe den Kontakt zur Realität aufgegeben und, was noch schlimmer sei, den Kontakt zum Publikum.

Es ist nun nicht zu leugnen, daß dieser Meinung eine gewisse Wahrheit zugrunde liegt. Ein zukünftiger Literaturwissenschaftler wird ohne Zweifel aus den heutigen amerikanischen Stücken ein ungemein lebendigeres Bild über das heutige Amerika gewinnen können, als ihm das aus den europäischen Stücken hinsichtlich Europas möglich sein wird; demgegenüber werden ihm aber die europäischen Stücke offenbar mehr Auskunft über unsere heutige Philosophie, oder besser Nicht-Philosophie, über unsere Zweifel und Schwierigkeiten geben können. Aus dieser Tatsache aber eine Überlegenheit der europäischen Literatur über die amerikanische postulieren zu wollen, ist nicht nur falsch, sondern auch dilettantisch. Der Gegensatz, der sich hier abzuzeichnen beginnt, ist vielmehr ganz anderer Art. Wie es heute leider, und durchaus nicht zum Guten der Welt, nur noch zwei Großmächte gibt, gibt es heute, da die eine dieser Großmächte aufgehört hat, in der heutigen Literatur eine wesentliche Rolle zu spielen, nur noch eine Großmacht, die Literatur, wesentliche Literatur herstellt, nämlich die amerikanische, der die Literatur von Kleinstaaten gegenübersteht.

Was ich damit vermute, wird Sie möglicherweise überraschen. Ich vermute nämlich, daß der Unterschied zwischen dem amerikanischen und dem europäischen Theater darin bestehe, daß ein Dramatiker, der einer Großmacht angehört, sich ganz anders verhalte, ein ganz anderes Theater, einen ganz anderen Theaterstil anstrebe als ein Dramatiker eines Kleinstaates. Diese Unterscheidung ist, falls sie stimmt, weitaus wichtiger, als man zuerst glauben möchte. Das amerikanische Theater als Resultat der amerikanischen Großmacht rückt in dem Augenblick in eine beinah tragische Position, in welchem wir es als Versuch begreifen, sich selber zu sehen, sich selber nicht zu verlieren. Jede Riesenmacht wächst an sich ins Unheimliche, Unmenschliche, Abstrakte, ob sie es nun will oder nicht, unabhängig von ihren Zielen, von ihrem Willen, flößt Schrecken ein nach außen allein durch ihr Vorhandensein, droht, ohne es zu wollen, allein durch die Möglichkeit der Vergewaltigung, die ihr innewohnt, isoliert sich selber, vereinsamt, doch erweckt sie auch gegen innen, neben den Gefühlen der Macht und der Freiheit, die sie ihren Bürgern einflößt, ein Gefühl, etwas Unkontrollierbarem, Unpersönlichem, Willkürlichem, Schicksalhaftem, Bildlosem, ja Blindwütigem gegenüberzustehen. In diesem technischen Großraum fällt nun dem

Schriftsteller, besonders dem Dramatiker, eine ganz bestimmte Rolle zu, die er, ob instinktiv oder bewußt, ausübt, ausüben muß. Das Drama ist an die Darstellung von Menschen gebunden, in jedem Drama wird eine Welt aus Leibern errichtet, die Bausteine des Dramas sind Menschen und werden es immer sein. Dramatisieren heißt vermenschlichen, und der heutige amerikanische Dramatiker vermenschlicht die kontinentale Großmacht, in der er lebt, gibt der Gegenwart ihr Bild zurück, entreißt sie der Abstraktion, indem er den Großraum gewissermaßen zerschlägt, zum Milieu verdichtet. Die Kunstform des heutigen Großstaates ist Realismus. Doch ist dies keine Flucht, kein Provinziellwerden. Ein Tennessee Williams wird dadurch nicht etwa nur für die Südstaaten verständlich, weil er seine Stücke hauptsächlich im Süden der Vereinigten Staaten ansiedelt, im Gegenteil, er wird gerade dadurch international. Die Möglichkeit, provinziell zu werden, ist ihm an sich versperrt, weil das Interesse der Welt für Amerika zu groß ist. Man atmet auf: auch die Amerikaner sind Menschen wie wir, die gleichen Fehler, die gleichen Laster, die gleiche Güte! Wir finden ein Antlitz, ein Gesicht, ein Gespenst nimmt gewohnte Konturen an, ein Götze vermenschlicht sich. Auch möchte ich hier, wenn zwar nur nebenbei, bemerken, daß auch die vorkommunistische russische Literatur unter diesen Aspekt fällt, der russische Roman und das russische Theater haben sehr vieles mit der amerikanischen Literatur gemeinsam. Doch man verstehe mich recht: ein O'Neill, ein Williams, ein Miller sind nicht deshalb große Dramatiker, weil sie amerikanische Staatsbürger sind, sie wären es auch, wenn sie, sagen wir, Liechtensteiner wären, nur würden sie in diesem Falle anders schreiben.

Wir sind nun also bei der Frage angelangt: Wie schreibt der Schriftsteller eines Kleinstaats, wie schreibt, um einen ganz kleinen Kleinstaat zu wählen, der Liechtensteiner? Nun weiß ich nicht, ob es Liechtensteiner gibt, die Dramen schreiben, aber ich kann mir vorstellen, daß ein Liechtensteiner ein Stück verfaßt, das im Milieu eines Vaduzer Autobusschaffners spielt. Das Stück wird anläßlich einer schweizerisch-liechtensteinischen Freundschaftswoche in Sankt Gallen aufgeführt und freundlich aufgenommen, der Regisseur wird dem Autor sogar an der Premierefeier beim Kaffee Kirsch versichern, er halte das Stück für weitaus dichterischer als «Die Katze auf dem heißen Blechdach» von Tennessee Williams, aber damit wird es sein Bewenden haben. Der Autor wird sehr traurig sein und das Schicksal verfluchen, das ihn Liechtensteiner werden ließ. Aber ich kann mir noch einen ganz anderen Schriftsteller denken, einen Schriftsteller, der mit ungeheurem Vergnügen Liechtensteiner ist und nur Liechtensteiner, für den Liechtenstein viel mehr ist, unermeßlich viel größer als die 61 Quadratmeilen, die es tatsächlich mißt. Für diesen Schriftsteller wird Liechtenstein zum Modell der Welt werden, er wird es verdichten, indem er es ausweitet, aus Vaduz ein Babylon und aus seinem Fürsten meinetwegen einen Nebukadnezar schaffen. Die Liechtensteiner werden zwar protestieren, alles maßlos übertrieben finden, den liechtensteinischen Jodel und die Liechtensteiner Käseproduktion vermissen, aber diesen Schriftsteller wird man nicht nur in Sankt Gallen spielen, er wird international werden, weil die Welt sich in seinem erfundenen Liechtenstein widerspiegelt. Dieser liechtensteinische Schriftsteller wird immer neue Einfälle anwenden müssen, aus Liechtenstein ein immer neues Weltmodell erschaffen, er wird notgedrungen als Dramatiker revolutionäre Wege einschlagen müssen, und diese neuen Wege werden stimmen, weil es für ihn eben gar keine anderen Wege mehr gibt.

Diesen von mir hier fingierten liechtensteinischen Dramatiker gibt es immer wieder in allen Kleinstaaten. Denken Sie an Ibsen, Strindberg, Beckett heute oder an Max Frisch, meinen Schweizer Kollegen, meinetwegen denken Sie auch etwas an mich oder an die Rolle der Irländer in der angelsächsischen Literatur. Aber auch an Kleist und Büchner, die noch aus der deutschen Kleinstaaterei stammen, während Gerhart Hauptmann typischerweise der einzigen Epoche angehört, in der Deutschland leider ein Großstaat war, während Brecht schon wieder und wesentlich dem Kleinstaat Deutschland zugehört – Sie sehen, ich mache mir als Europäer keine politischen Illusionen. Nun ist es natürlich ein Unterschied, ob ein Staat schon weiß, daß er ein kleiner Staat ist, oder ob er noch an seine Größe glaubt, ohne wirklich groß zu sein – bei Brecht etwa ist vielleicht damit seine Neigung zum Kommunismus zu erklären –, doch glaube ich ein Gesetz auszusprechen, daß, hat sich einmal der Staat entschlossen als Kleinstaat installiert, er damit dem Schriftsteller eine ganz neue Freiheit verschafft. Die Freiheit nämlich, den Staat als das zu nehmen, was er sein soll: eine technische Notwendigkeit und nicht ein menschenfressender Mythos. Der installierte technisch, zivilisatorisch bewältigte Kleinstaat, wie man ihn in Europa findet, hat sich politisch selber entschärft: die Welt als Ganzes ist nun sein Problem, aber damit ist auch die Welt das Problem seiner Schriftsteller geworden. Einer der großen Beweise für diese These ist etwa Ibsen. Als Schriftsteller eines Kleinstaates hat er die Waffen für die Schriftsteller der Großstaaten geschmiedet, weil ihm nicht nur seine Gesellschaft, sondern die Gesellschaft schlechthin zum Problem wurde. Der Schriftsteller einer kleinen Nation, so möchte ich es etwas boshaft definieren, kann es sich schon geschäftlich nicht leisten, allzu patriotisch zu sein. Damit aber, meine Damen und Herren, will ich keinen Wert aufstellen, keine Noten austeilen: Gute Schriftstellerei ist immer gleichwertig. Und vor allem: Wenn ich hier einen Unterschied zwischen den Dramatikern von Großmächten und jenen von Kleinstaaten mache, ist dies nur ein sehr allgemeines, beinah statistisches Gesetz, das ich festgestellt habe. Ausnahmen gibt es immer, man denke an Gotthelf, man denke an Thornton Wilder, denn die Schriftstellerei hat ihren Grund letzten Endes in der menschlichen Freiheit, ist einer der wenigen Beweise dafür, daß es sie gibt.

1947 lernte ich Teo Otto kennen. Er malte im Schauspielhaus Zürich die Bühnenbilder zu meinem ersten Stück «Es steht geschrieben». Später schenkte er mir zwei Skizzen jener Arbeit, ein westfälisches Riegelhaus, vor welchem Johann Bockelson in seinem Mistkarren schläft und die zwei Geräderten am Schluß, über ihnen ein blutiger Himmel. Besonders gefiel mir jedoch damals sein Mond, den er über die Stadt Münster rollen ließ. Er war unheimlich und riesengroß und wies prächtige Krater auf. Daß die Leute dabei pfiffen, war meinet-, nicht seinetwegen. Dafür wurde Teo Otto mein Freund, und als er mich einmal besuchte, sang er im Keller eines Weinbauern ein Lied von Kindern, die im Kohlenkasten Briketts fraßen. Überhaupt erzählt er gern von seiner Jugend. Nicht weil er gern erzählt, sondern weil ihn das, wovon er erzählt, nicht mehr losläßt. Wir beide sitzen dann in seinem Wohnzimmer hinter dem Tisch auf dem Kanapee, über uns an der Wand die Bühnenfotografien Bertas, seiner Frau, auf dem Tisch Fleisch und Salate im Überfluß und in den Gläsern Rotwein. Er erzählt von Remscheid wie ein Volksdichter, wenn es so was noch gibt oder je gab: voll Begeisterung, voll Mitgefühl und Humor, bisweilen auch voller Zorn. Schutthalden tauchen dann auf, verrußte Straßen, Mietskasernen, Messerschmiede, Handwerker und Kumpels, fromme Nonnen, ein Tingeltangel mit frecher Musik neben dem Friedhof und hinter einem Lattenzaun Huren mit ihren Klienten, eine märchenhafte, wilde Arbeiterwelt; doch immer wieder kommt er auf seinen Vater zurück, auf einen Malermeister, dessen Bild ihn nie verläßt, der ein heimlicher Philosoph und Weiser gewesen sein muß. Oder er erzählt von Bertolt Brecht. Auch der war für ihn ein väterlicher Mensch, bauernschlau und kauzig, Unbedingtes und Bedingtes abmessend wie ein Apotheker, sein Tod traf Teo Otto wie viele seiner Generation: Für sie ist nun die große Zeit vorüber, alles nur noch Nachspiel. Dann sitze ich, trinke Rotwein, rauche und lasse den Freund erzählen. Vergangenes wird gegenwärtig, Unbekanntes vertraut, und als ich einmal durchs Ruhrgebiet fuhr, kam ich mir vor wie in einem Bühnenbild von ihm. Ein Gewirr von Eisen, Feuer und Rauch umgab mich, und die Sonne war eine rote Scheibe, obgleich sie hoch stand. Dazwischen lagen Bauerndörfer wie hingeträumt, eine Riesenwerkstatt mit gespenstischen Winkeln. Ich begriff, weshalb er die Farbe des Rostes so oft anderen Farben vorzieht, aber auch seine Liebe zu den Materialien. Seine Bühnenbilder sind darum manchmal wie aus Blech und Drähten geschmiedet, wie geformt aus altem Papier und faulem Holz, nichts gäbe es, was nicht irgendwie zu gebrauchen, zu verzaubern wäre. Es sind dichterische Bühnenbilder, Verdichtungen manchmal einer Atmosphäre, manchmal aber ganzer Epochen, erlebte Räume, oft vielleicht wie Albträume, spukhaft und makaber, immer jedoch Visionen eines Mannes, der in den Werken der Dichter nicht ästhetische, sondern ethische Dokumente sieht, Zeugnisse, die nicht beschwichtigen, sondern aufrütteln. Er wurde Bühnenmaler, ahnt man dann, weil er vom Menschen besessen ist. Auch wenn er malt, gibt Teo Otto nur den Menschen wieder, ich sah noch nie eine Landschaft von ihm, und in den Nächten des Zweiten Weltkrieges zeichnete er sein «Tagebuch», eine Notierung von Erlebtem und Vernommenem. Der Mensch ist sein einziges Thema. So wie ein Bühnenbild ohne den Schauspieler sinnlos wird, ist auch das Malen für ihn ohne den Menschen als Objekt undenkbar, eine instinktive, unbewußte, nicht theoretische Einstellung, die auch für den Dramatiker gilt. Theater ist nun einmal [will es mehr sein als bloße Deklamation, aufgehängt an die Wäscheleine einer spannenden Handlung] zuerst Menschenschilderung und nicht ein Abwickeln von Problemen, wie man so gerne glaubt. Und so wurde das Theater sein Schicksal. Es machte ihn schnell berühmt, doch gab er seine Stellung in Berlin auf. Er verließ Deutschland freiwillig. Er kehrte nicht nur dem feierlichen «positiven» Theater der Hitlerzeit den Rücken, diesem Theater im goldenen Käfig, mit immer noch großen Einzelleistungen, gefüttert von Weltmetzgern [welches so sehr der bürgerlichen Vorstellung von Kunst entsprach und entspricht], sondern auch dem Expressionismus. Der Schrei der Dichter war verhallt, ergebnislos, ihre Bücher wurden verbrannt, ihre Stücke verboten, das Theater als moralische Anstalt hatte versagt, weil die politische und kulturelle Schicht eines Volkes versagte. Teo Otto schloß sich dem Ensemble des Schauspielhauses Zürich an. Diese Emigranten, Ausländer für das Publikum, nur vage gegen eine mißtrauische Fremdenpolizei abgeschirmt, gehalten von einigen mutigen Bürgern und von einigen unerschrokkenen Politikern, bildeten ein Theater von Schauspielern. Nicht ein literarisches Manifest formte den Stil dieser Truppe, sondern die schauspielerische Interpretation. Man hatte keine Zeit, literarisch zu sein. Man stand vor ungeheuerlichen Arbeitsbedingungen. Das Gastland gewährte Freiheit, aber nicht mehr. Die Umwelt war theatergleichgültig, ja feindlich. Das große Publikum fehlte, nur eine Elite kam. Die Truppe mußte leben, und um zu leben, hatte sie jede Woche ein neues Stück herauszubringen, im Kriege alle vierzehn Tage. Die bedeutenden Stücke der Weltliteratur, die revolutionären Stücke der Zeit, aber auch ihre Kassenschlager. Teo Otto malte in einem niedrigen Raum unter der Bühne mit wenigen Mitarbeitern, in einem kleinen Keller, von Ratten umpfiffen [die Wahrheit klingt wie eine Sage]. Nach der Premiere, nachts, wurde schon das neue Stück entworfen, am nächsten Morgen begann die Ausführung. Und dennoch entstand großes Theater. Nicht durch Perfektion, sondern durch Können und Intensität. Man diskutierte. Man wich den Fragen nicht aus, die das Theater unerbittlich stellt. Wie sieht die Bühne dieses Stückes aus? Was entspricht dieser Sprache, jenem Dichter? Wie stellt man diese Szene dar, wie ist diese Verwandlung zu lösen? Das Bühnenbild ist nicht eine Dekoration, sondern ein Teil der Interpretation: Ein falscher Schnörkel, und alles gleitet ins Ästhetische oder Kabarettistische ab, ein falsches Kleidungsstück, und die Akzente haben sich verschoben. Im Bühnenbild muß die Dichtung ebenso Gestalt werden wie durch den Schauspieler. Mit einer Einschränkung. Das Bühnenbild kann einen ganzen Theaterkosmos hinzaubern, ist Bühnenweltenbauerei, bestimmt den Mechanismus einer Aufführung, die Stellung der Schauspieler zueinander, ihre Auftritte und Abgänge, aber es darf nicht herrschen. Es hat sich unterzuordnen. Man hat es während des Spiels gleichsam zu vergessen, es muß ins Unbewußte des Zuschauers sinken. Über den Wert einer Aufführung entscheidet nicht das Bühnenbild, nur der Schauspieler, dem es dient. Der Bühnenbildner ist ein Mann des Hintergrunds [wie es auch der Regisseur sein sollte], und ein Mann des Hintergrunds ist Teo Otto stets geblieben, auch wenn sich nun die Verhältnisse geändert haben. Er hat sich nun die großen Bühnen der Welt erobert, er ist nicht mehr nur der Bühnenbildner des Zürcher Schauspielhauses. Aber man holt ihn nicht allein seiner Bühnenbilder wegen, sondern weil er wie selten einer etwas *vom* Theater versteht, ein Urteilender nicht nur aus Liebe zur Sache, sondern auch vom Wissen, von der Erfahrung her, und Erfahrung braucht das Theater ebenso wie den Mut zum Experiment. Eine neue Zeit ist angebrochen, eine Zeit, die großes Theater immer noch hin und wieder kennt, aber eben nur sporadisch, eine Zeit, deren äußere Umstände besser geworden sind, die aber an Intensität verloren hat, eine Zeit, die an der Grundbedingung des Theaters rüttelt, am Ensemble. Um so wichtiger denn, daß Teo Otto uns von seinen Erfahrungen etwas mitteilt, daß er sie weitergibt. Er ist ein Teil der Theaterwelt, ein Stück Theatergeschichte selbst. Unsere Epoche ist von Theorien überschwemmt. Die dramaturgischen Fiktionen machen sich breit, die Literaturwissenschaft verbreitet ihre Dogmen, orgelt von Goethes angeblich heiler Welt her [welche Herabwürdigung Goethes]. Aber die Theorie vergißt allzu leicht, daß auf der Bühne Dichtung nur möglich wird, wenn sie sich durch den Schauspieler ereignet. Eine Binsenwahrheit, gewiß, doch wie wird sie mißachtet! Theater ist nicht reine Literatur, sondern Dichtung vermittelst der Schauspielerei. Die Kunst des Dramas ist Menschendarstellung durch das Medium des Schauspielers. Nur durch die Schauspielkunst wird das dramatische Wort elementar und unmittelbar. Auf dem Theater wird die Dichtung durch das Theater ausgedrückt. Man postuliert nicht, man interpretiert, indem man spielt. Komödianten [und auch der Bühnenmaler gehört zu ihnen als ein Teil ihrer Welt] sind nicht Literaten. Sie lassen sich vom Bühneninstinkt leiten, nicht von literarischen Theorien. Für sie ist Hamlet ein Mensch, nicht ein Problem. Sie streben das Humane an, nicht das Dogmatische, ihr Spiel bedeutet die Welt, ohne sie zu deuten, die Beschränkung einer jeden Kunst. Sie stehen in der Zeit, spielen ihre Zeit, auch wenn sie Klassiker spielen. Sie prüfen die Sprache auf ihre Echtheit: auf ihre Spielbarkeit nämlich, das Kriterium einer jeden großen Theatersprache. Theater entsteht durch Arbeit. Die Geschichte des Theaters ist die der Proben, die abgehalten wurden. Es ist eine Geheimgeschichte wie die Geschichte der Literatur auch. Die wahren Kriterien bleiben ungesagt. Sie können nur in der Arbeit aufleuchten, durch die Arbeit, und wirksam werden. Wenn dann das Publikum kommt und wenn gar die Kritiker schreiben, hat das Mißverständnis schon begonnen. Damit sei nichts gegen die Kritik gesagt. Sie hat nur nichts mit dem Theater an sich zu tun [da wäre sie blutige Stümperei], aber alles mit dessen Auswirkung: Nur hier liegt ihre Berechtigung. Die Kritiker gehören einer anderen Sphäre an, jener des Publikums, der Gesellschaft, in die das Theater hineingestellt ist, die nach anderen Maßstäben entscheidet, einer Realität, die zwar mächtiger ist als jene des Theaters, aber darum nicht wahrer. Teo Otto hat uns mit seinem Buche ein Dokument einer Welt geschenkt, die unbekannt ist, geschenkt, weil sie dem Publikum gehört, allen und jedem, ein Dokument der Theaterwelt.

Sind am Autor mehrere Aufführungen eines Stücks vorübergegangen, denen er teils erfreut, teils gequält oder gar erheitert beiwohnte, kann er sich mit der Zeit der Aufgabe kaum entziehen, Erfahrungen, die ihm die Bühne lieferte, nun auch zu realisieren. Neufassungen entstehen. Eine Handlung muß deutlicher, genauer erfaßt, Szenen müssen umgestellt oder gar gestrichen werden, ja ganze Partien entstehen neu. Doch, glaube ich, wird es immer zwei Sorten von Theaterautoren geben. Auch was das Umschreiben betrifft. Jene, die danach trachten, möglichst genaue Partituren zu liefern, genaue Szenenanweisungen, genaue Tempibezeichnungen, Autoren, denen einzig mögliche Aufführungen, Modellaufführungen vorschweben. Sie schreiben ein Stück in der Hoffnung um, die endgültige Form zu finden. Ihr Umschreiben hat etwas Wissenschaftliches, Philologisches. Die anderen dagegen sehen in ihren Texten eine Substanz, die jedes Theater, jede Truppe auf eine immer andere Weise zum Erscheinen, zum Leuchten bringen muß – um es etwas feierlich zu sagen –, wenn es gelingt [und es gelingt nicht immer]. Es gibt für sie viele mögliche Aufführungen. Diese Autoren schreiben aus einem gewissen Pflichtgefühl um, oder besser, spüren noch einmal der alten Fabel nach. Angeregt durch verschiedene Aufführungen, prüfen sie noch einmal, wägen sie noch einmal. Nicht so sehr in der Hoffnung, Endgültiges zu finden, mehr aus Plaisir, ein altes Abenteuer noch einmal zu bestehen.

Auch zum Verhältnis, in welchem die Autoren zur Bühne stehen – oder soll ich sagen, das die Autoren mit der Bühne haben? –, ist vieles zu sagen. Teilen wir auch hier ein. Da gibt es die Unerbittlichen, die Diktatoren, die Strengen, die sich immer ärgern, denen die Bühne nie genügt, die das immer gleiche perfekte Produkt verlangen, und es gibt jene, die sich über die immer neuen, die immer verwandelten Produkte amüsieren. Ich zähle mich zu den letzteren – wenn auch mit gewissen Einschränkungen. Entscheidend ist für mich der immanente Stil, nicht der äußere. Es ist auszudrücken, was der Autor will, was ihm vorschwebt, man hat seine Tonart zu treffen. Wie man das macht, kann verschieden sein, dem Regisseur soll Freiheit, aber keine Willkür gewährt werden.

So versucht etwa eine Bühne zu stilisieren! Es gibt keine Requisiten mehr, Zigarettenrauchen, Trinken wird ohne Objekte gespielt. Einer breitet die Hand aus und tut so, als ob er in ein Notizbuch schriebe. Das mag gelingen, ich mag damit einverstanden sein, wenn sich diese Stilisierung durchführen läßt. Wenn jedoch plötzlich Requisiten dennoch notwendig werden, wenn sich das Prinzip nicht vollständig durchführen läßt, wenn nun auf einmal ein Mann eben doch mit einem Gewehr auftreten muß oder mit einem Beil, so muß ich mich fragen, ob die Stilisierung noch einen Sinn habe. Stil halte ich für etwas Unmerkliches, für eine Idee der Kenner, nicht des Publikums. Erst hinterher soll man auf ihn kommen, nicht im Augenblick, im Gegenüber mit der Bühne.

Oder ein anderes Beispiel. In einem meiner Theaterstücke stellen die Schauspieler Bäume dar. Ein Wald wird gespielt. Das geschieht aus einem ganz bestimmten Sinn. Es soll eine ganz bestimmte Szene möglich werden. Durch das Bäumespielen gebe ich die Tonart der Szene an; was nicht in Frage kommen soll, ist deutscher Wald, Ganghofer, Karfreitagszauber. Wird jedoch, wie ich es auch schon sah, die Szene mit Dekoration gespielt, senkt sich Waldgeäst hernieder, Wurzelgeschlinge, ja, äst vor dem beglückten Publikum eine Tänzerin als Reh verkleidet auf der Bühne und übernimmt das Tonband Windesrauschen und Kuckuckrufe: gleich stellt sich die alte deutsche Romantik wieder ein, Wildschützstimmung regiert ungebrochen, nicht gespielt, sondern vorgeblufft; die vorher mögliche Szene wird unmöglich.

Sorgen eines Autors. Interpretationsfehler, gegen das Stück gerichtet. Peinliches Mißverständnis. Seien wir nicht zu bitter. Allzuoft korrigiert das Theater den Autor, verwandeln Schauspieler Blech zu Gold. Der Autor verfertigt sein Stück am Schreibtisch, stellt sich, während er schreibt, die Bühne immer wieder vor, doch stets droht ihm auch der Fehler, dort mit dem Wort fechten zu wollen, wo es des Wortes gar nicht bedarf. Ein Schweigen kann eine ganze Passage ersetzen, eine Geste eine Szene. Die Bühne ist zu großen Abkürzungen, Vereinfachungen fähig und verlangt bei weitem nicht alle Kommentare, die dem Autor immer wieder unterlaufen. Übrigens: es gibt auch Regisseure, die nicht eigentlich ein Stück, sondern ihren Kommentar zum Stück inszenieren. Solchen Vorstellungen wohnt dann der Autor besonders verdutzt bei. Er wundert sich über seine Tiefe, die einem Andern eingefallen ist und in die das Publikum dann auch meistens prompt hereinfällt.

Dann gibt es in jedem Stück immer wieder Szenen, die nie, oder einige, die nur selten gelingen oder gar vielleicht nur einmal gelingen könnten. Sollen diese Szenen gestrichen werden? Zu den Schwierigkeiten der Theaterschriftstellerei, ja vielleicht jeder Kunst, gehört das Sichabfinden. Ein Theaterstück ist nachträglich nur bedingt noch zu verbessern, ja meistens nur noch zu verschlechtern. Es ist da, mit allen Fehlern, doch es sind nicht Fehler, wie wir sie bei Objekten vorfinden, bei einem Stuhl oder bei einer Schaltanlage. Es sind mehr «organische Delikte», Charakterfehler. Fehlerlose Menschen gibt es ja auch kaum. Aber es gibt Menschen, die wir lieben, verehren, daneben leider auch Mißgeburten, schöne Dummköpfe, unerträgliche Schwätzer. Und alle diese Individuen besitzen Väter, die kraft ihrer Vaterschaft in ihnen etwas Besonderes sehen. So geht es auch den Autoren. Ein Stück neu zu bearbeiten ist der Versuch, es zu erziehen. Eine problematische Arbeit, doch gehört sie zu den Notwendigkeiten unseres Berufs. Ein Theaterband muß zusammengestellt werden, neue Aufführungen stehen bevor. Aber so schön es ist, so aufregend, noch einmal alte Spannungen durchzumachen, alte Zweifel noch einmal durchzudenken, hin und wieder neue Lösungen zu versuchen, die Arbeit, die der Autor restlos liebt und an die er – indem er sie tut – in ewiger Naivität doch restlos glaubt, ist stets die Arbeit an einem neuen Theaterstück. In der Arbeit «nachher» steckt immer ein bitterer Kern: die Ernüchterung.

Eine schwere Komödie, weil sie scheinbar leicht ist.
Damit kann der Literaturbeflissene deutscher Sprache
schon gar nichts anfangen. Stil ist, was feierlich tönt.
So wird er im Romulus nichts als eine bloße Witzelei
sehen und das Stück irgendwo zwischen Theo Lingen
und Shaw ansiedeln. Dieses Schicksal ist jedoch für
Romulus nicht ganz so unpassend. Er spielt zwanzig
Jahre den Hanswurst, und seine Umgebung kam nicht
darauf, daß auch dieser Unsinn Methode hatte. Das
sollte zu denken geben. Meine Figuren sind nur von der
Gestalt her darzustellen. Dies gilt für den Schauspieler
und für den Regisseur. Praktisch gesprochen: Wie soll
etwa Ämilian dargestellt werden? Er ist tage-, vielleicht
wochenlang marschiert, auf Schleichwegen, durch zer-
störte Städte, und nun erreicht er das Haus des Kaisers,
das er doch kennt, und nun fragt er: Die Villa des
Kaisers in Campanien? Ist in diesem Satz nicht das
ungläubige Erstaunen spürbar über den verhühnerten
und heruntergekommenen Zustand der Villa, die doch
die Residenz darstellt? Wird die Frage rhetorisch wirken
und auch, wenn er seine Geliebte fragt, bang und gebannt: Wer bist du? Er kennt sie wirklich nicht mehr,
er hat sie wirklich vergessen, ahnt, daß er diesen Menschen einmal kannte, liebte. Ämilian ist die Gegengestalt
zu Romulus. Sein Schicksal ist menschlich zu sehen,
mit den Augen des Kaisers gleichsam, der hinter der
Fassade der geschändeten Offizierssehre «das tausendfach
besudelte Opfer der Macht» erspäht. Romulus nimmt
Ämilian ernst, als den Menschen, der gefangen, gefoltert
wurde, der unglücklich ist. Was er nicht akzeptiert, ist

175

die Forderung: «Geh, nimm ein Messer», die Verschacherung der Geliebten, damit das Vaterland lebe. Menschlichkeit ist vom Schauspieler hinter jeder meiner Gestalten zu entdecken, sonst lassen sie sich gar nicht spielen. Das gilt von allen meinen Stücken. Eine besondere, zusätzliche Schwierigkeit jedoch ergibt sich für den Darsteller des Romulus selber. Ich meine die Schwierigkeit, die darin liegt, daß er dem Publikum nicht allzu schnell sympathisch erscheinen darf. Das ist leicht gesagt und vielleicht fast nicht zu erreichen, doch als Taktik im Auge zu behalten. Das Wesen des Kaisers darf sich erst im dritten Akt enthüllen. Im ersten Akt muß der Ausspruch des Präfekten: «Rom hat einen schändlichen Kaiser», im zweiten jener Ämilians: «Dieser Kaiser muß weg», begreiflich sein. Hält im dritten Akt Romulus Gericht über die Welt, hält im vierten die Welt Gericht über Romulus. Man sehe genau hin, was für einen Menschen ich gezeichnet habe: witzig, gelöst, human, gewiß, doch im Letzten ein Mensch, der mit äußerster Härte und Rücksichtslosigkeit vorgeht und nicht davor zurückschreckt, auch von andern Absolutheit zu verlangen, ein gefährlicher Bursche, der sich auf den Tod hin angelegt hat; das ist das Schreckliche dieses kaiserlichen Hühnerzüchters, dieses als Narren verkleideten Weltenrichters, dessen Tragik genau in der Komödie seines Endes, in der Pensionierung liegt, der dann aber – und nur dies macht ihn groß – die Einsicht und die Weisheit hat, auch sie zu akzeptieren.

«Der grosse Kunstgriff, kleine Abweichungen von der Wahrheit für die Wahrheit selbst zu halten, worauf die ganze Differentialrechnung gebaut ist, ist auch zugleich der Grund unserer witzigen Gedanken, wo oft das Ganze hinfallen würde, wenn wir die Abweichungen in einer philosophischen Strenge nehmen würden.»   Lichtenberg

Romulus Augustus war 16, als er Kaiser wurde, 17, als er abdankte und in die Villa des Lukull nach Campanien zog. Die Pension betrug 6000 Goldmünzen, und seine Lieblingshenne soll Roma geheißen haben. Das ist das Historische. Die Zeit nannte ihn Augustulus, ich machte ihn zum Mann, dehnte seine Regierungszeit auf 20 Jahre aus und nenne ihn «den Großen».

Es ist vielleicht wichtig, daß man mich gleich versteht: Es geht mir nicht darum, einen witzigen Mann zu zeigen. Hamlets Wahnsinn ist das rote Tuch, hinter dem sich der Degen verbirgt, der Claudius gilt, Romulus gibt einem Weltreich den Todesstoß, das er mit seinem Witz hinhält. Auch lockte es mich, einmal einen Helden nicht an der Zeit, sondern eine Zeit an einem Helden zugrunde gehen zu lassen. Ich rechtfertige einen Landesverräter. Nicht einen von denen, die wir an die Wand stellen mußten, aber einen von denen, die es nie gibt. Kaiser rebellieren nicht, wenn ihr Land unrecht hat. Sie überlassen dies den Laien und nennen es Landesverrat, denn der Staat fordert immer Gehorsam. Aber Romulus rebelliert. Auch wenn die Germanen kommen. Dies sei gelegentlich zur Nachahmung empfohlen.

Ich will mich präzisieren. Ich klage nicht den Staat, der recht, sondern den Staat an, der unrecht hat. Das ist ein

Unterschied. Ich bitte, den Staaten scharf auf die Finger zu sehen und sehe ihnen scharf auf die Finger. Es ist nicht ein Stück gegen den Staat, aber vielleicht eins gegen den Großstaat. Man wird meine Worte sophistisch nennen. Das sind sie nicht. Dem Staat gegenüber soll man zwar klug wie eine Schlange, aber um Gottes willen nicht sanft wie eine Taube sein.

Es handelt sich nur um Binsenwahrheiten. Aber heute ist eine Zeit, in der es leider nur noch um Binsenwahrheiten geht. Tiefsinn ist Luxus geworden. Das ist das etwas Peinliche unserer Situation und die besondere Schwierigkeit, sich schriftstellerisch mit ihr auseinanderzusetzen. Ich will nicht unsere Mängel mit der Zeit ausreden, doch sollte auch die Zeit uns ausreden lassen. Sie fährt uns aber immer wieder mit ihren Handlungen über den Mund. Wir haben es nicht leicht.

ANMERKUNG ZU
«EIN ENGEL KOMMT NACH BABYLON»

Die vorliegende Komödie versucht den Grund anzu-
geben, weshalb es in Babylon zum Turmbau kam, der
Sage nach zu einem der grandiosesten, wenn auch un-
sinnigsten Unternehmen der Menschheit; um so wichtiger, da wir uns heute in ähnliche Unternehmen ver-
strickt sehen. Meine Gedanken, meine Träume kreisten
jahrelang um dieses Motiv, ich beschäftigte mich schon
in meiner Jugend damit, stand doch in der Bibliothek
meines Vaters ein blauweißer Band der Monographien
zur Weltgeschichte: Ninive und Babylon. Es ist schwer,
Träume zu gestalten. Ich hatte nie im Sinn, eine ver-
sunkene Welt zu beschwören, es lockte mich, aus Eindrücken eine eigene Welt zu bauen. Die Arbeit zog sich
über Jahre hin. Ein ernsthafter Versuch, den ganzen Turm-
baustoff zu gestalten, mißlang 1948, fünf Jahre später
wagte ich es von neuem, indem der erste Akt beibehalten und eine andere Handlung geschaffen wurde: Nur die
Ursache des Turmbaus sollte nun behandelt werden. So
kam eine Fassung zustande, die zuerst in München und
dann auch in andern Städten aufgeführt wurde. Sie be-
friedigte nicht. Es brauchte eine Pause, Beschäftigung mit
anderem war nötig, Distanz zu gewinnen, die Komödie
nun auch dramaturgisch, von der Regie her zu gestalten,
sie Handlung werden zu lassen und nichts weiter: Nur
was in sich stimmt, stimmt auch an sich. Ob die Handlung weitergeführt wird, weiß ich noch nicht. Dem Plane
nach sollte als nächstes Stück der Turmbau selber dargestellt werden: «Die Mitmacher». Alle sind gegen den
Turm, und dennoch kommt er zustande ...

Der Besuch der alten Dame ist eine Geschichte, die sich irgendwo in Mitteleuropa in einer kleinen Stadt ereignet, geschrieben von einem, der sich von diesen Leuten durchaus nicht distanziert und der nicht so sicher ist, ob er anders handeln würde: was die Geschichte mehr ist, braucht hier weder gesagt noch auf dem Theater inszeniert zu werden. Auch für den Schluß gilt das. Zwar werden die Leute hier feierlicher, als es in der Wirklichkeit natürlich wäre, etwas mehr in der Richtung dessen hin, was als Dichtung bezeichnet wird, als schöne Sprache, doch nur, weil die Güllener nun eben reich geworden sind und als Arrivierte auch gewählter reden. Ich beschreibe Menschen, nicht Marionetten, eine Handlung, nicht eine Allegorie, stelle eine Welt auf, keine Moral, wie man mir bisweilen andichtet, ja, ich suche nicht einmal mein Stück mit der Welt zu konfrontieren, weil sich all dies natürlicherweise von selbst einstellt, solange zum Theater auch das Publikum gehört. Ein Theaterstück spielt sich für mich in der Möglichkeit der Bühne ab, nicht im Kleide irgendeines Stils. Wenn die Güllener Bäume spielen, so nicht aus Surrealismus, sondern um die etwas peinliche Liebesgeschichte, die sich in diesem Walde abspielt – den Annäherungsversuch eines alten Mannes an eine alte Frau nämlich –, in einen poetischen Bühnenraum zu stoßen und so erträglich zu machen. Ich schreibe aus einem mir immanenten Vertrauen zum Theater, zum Schauspieler, heraus. Das ist mein Hauptantrieb. Das Material verlockt mich. Der Schauspieler braucht nur wenig, um einen Menschen darzustellen, nur die äußerste Haut, Text eben, der freilich stimmen muß. Ich meine: So wie sich ein Organismus abschließt, indem er eine Haut bildet, ein Äußerstes, schließt sich ein Theaterstück durch die Sprache ab. Der Theaterschriftsteller gibt nur sie. Die Sprache ist sein Resultat. Darum kann man auch nicht an der Sprache an sich arbeiten, sondern nur an dem, was Sprache macht, am Gedanken, an der Handlung etwa; an der Sprache an sich, am Stil an sich arbeiten nur Dilettanten. Die Aufgabe des Schauspielers besteht darin, glaube ich, dieses Resultat aufs neue zu erzielen; was Kunst ist, muß nun als Natur erscheinen. Man spiele den Vordergrund richtig, den ich gebe, der Hintergrund wird sich von selber einstellen. Ich zähle mich nicht zur heutigen Avantgarde, gewiß, auch ich habe eine Kunsttheorie, was macht einem nicht alles Spaß, doch halte ich sie als meine private Meinung zurück [ich müßte mich sonst gar nach ihr richten] und gelte lieber als ein etwas verwirrter Naturbursche mit mangelndem Formwillen. Man inszeniere mich auf die Richtung von Volksstücken hin, behandle mich als eine Art bewußten Nestroy, und man wird am weitesten kommen. Man bleibe bei meinen Einfällen und lasse den Tiefsinn fahren, achte auf eine pausenlose Verwandlung ohne Vorhang, spiele auch die Autoszene einfach, am besten mit einem Theaterwagen, auf dem nur das zum Spielen Nötige montiert ist: Autosessel, Lenkrad, Stoßstange, der Wagen sei von vorne zu sehen, die hinteren Sitze erhöht, all dies freilich muß neu sein, neu wie die gelben Schuhe usw. [Diese Szene hat nichts mit Wilder zu tun – wieso? Dialektische Übung für Kritiker.] Claire Zachanassian stellt weder die Gerechtigkeit dar, noch den Marshallplan oder gar die Apokalypse, sie sei nur das, was sie ist, die reichste Frau der Welt, durch ihr Vermögen in der Lage, wie eine Heldin der griechischen Tragödie zu handeln, absolut, grausam, wie Medea etwa. Sie kann es sich leisten. Die Dame hat Humor, das ist nicht zu übersehen, da sie Distanz zu den Menschen besitzt als zu einer käuflichen Ware, Distanz auch zu sich selber, eine seltsame Grazie ferner, einen bösartigen Charme. Doch, da sie sich außerhalb der menschlichen Ordnung bewegt, ist sie etwas Unabänderliches, Starres geworden, ohne Entwicklung mehr, es sei denn die, zu versteinern, ein Götzenbild zu werden. Sie ist eine dichterische Erscheinung, wie auch ihr Gefolge, sogar die Eunuchen, die nicht realistisch unappetitlich mit Kastraten-Stimmen wiederzugeben sind, sondern unwirklich, märchenhaft, leise, gespensterhaft in ihrem pflanzenhaften Glück, Opfer einer totalen Rache, die logisch ist wie die Gesetzbücher der Urzeit. [Um die Rollen zu erleichtern, können die beiden auch abwechslungsweise reden, statt zusammen, dann aber ohne Wiederholung der Sätze.] Ist Claire Zachanassian unbewegt, eine Heldin von Anfang an, so wird ihr alter Geliebter erst zum Helden. Ein verschmierter Krämer, fällt er ihr zu Beginn ahnungslos zum Opfer, schuldig, ist der Meinung, das Leben habe von selber alle Schuld getilgt, ein gedankenloses Mannsbild, ein einfacher Mann, dem langsam etwas aufgeht, durch Furcht, durch Entsetzen, etwas höchst Persönliches, der an sich die Gerechtigkeit erlebt, weil er seine Schuld erkennt, der groß wird durch sein Sterben [sein Tod ermangle nicht einer gewissen Monumentalität]. Sein Tod ist sinnvoll und sinnlos zugleich. Sinnvoll allein wäre er im mythischen Reich einer antiken Polis, nun spielt sich die Geschichte in Güllen ab. In der Gegenwart. Zu den Helden treten die Güllener, Menschen wie wir alle. Sie sind nicht böse zu zeichnen, durchaus nicht, zuerst entschlossen, das Angebot abzulehnen, zwar machen sie nun Schulden, doch nicht im Vorsatz, Ill zu töten, sondern aus Leichtsinn, aus einem Gefühl heraus, es lasse sich schon alles arrangieren. So ist der zweite Akt zu inszenieren. Auch die Bahnhofszene. Die Furcht ist bei Ill allein, der seine Lage begreift, noch fällt kein böses Wort, erst die Szene in der Peterschen Scheune bringt die Wendung. Das Verhängnis ist nicht mehr zu umgehen. Von nun an bereiten sich die Güllener allmählich auf die Ermordung vor, entrüsten sich über Ills Schuld usw. Nur die Familie redet sich bis zum Schlusse ein, es komme noch alles gut, auch sie ist nicht böse, nur schwach wie alle. Es ist eine Gemeinde, die langsam der Versuchung nachgibt, wie der Lehrer, doch dieses Nachgeben muß begreiflich sein. Die Versuchung ist zu groß, die Armut zu bitter. Die «Alte Dame» ist ein böses Stück, doch gerade deshalb darf es nicht böse, sondern aufs humanste wiedergegeben werden, mit Trauer, nicht mit Zorn, doch auch mit Humor, denn nichts schadet dieser Komödie, die tragisch endet, mehr als tierischer Ernst.

Hypotheses fingo: Der Weg, den meine Dramatik ein-geschlagen hat, ist nicht ohne weiteres einzusehen. Ohne vom Komödiantischen, Spielerischen als ihrem Medium zu lassen, ist sie vom «Denken über die Welt» zum «Denken von Welten» übergegangen. Nicht um philo-sophisches, naturwissenschaftliches oder theologisches Denken zu kritisieren, sondern um etwas anderes zu treiben. In dieser Richtung ist auch Frank der Fünfte zu suchen, nicht als ein nationalökonomisches Stück [da wäre es zu naiv und zu oberflächlich], sondern als Arbeit über ein fingiertes Modell. Modell von was? Von möglichen menschlichen Beziehungen.

Abgrenzung: Jede Dramatik wird durch ihr Ziel be-stimmt. Ihr Ziel kann die «Wiedergabe der Welt» sein. Die Frage ist nun: Gibt es eine andere Dramatik? Ist ein anderes Ziel als die «Wiedergabe der Welt» möglich?

Präzisionen: Nimmt sich die Dramatik vor, die Welt wiederzugeben, so muß abgeklärt werden, ob das überhaupt möglich ist. Dramatik sei hier als die Kunst, Theaterstücke zu schreiben, verstanden. Die Frage lautet dann: Wie kann die Welt durch das Theater wiederge-geben werden? Brecht hält dies für eine gesellschaftliche Frage. Er hat recht. Die Welt, die durch das Theater wiedergegeben werden kann, ist die Gesellschaft, kann nur die Gesellschaft sein. Auch darin ist Brecht beizu-pflichten, daß dann diese Wiedergabe stimmen muß. Zielt die Dramatik auf eine «Wiedergabe der Welt», muß sie sich daher dem Satze Newtons unterwerfen:

Hypotheses non fingo. Sie wird «naturwissenschaftlich» abhängig von der Theorie über die Welt, auf die sie sich stützt, deren Sieg oder Niederlage dann ihren jeweiligen Wahrheitsgehalt bestimmt. [Das gleiche gilt auch für den religiösen Dichter, insofern er vom Glauben her die Welt darstellen will: Der Glaube ist für ihn keine Hypothese, glaubt er wirklich.]

Mathematik als Beispiel: Wird nun das Ziel aufgegeben, «die Welt wiederzugeben», muß daran gegangen werden, «mögliche Welten» darzustellen, «mögliche menschliche Beziehungen». Die Dramatik wird nicht mehr «naturwissenschaftlich» bestimmt, sondern «mathematisch». Dies wird deutlich, wenn man sich erinnert, daß es mathematische Untersuchungen gibt über die «Eigenschaften komplizierter, unendlicher, lediglich begrifflich konzipierter und womöglich überhaupt nur hypothetisch in Betracht gezogener Strukturen».

Gefahr, ins Leere zu stoßen: Ist die Forderung einmal fallengelassen worden, die Welt des Theaters und die Wirklichkeit müßten übereinstimmen, ist eine neue Freiheit erreicht. Aber auch eine neue Gefahr. Der Vorteil der alten Dramatik lag in ihrer Wirksamkeit; da sie die Welt so sah, wie sie sie darstellte, konnte sie auch unmittelbar Stellung nehmen. Gesellschaftlich orientiert, war sie politisch wirksam [auch die Klassiker]. Sie deutete die Welt, und das Publikum will sich die Welt deuten lassen. Die Gefahr einer anders konzipierten Dramatik liegt in ihrem Hang, ins Leere zu stoßen, sich im bloß Ästhetischen oder bloß Geistreichen zu verlieren.

Ausgangspunkt: Ist der Ausgangspunkt eine Fiktion

wie etwa die Gangsterbank Franks des Fünften und nicht
eine Realität wie die Gangstermonarchie Richards des
Dritten [daß dies im Grunde auch eine Fiktion Shakespeares war, weiß ich natürlich], genügt die Forderung,
ein Kunstwerk müsse an sich stimmen, allein nicht mehr.
Die Fiktion muß auch die Realität in sich schließen, die
«mögliche Welt» muß auch die «wirkliche Welt» in
sich enthalten. Man muß in der Gangsterbank mehr
sehen können als nur sie. Der Realität muß im Theater
eine Überrealität gegenüberstehen. Aus den Fiktionen
müssen «Mythen» hervorgehen, sonst sind sie sinnlos.
Der Fehler liegt meistens im Ausgangspunkt: Die Fiktion darf nicht als bloße Absurdität konzipiert werden.
Das Absurde umschließt nichts.

Aufgabe der Kritik: Ich deute die Welt nicht. Als
Bühnenschriftsteller ist dies nicht meine Aufgabe. Damit
will ich nicht behaupten, daß mit «Frank V.» nicht
bestimmte Strukturen menschlicher Beziehungen gedeutet werden können. Das ist logisch durchaus möglich. Doch ist die Untersuchung darüber, was mit meinen
Werken gedeutet werden kann, nicht meine Aufgabe,
ja, wahrscheinlich ehrlicherweise überhaupt nicht von
mir zu leisten. Meine Vermutung, daß auch in meinen
dramatischen Werken ein Werkzeug liege, die Welt zu
deuten, stützt sich weniger auf eine logische Erkenntnis
als auf den Glauben, daß es für das künstlerische Denken
unmöglich sei, aus der Welt zu fallen. Dies alles enthebt
den Kritiker jedoch nicht der Pflicht, gerade das zu tun,
was ich mir verbiete, die Welt in meinen möglichen
Welten zu entdecken. Er höre auf mitzudichten, beginne
wieder nachzudenken. Begreift er dies, wird auch seine
Kritik ein notwendiger Prüfstein.

Aussage: Die hartnäckige Idee hauptsächlich deutscher Köpfe, es komme auf die Aussage an, hat schon die Wiedergabe vieler Theaterstücke verteufelt. Es wurde auf eine Aussage statt auf eine Handlung hin inszeniert, der Zuschauer vorsätzlich für dumm gehalten. Ich schreibe prinzipiell keine Stücke für Dummköpfe. Wenn etwas wie eine Aussage im «Frank dem Fünften» aussieht, etwa: «Die Strafe unterblieb, auch das Gericht, und die Gerechtigkeit rentierte nicht», so gilt das streng genommen nur für das Stück; sollte es auch für die Wirklichkeit gelten, desto schlimmer für die Wirklichkeit. Die beiden wichtigsten Aufgaben der Regie bestehen darin, extern eine Geschichte auf dem Theater sauber und fesselnd zu erzählen und intern dem Schauspieler zu erklären, warum er in dieser bestimmten Situation diesen bestimmten Satz zu sprechen habe. Nun besitzt selbstverständlich jedes Stück eine Aussage, noch genauer: Aussagen. Nur begeht der Regisseur [oder der Kritiker] oft den Fehler, zu glauben, der Dramatiker müsse immer vom Problem ausgehen. Das ist ein ebenso wildes Vorurteil wie etwa jenes, in einem Theaterstück hätten sich die Personen zu «entwickeln». Der Dramatiker kann von Stoffen ausgehen, die Probleme enthalten. Das ist ein Unterschied. Er braucht dann ruhig nur am Stoff zu arbeiten und nicht an den Problemen. Von der Natur wird auch nicht verlangt, daß sie Probleme enthalte oder gar löse. Die Natur enthält nur insofern Probleme, als wir sie in ihr suchen. Sie sagt nur insofern aus, als sie vom Physiker dazu gebracht wird, gewisse Reaktionen zu begehen, die er dann in Form einer physikalischen Aussage wiedergibt, formuliert. Es ist mir als Dramatiker – im Augenblick des Schreibens – vollkommen gleichgültig, welche Aussagen der Kritiker einmal aus mir folgert, ich streite ihm freilich auch nicht das Recht dazu ab. Aber ebenso wenig hat sich die Bühne um diese möglichen Aussagen zu kümmern. Nur so wird sie dem Elementaren verhaftet bleiben. Nur in ihrer Reinheit nämlich zeigt sie sich dann auch dem denkenden Zuschauer willig, werden dem Fragenden die Antworten zuteil, die er selber findet, weil er sie selber gestellt hat, wird ihm etwa im «Frank» die Einsicht aufdämmern, daß es eine Gangsterdemokratie nicht geben kann oder daß es keinen Anspruch auf die Erfüllung unberechtigter Hoffnung gibt. Der Wert eines Stückes liegt in seiner Problemträchtigkeit, nicht in seiner Eindeutigkeit.

Wahrheit: Das Schreiben der Wahrheit stößt dann auf große Schwierigkeiten, wenn es vorsätzlich geschieht. Der Vorsatz, die Wahrheit zu schreiben, muß sich die Frage nach der Wahrheit stellen, und damit ist das Problem fast unlösbar geworden. Kümmert man sich jedoch beim Schreiben nicht um die Wahrheit, wird es auf einmal unmöglich, sie nicht zu schreiben. Im Unabsichtlichen bricht sie durch.

Vertrauen ins Publikum: Dramatik ist letztlich und vor allem ein Erzielen des Elementaren. Zuschauen ein elementarer Vorgang. Das Publikum kümmert sich nicht um den Grund, weshalb etwas geschrieben wurde, das Ziel läßt es kalt. Es ist dem Augenblick verschworen. Es eignet sich instinktiv die Bühne an, macht jedes Spiel zu seiner Sache, will sich gespiegelt sehen, seine Wirklichkeit mit der Wirklichkeit des Spiels konfrontieren. Seiner Phantasie ist zu vertrauen. Es erblickt von selbst in der Frankschen Privatbank das Grundmodell des

Staates oder in der nächtlichen Zusammenkunft der Bankangestellten eine Kremlsitzung. Sein Recht. Es wagt mitzumachen, sich zu beteiligen. Ein Wunschtraum? Möglich. Immer wieder möglich. Ohne Vertrauen ins Publikum ist keine Dramatik möglich.

Die Gretchenfrage: Der Autor ist weder Zyniker noch Moralist. Er stellt weder seine Person zur Diskussion noch seinen Glauben, weder seine Überzeugungen noch seine Zweifel, obgleich er weiß, daß dies alles unbewußt mitspielt. Gerade deshalb. Allein seine Versuche und Experimente in einem schwierigen Metier zählen. Der Ursprung jeder Dramatik liegt vorerst im Trieb, Theater möglich zu machen, auf der Bühne zu zaubern, mit der Bühne zu spielen. Theater ist eine Angelegenheit der schöpferischen Lebensfreude, der unmittelbarsten Lebenskraft. Je nach Zeiten jedoch rüttelt diese Kraft, fühlt sie sich bedroht, das menschliche Gewissen wach, heute vielleicht notwendiger denn je, doch dies auch im tiefsten Grunde instinktiv. Auch Kinder spielen während des Krieges Krieg, nicht Frieden. Auf der Ebene des Unmittelbaren gibt es nur zwei Arten von Theater: das gelungene und das mißlungene. Das empirische Metier wird erst dann zur ausgeklügelten Dramaturgie, wenn von ihm die dramaturgische Gretchenfrage abverlangt wird: An welche Dramaturgie glaubst Du? Der Autor antwortet dann je nach dem Gretchen, das ihn stellt, je nach dem Stück, das ihm die Frage abverlangt.

[Text für das Bochumer Programmheft. Die Aufführung wurde nach vierwöchigem Proben durch den Bochumer Intendanten Hans Schalla verhindert. Die Regie leiteten Erich Holliger und der Autor.]

Die Fabel war herauszuarbeiten, Überflüssiges, Operettenhaftes zu eliminieren, auch bloß Kommentarisches, wie etwa der Schlußchor, die Gesangspartien waren als Teil der Aktion darzustellen, nicht als etwas Hinzugefügtes. Aus der «Oper» wurde eine «Komödie». Es ging darum, Frank den Fünften als das zu inszenieren, was das Stück ist: als eine moderne Anknüpfung an Shakespeare und nicht als eine an Brecht. Ein Königsdrama Shakespeares ist die Geschichte einer Monarchie, Frank der Fünfte die Geschichte einer Firma, hier wie dort sind die Menschen eingestuft in eine Hierarchie, Frank der Fünfte ist ein ebenso schlechter Bankier wie etwa Richard der Dritte ein schlechter Herrscher, beide sind Ungeheuer, beide Verbrecher. Nur ist Frank der Fünfte ein Ungeheuer besonderer Art, ein Verbrecher aus Feigheit, der sich in die Welt des Geistes flüchtet, um dort seine Ruhe zu finden, wie Heydrich ein guter Mozartspieler gewesen sein soll. Frank singt bei der Ermordung seines Prokuristen. Der Mann, für den der Geist ein Genußmittel ist, begegnet dem Manne, der den Geist aus Verzweiflung sucht. Genauer: Daß Frank der Fünfte nicht verzweifelt, stellt sein Verbrechen dar, wäre er vom Geist ergriffen, den er besingt, könnte er als Verbrecher nicht mehr weiterleben, daß er dies vermag, macht ihn zur Blasphemie. Schauspielerei ist Menschendarstellung, Regie die unmerkliche Hilfeleistung, damit der Schauspieler nicht von diesem Ziele abrücke und ohne den Menschen, den er spielen soll, auch dargestellt zu haben, gleich in die Aussage sause. Die Menschen waren denn herauszuarbeiten. Ottilie Frank etwa, die Mutter, die Verbrechen begeht, damit ihre Kinder es einmal besser hätten, bei welcher der gute Zweck jedes Mittel heiligt und die vor dem Nichts steht, wie sie ihre Fehlrechnung begreift; der Personalchef Richard Egli, der aus Treue zum Geschäft seine Braut opfert, usw. Von diesen Gegebenheiten war auszugehen. Nur wenn es gelang, die Schicksale der Einzelnen herauszuarbeiten, war es auch möglich, das Schicksal des Kollektivs darzustellen: Frank der Fünfte als Geschichte einer Gangsterbank. Ein Kollektiv wird von Notwendigkeiten bestimmt, die es aus sich selber erzeugt, ein Kollektiv von Verbrechern also vom absoluten Gebot der Geheimhaltung. Aus Furcht geschieht alles, aber auch, natürlicherweise, aus Mißtrauen: Aus diesen Notwendigkeiten heraus muß die Bank weitermorden, vor allem müssen die Verbrecher sich selber ausrotten. Wer frei sein will, muß sterben, eine einfache Feststellung, die zum Schluß führt, daß eine Gangsterdemokratie ein Ding der Unmöglichkeit ist. Der große strenge Boß muß her. Die Idee der Freiheit ist für ein solches Kollektiv an sich gefährlich, aber auch ihr wissenschaftlicher Bruder, der Zufall. Wie Frank der Fünfte dem Geist, begegnet sein Personalchef dem Zufall. In der Wirtschaft muß man planen können, der Gauner, der ja auch wirtschaftlich vorgehen muß, will er nicht stümpern, hat dies auch zu versuchen, er muß an einen logischen Ablauf der Dinge glauben können, will er seine Methoden ansetzen, der Zufall, das Nicht-Voraussehbare ist sein größter Feind: «Schämt sich die Natur denn nicht?» Dies einige Hinweise. Es wurde behauptet, Menschen, wie ich sie im

Frank zeige, gebe es einfach nicht. Der Autor, als Beobachter der Menschen und seiner selbst, ist dessen nicht so sicher. Gewiß, meine Privatbank ist eine Fiktion. Aber wir alle wollen das Gute wie Franks Angestellte, glückliche Kinder, ein Häuschen in Maibruck, Anständigsein. Seien wir auf der Hut, daß wir vom Guten nicht nur singen wie sie. [Darum gibt es «Musik» in diesem Stück.] Anständigkeit ist mehr als eine schöne Sentimentalität, Menschlichkeit mehr als eine Phrase: ein Wagnis, und damit dieses Wagnis keine Torheit sei, braucht es die Anstrengung aller. Doch nun sehe ich, daß ich ziemlich ernst geworden bin. Ich bin schließlich Komödienschreiber, und wenn ich bisweilen wohl auch ein Moralist bin, so doch nur ein nachträglicher, als Interpret meiner selbst. Für mich als Stückeschreiber ist der Humor etwas Selbstverständliches, ohne den es sich gar nicht schreiben ließe, ein Stück, bei dem es nichts zu lachen gibt, halte ich nicht aus, und so soll man denn auch bei Frank dem Fünften lachen, trotz seiner Wildheiten. Ist es auch ein ernstes Stück, ein bierernstes ist es nicht.

1

Ich gehe nicht von einer These, sondern von einer Geschichte aus.

2

Geht man von einer Geschichte aus, muß sie zu Ende
gedacht werden.

3

Eine Geschichte ist dann zu Ende gedacht, wenn sie
ihre schlimmst-mögliche Wendung genommen hat.

4

Die schlimmst-mögliche Wendung ist nicht voraussehbar. Sie tritt durch Zufall ein.

5

Die Kunst des Dramatikers besteht darin, in einer Handlung den Zufall möglichst wirksam einzusetzen.

6

Träger einer dramatischen Handlung sind Menschen.

7

Der Zufall in einer dramatischen Handlung besteht darin,
wann und wo wer zufällig wem begegnet.

8

Je planmäßiger die Menschen vorgehen, desto wirksamer vermag sie der Zufall zu treffen.

9

Planmäßig vorgehende Menschen wollen ein bestimmtes
Ziel erreichen. Der Zufall trifft sie dann am schlimmsten,
wenn sie durch ihn das Gegenteil ihres Ziels erreichen:
das, was sie befürchteten, was sie zu vermeiden suchten
[z. B. Ödipus].

10

Eine solche Geschichte ist zwar grotesk, aber nicht absurd [sinnwidrig].

11

Sie ist paradox.

12

Ebensowenig wie die Logiker können die Dramatiker das Paradoxe vermeiden.

13

Ebensowenig wie die Logiker können die Physiker das Paradoxe vermeiden.

14

Ein Drama für die Physiker muß paradox sein.

15

Es kann nicht den Inhalt der Physik zum Ziele haben, sondern nur ihre Auswirkung.

16

Der Inhalt der Physik geht die Physiker an, die Auswirkung alle Menschen.

17

Was alle angeht, können nur alle lösen.

18

Jeder Versuch eines einzelnen, für sich zu lösen, was alle angeht, muß scheitern.

19

Im Paradoxen erscheint die Wirklichkeit.

20

Wer dem Paradoxen gegenübersteht, setzt sich der Wirklichkeit aus.

21

Die Dramatik kann den Zuschauer überlisten, sich der Wirklichkeit auszusetzen, aber nicht zwingen, ihr standzuhalten oder sie gar zu bewältigen.

Meine Damen und Herren,
Am dritten Dezember 1964 ist Ernst Ginsberg in der
Zürcher Klinik Neumünster gestorben. Seine Krankheit
war schwer, über deren Fortschreiten und Ausgang war
er sich im klaren. Er wurde gelähmt, verlor endlich die
Sprache, sein Geist blieb unangetastet. Als er noch dik-
tieren konnte, verfaßte er Prosa und Gedichte, die letzten
Verse entstanden, als er sich nur vermittelst Tabellen zu
verständigen vermochte. Seinem eingemauerten Geiste
blieb keine andere schöpferische Möglichkeit. Doch gab
es noch einen weiteren Grund. Den Wert einer Kunst
messen wir gern an der Dauer ihres Ruhms, Vergänglichkeit ist für uns Vergängliche zweitrangig. Kurz vor
seinem Tode signalisierte der Kranke, man werde einmal vergessen, wie er Molière gespielt habe. Er hoffte,
eine unvergänglichere Spur zu hinterlassen. Es hatte ihn
immer zum Schreiben gedrängt. Er gab früher zwei
Anthologien über barocke Lyrik und Lyrik des achtzehnten Jahrhunderts heraus, dazu eine Auswahl der Werke
Else Lasker-Schülers und Berthold Viertels, verfaßte
Aufsätze über das Theater. Auch entstanden schon damals Gedichte, die er geheimhielt. Er war mit Leidenschaft Schauspieler, aber ihn quälte die Vergänglichkeit
der schauspielerischen Leistung, die durch die konser-
vierenden Mittel der Technik nicht aufgehoben, sondern
nur ins Gespenstische, Schemenhafte gerückt wird, ein
Abbild nur erscheint auf der Leinwand, eine Stimme nur
ertönt aus dem Lautsprecher, noch wirklich für uns, die
wir sie durch die Erinnerung ergänzen können, verfälscht schon für die Nachwelt, nur dokumentarisch, hi-

storisch. Für uns jedoch ist Ernst Ginsberg keine Sage, wir haben ihn erlebt und wir haben ihn verloren. Der Verlust ist für uns noch abzumessen.

Zuerst haben Sie ihn erlitten, meine Damen und Herren, Sie waren sein Publikum. Er spielte für Sie. Er schenkte Ihnen seine Kunst, Sie schenkten ihm Ihren Beifall, nicht unwichtig, denn ein Schauspieler braucht den Erfolg, die öffentliche Anerkennung, den Ruhm. Er nahm Sie als Publikum ernst. Er fühlte sich Ihnen verantwortlich. Er war populär. Er galt bei vielen als geistiger Schauspieler. Er war es nicht, weil es geistige Schauspieler nicht gibt, sondern nur Schauspieler mit Geist. Denn die Schauspielerei ist eine elementare Kunst, die den Menschen als Ganzes einsetzt, die mehr empirischen Regeln untersteht als theoretischen Gesetzen, bei der die Bühnenerfahrung oft mehr zählt als eine noch so feinsinnige Kunstauffassung.

Als Schauspieler war Ernst Ginsberg schwer einzuordnen. Das Theater besitzt eine natürliche Weisheit. Es führt eine Unterscheidung der Schauspieler nach Typen durch, es spricht vom jugendlichen Helden, vom Charakterdarsteller, vom Heldenvater usw., diese handfesten Unterscheidungen, etwas aus der Mode gekommen, sind noch immer die besten. Die Theorie will tiefer gehen. Sie glaubt, daß einige Schauspieler unmittelbar durch ihre Natur wirken, andere mehr durch ihr Können überzeugen, sie stellt dem Komödianten den Techniker gegenüber, und nur als Techniker ließen einige Ernst Ginsberg gelten, wir haben kein Recht, diesen Einwand zu verschweigen. Doch einmal angenommen, diese Unterscheidung sei unter echten Schauspielern überhaupt möglich, ist eine Richtigstellung notwendig.

Auch der Komödiant ist ohne Kunstverstand und ohne technische Beherrschung seines Metiers nicht denkbar, weil er sich sonst weder darzustellen noch sich innerhalb seiner Natur zu verwandeln und zu variieren vermöchte. Natur an sich ist nie Kunst. Der Komödiant muß sich seiner instinktiven Fähigkeiten bewußt werden, seine Natur ist nicht das Mittel, sondern der Ausgangspunkt, das Material, woran er das Werkzeug seines Könnens setzt. Der Techniker dagegen hat einen anderen Weg einzuschlagen. Von der Technik allein vermag er nicht auszugehen, die Technik an sich ist blind, hinter dem Können muß ein Plan, eine Einsicht, ein Bewußtsein stehen. Er geht daher von einer Überlegung aus, um mit Hilfe seines Könnens die Natur zu erzielen, instinktiv zu scheinen. In der Wirkung auf das Publikum jedoch würden sich der ideale Komödiant und der ideale Techniker in nichts unterscheiden. Das sollte uns vorsichtig stimmen. Mehr als eine Arbeitshypothese stellt auch die einleuchtendste Theorie über eine Kunst nie dar. In der Wirklichkeit unterscheiden sich der Komödiant und der Techniker wohl mehr in ihrer Taktik der Rolle gegenüber als ihrem schauspielerischen Wesen nach. Eine rein bewußte Kunst gibt es ebensowenig wie eine rein instinktive.

Ernst Ginsberg war vor allem ein Charakterdarsteller, ein Schauspieler, der sich nie gehen ließ und seine Leistung unter Kontrolle hatte wie jeder echte Schauspieler, und ein Techniker mag er insofern gewesen sein, als er wirklich etwas konnte. Er verfügte über ein nie versagendes Gedächtnis und über eine perfekte Technik des Sprechens. Ich erinnere nur an seine letzte Rolle, die er auf dieser Bühne spielte. Er sprach Wedekinds Bühnenprosa aufs Komma genau und bewies, daß jene, die Wedekinds Sprache für Papier halten, es nur tun, weil sie Wedekinds Partitur nicht gewachsen sind, ihn nicht sprechen und darum auch nicht lesen können. Ernst Ginsberg war jeder Partitur, jedem Stil gewachsen. Doch als Schauspieler aus Instinkt war er wiederum ganz Komödiant, nicht nur seiner komödiantischen Spielfreudigkeit nach, die ihn manchmal zu Übertreibungen verleitete. Er setzte seine Natur radikal ein. Er war gebildet. Er besaß einen scharfen Verstand und war echt naiv. Er war wahrhaftig und komödiantisch, fromm und maßlos, er wußte seine gegensätzlichen Eigenschaften im Spiel zu vereinigen. Vielleicht, dürfen wir sagen, war er nur in seiner Kunst wirklich eine Einheit, vielleicht, ahnen wir, lag hier der Grund, weshalb er Schauspieler werden mußte, dieser Einheit zuliebe, die fast nur in der Kunst und fast nie im Leben zu erreichen ist. Aus seinem Wesen sprang unmittelbar die Intensität, die seine Stärke war, die unbedingte Konzentration auf die Rolle, auf Philipp den Zweiten, auf Alceste, auf Doktor Schoen.

Gewiß, er faszinierte durch sein Können, doch berührte uns noch mehr die Begegnung seiner Persönlichkeit mit der Rolle. Wahre Schauspielkunst ist nie etwas anderes als eine solche Begegnung. Wir erleben sie als ein Ereignis, das sich vor uns auf der Bühne abspielt, und je stärker uns dieses Ereignis gefangennimmt, desto mehr vergessen wir die Kunst, die es möglich macht. Wir beobachten nicht mehr, *wie* ein Schauspieler Hamlet spielt, wir erleben Hamlet, auch wenn heute die Theorie aufgekommen ist, der Schauspieler habe nicht in seiner Rolle aufzugehen, sondern müsse sie demonstrieren.

Aber der Zuschauer gehorcht nur seinem Gesetz. Er will erleben. Er stellt die Illusion, einem Ereignis beizuwohnen, auch dort her, wo man ihm diese Illusion nehmen will, und nachdenken wird er, wenn überhaupt, erst später. Nachträglich. Das Publikum läßt sich nichts vorschreiben, um diese oft bittere Erfahrung kommt kein Theater, kein Schauspieler herum. Denn das Publikum ist unerbittlich, wenn auch nicht unbestechlich. Sensationen können es verführen, Posen begeistern, Moralien rühren, Konventionen blind machen, Neues abschrecken. Seine Ungerechtigkeit ist sein Recht, seine Gerechtigkeit immer wieder erstaunlich. Gerade dem Schauspieler gegenüber. Ein Schauspieler kommt an oder nicht. Nur was auf der Bühne *ist*, entscheidet. Nur jener Schauspieler wirkt, der zu überzeugen weiß: So ist Franz Moor, so ist Mephistopheles und nicht anders. Mit Ernst Ginsberg, meine Damen und Herren, wußte Sie ein echter Schauspieler zu überzeugen. Indem er vor Ihnen bestand, bestanden Sie vor ihm. Sie *alle* haben ihn verloren. Jeder auf seine Weise. Ein Verlust ist etwas Persönliches. Unsere Erlebnisse machen unser Leben aus, erlebten Sie Ernst Ginsberg je wirklich, haben Sie viel verloren.

Doch auch das Theater ist betroffen. Ein Theater verändert sich. Die Schauspieler lösen einander ab, ziehen fort, erscheinen noch als Gäste, bleiben fern. Neue Namen tauchen auf, werden berühmt, erlöschen. Der Tod besetzt um, Niemand ist unersetzlich. Auch Ernst Ginsberg nicht. Das Theater steht unter dem Gesetz der Geschichte, und die Geschichte geht weiter. Das Theater als eine menschliche Ausdrucksform ist zeitlos, doch als Institution steht es unter dem Einfluß der Zeit und wird bestimmt von deren Zwangsläufigkeiten, Anschauungen, Moden, Experimenten und Irrtümern. Die Geschichte des Theaters läßt sich darstellen wie jede Geschichte, von außen, vom Besonderen, vom Ereignis her, doch hinter dieser Geschichte mit ihren Erfolgen, Durchfällen und Schicksalen, umrankt von Anekdoten, verbirgt sich sein Alltag. Das Theater als Organisation ist leicht einzusehen, jedem seiner Mitglieder kommt eine bestimmte Funktion zu, doch von seinem Alltag ist nicht nur das Publikum, sondern auch die Theatergeschichte ausgeschlossen. Nicht grundlos. Im Alltag des Theaters spielt sich das Wesentliche ab, die Arbeit eines Kollektivs. Wie jeder Vorgang, der zu einem Kunstwerke führt, ist diese Arbeit unberechenbar und nachträglich ohne Verfälschungen kaum darzustellen. Die Schwierigkeiten innerhalb eines kollektiven Arbeitens sind nur zu begreifen, während sie sich stellen, die Kämpfe leuchten nur ein, während sie ausgefochten werden; sind die Schwierigkeiten einmal gelöst, sind sie keine mehr, haben sich die Auseinandersetzungen gelegt, scheinen sie sinnlos gewesen zu sein.

Diesem Theateralltag fehlt nun Ernst Ginsberg. Mit ihm ist nicht mehr zu rechnen, weder in Zürich, noch in München, noch sonst anderswo. Sein Tod trifft die Regisseure und die Schauspieler, trifft alle, die mit ihm gearbeitet haben. Gewiß, das Ziel der Theaterarbeit ist die Aufführung, aber das Mittel sind die Proben. Die wahre Geschichte eines Theaters, darf man sagen, ist die Geschichte seiner Proben. Hier stellen sich die eigentlichen Probleme: Wie wird dieser dramaturgisch wichtige Moment deutlich, was ist mit diesem Satz gemeint, wie hat hier der Schauspieler zu reagieren, wie wird die Handlung verständlich, hat hier die Anschauung der Tradition recht oder ergibt sich ein neuer Gesichtspunkt? Proben ist ein Arbeiten unter Menschen mit Menschen. Diese Arbeit ist notwendig, weil der Schauspieler nicht allein auf der Bühne steht. Der Schauspieler wirkt nicht nur durch sich, er wirkt auch durch seinen Partner. Zu Hamlet tritt Ophelia, zu Tasso Antonio, zu Shlink Garga. Es gibt auf dem Theater ein mechanistisches Prinzip. Der Schauspieler handelt auf der Bühne, die Wirkung, die sein Handeln auslöst, haben seine Partner zu spielen, und er wiederum hat auf deren Handeln zu reagieren. Er hat sich auf sie, sie haben sich auf ihn zu konzentrieren. Alles muß auf der Bühne gespielt werden, das Handeln und das Erleiden, das Reden und das Schweigen, das Fühlen und das Denken, sonst stehen die Schauspieler nur herum. Die Schauspielerei ist eine aktive Kunst, selbst die gespielte Passivität verlangt einen aktiven Einsatz. Theater ist Spiel, was es sonst noch ist, sei es das Bühnenbild, sei es die Bühnenmusik, sei es die Beleuchtung, dient nur zur Unterstützung des Spiels. Ein jeder steht unter dem Einfluß eines jeden. Die Unsicherheit eines Schauspielers wirkt sich auf alle aus, seine Ruhe hilft allen, seine Kraft reißt alle mit. In Ernst Ginsberg verlieren seine Regisseure einen Schauspieler, den sie einzusetzen vermochten, wie ein Maler eine bestimmte Farbe braucht, bewußt. Er war in seiner Wirkung ein zuverlässiger Faktor, diese Farbe fehlt nun auf ihrer Palette. Seinen Partnern aber fehlt mehr als ein Kollege, der ihnen Sicherheit gab: Er war ein Teil ihrer eigenen Wirkung, so wie sie ein Teil seiner Wirkung waren, sein Verlust ist ein Verlust an eigener Spielmöglichkeit. Er war für sie ein Maß. Miteinander spielen ist ein Sich-aneinander-Messen, ein Wettstreit, ohne den kein Theater möglich ist.

Doch einen trifft es besonders. Wir sind verpflichtet, hier auch an ihn zu denken. Wie sich auf dem Theater Gegnerschaften bilden, die sich oft fruchtbar auswirken, so entstehen auch Freundschaften, die einmalige Leistungen möglich machen. Kurt Horwitz hat in Ernst Ginsberg einen Freund verloren. Wir verdanken dieser menschlichen und künstlerischen Freundschaft viel, vor allem ihre gemeinsamen Molière-Aufführungen. Nun wird ein Schauspieler nicht nur dadurch charakterisiert, wie er spielt, auch was er spielt, zeichnet sein Wesen. Was Horwitz und Ginsberg in ihrer Interpretation des großen Franzosen erreicht haben, ist nicht so selbstverständlich, wie es scheinen mag. Besonders heute nicht. Shakespeare und Molière haben sich zwar auf der deutschsprachigen Bühne längst angesiedelt. Ein Unterschied besteht freilich. Es kann nicht bezweifelt werden, daß einige Stücke Shakespeares in August Wilhelm Schlegel einen genialen Übersetzer fanden, was von den Übersetzern Molières nicht behauptet werden kann, mehr als gerade noch brauchbar sind unsere Übersetzungen nicht. Die beiden Sprachen sind zu verschieden, das Französische besitzt eine angeborene Rhetorik, im Deutschen wirkt das Rhetorische fast immer zu wuchtig, und was gar den Alexandriner betrifft, will man ihn überhaupt nachahmen, so wirkt er bei Molière ebenso selbstverständlich wie im Deutschen unnatürlich. Molière ist vielleicht prinzipiell unübersetzbar. Dieser Tatsache steht jedoch die Bedeutung entgegen, die Molière durch Horwitz und Ginsberg wieder erlangt hat. In der Sprache Molières kann diese Bedeutung nicht liegen, weil wir sie nicht besitzen. Molières Bedeutung auf der deutschsprachigen Bühne liegt allein in seinen Gestalten. Seine Form und seine Stoffe entstammen einer Komödientradition, die weit in die Antike zurückreicht, doch die Weise, wie er die ewigen Typen des Geizigen, des betrogenen Ehemannes oder des Menschenfeindes sah, stoßen sie aus dem Typischen in den Charakter und ins Dämonische. Seine Menschen sind stärker als seine Sprache, der Unübersetzliche wird auf deutsch spielbar. Aus zwei Gründen. Weil er – das mag ein Paradox sein – in seiner eigenen Sprache so großartig schrieb und weil er – das ist das Entscheidende – ein Schauspieler war: Er schrieb von der Schauspielerei her, er gestaltete als Schauspieler. Molière ist zugleich ein großer Dichter und ein eminenter Theaterpraktiker wie Shakespeare und in der neusten Zeit Brecht. Kurt Horwitz und Ernst Ginsberg versuchten daher nicht, einen französischen Molière auf deutsch vorzutäuschen, sie spielten nicht aufs Lose, Elegante und Improvisierte, auf jene Eigenschaften hin, die unser Publikum allzu gern für französische hält, sie interpretierten unerbittlich die Gestalten, sie stellten sie in Molières Realistik und in seiner bitteren Menschenkenntnis dar, und weil sie das so unbedingt wagten, fand sich auch eine Sprache und eine Form, die überzeugte, ein deutscher Molière entstand. Mit Recht. Theater ist nicht Sprache an sich, sondern Menschendarstellung durch die Sprache und durch den Schauspieler. Ginsbergs schauspielerische Intensität stellte die Sprache Molières gleichsam her, indem er eine von Natur aus ungenügende Übersetzung in etwas Elementares, Natürliches verwandelte, um so Gestalten zu schaffen, die unsere Phantasie nie mehr loslassen.

Zuletzt haben wir Autoren ihn verloren. Der Weg eines jeden von uns ist von Schauspielern begleitet, sie spielten in unseren Uraufführungen, wir können uns unser Schaffen ohne sie nicht denken und müssen es doch immer wieder lernen, weil der Tod die Reihen lichtet. Es herrscht ein Arbeitsverhältnis zwischen uns und den Schauspielern. Die Bühne ist unser Instrument, wir müssen mit ihnen rechnen, Schreiben ist immer auch ein Regieführen, wir haben sie in unser Denken einzubeziehen. Wir schauen ihnen nicht unbeteiligt zu. Sie stellen mehr als unsere Rollen dar, sie sind die letzte Probe, denen sich unsere Werke unterziehen, an ihnen hat sich deren Spielbarkeit zu beweisen. Der Schriftsteller mag vorgehen, wie er will, sein Text wird durch die Persönlichkeit des Schauspielers ergänzt, auf der Bühne stehen durch die Schauspieler immer Menschen, jedes Stück stellt sich als eine Welt aus Menschen dar, der sich der Autor konfrontieren muß, denn zu beurteilen vermag er sein Werk nur auf der Bühne, nicht am Schreibtisch. Darum hat ein Schriftsteller auf der Probe auch jedes Zögern eines Schauspielers ernst zu nehmen, jede Frage, jedes Nichtbegreifen, jeden Hinweis auf Unstimmigkeiten in einer Rolle, der Fehler liegt meistens im Text, nicht beim Schauspieler. Doch gibt es noch besondere Beziehungen zwischen einem Schauspieler und einem Schriftsteller, ihretwegen, meine Damen und Herren, werden Sie es mir erlauben, von mir persönlich zu reden, ich bin es Ernst Ginsberg schuldig.

Ich lernte ihn mit Kurt Horwitz im Jahre sechsundvierzig zu Beginn meiner Beschäftigung mit dem Theater kennen. Horwitz inszenierte mein erstes Stück in Zürich, Ginsberg führte meine beiden nächsten in Basel auf. Ich war unfertig und ohne Erfahrung. Meine Bildung war eine philosophische, das Theater etwas Fremdes, ich steckte voller Theorien und Vorurteile, mein Schreiben war kaum mehr als ein Versuch, ein denkerisches Chaos zu klären, etwas Ordnung zu schaffen. Mit Kurt Horwitz und Ernst Ginsberg begegneten mir zum ersten Male Persönlichkeiten, die auf dem Theater ihr Metier beherrschten, an ihnen hatte ich das meine zu lernen. Vieles wurde mir damals klar, nicht ohne Schwierigkeiten und Krisen. Welches wirkliche Lernen ginge leicht? Die beiden halfen mir, indem sie mich spielten. Meine Manuskripte gelangten vom Schreibtisch auf die Bühne, die beiden waren die ersten, die sie lasen, mit mir den Text diskutierten. Ich änderte, lernte streichen. Die Krise meiner Schriftstellerei stellte sich nach meinem zweiten Stück «Der Blinde» ein. Dieses Stück war noch ganz Aussage, die Illustration eines religiösen Problems, ein Stück der sprachlichen Arien, dessen Rollen kaum angedeutet waren, ich hatte mich von den Gestalten ins Dichterische geflüchtet. Mein nächster Versuch geriet ins Riesenhafte, Unspielbare, ich mußte ihn abbrechen. Da half mir ein Erlebnis weiter. Horwitz inszenierte den Hamlet, die Aufführung wurde wenig beachtet, wohl weil sie in Basel stattfand. Ginsberg spielte den Titelhelden nicht als einen passiven, introvertierten, sondern als einen barocken, aktiven Menschen, auf der Bühne bot sich die Tragödie der absoluten Rache dar, nicht nur im Diesseits, sondern auch im Jenseits sollte der Verbrecher büßen. Hamlets Wissen um den Mord seines Onkels stammt aus dem Jenseits, verkündet durch ein Gespenst, das aus der Hölle steigt und Rache fordert, Gerechtigkeit, doch gerade aus Gerechtigkeit zögert Hamlet vorerst. Er untersucht, ob das Gespenst die Wahrheit gesprochen habe, ob es wirklich sein Vater und nicht ein Teufel gewesen sei, der ihn verführen wollte, darum stellt er sich wahnsinnig und inszeniert mit der Schauspielertruppe ein Spiel, das den König entlarvt, um, wie er die

Wahrheit endlich weiß, sofort zu handeln, doch, weil er die absolute Rache will, vermag er den Mörder seines Vaters nicht zu töten. Er findet ihn im Gebet, die Seele seines Onkels soll in die Hölle fahren wie die Seele seines Vaters, der ohne Beichte sterben mußte, und wie er dann glaubt, den verbrecherischen König töten zu können, ersticht er aus Versehen Polonius. Von diesem Augenblick an wendet sich die Handlung, der gewarnte König stellt nun Hamlet nach, und das Ende ist auf eine entsetzliche Weise folgerichtig, ein Höllensturz aller Hauptbeteiligten, ohne noch gebeichtet zu haben, bringen sie sich gegenseitig um, Hamlets Wille zur absoluten Rache hat Schuldige und Unschuldige in den Abgrund gerissen. Ein unheimliches, schreckliches, ja barbarisches Stück, bei dem das Publikum nur deshalb nicht rebelliert, weil es einem installierten Wert gegenübersitzt. Klassiker sind positiv. Daß jedoch diese Interpretation des Hamlet mich intensiv beschäftigte, wird jeder einsehen, der mein drittes Stück «Romulus der Große» kennt, auch Romulus verstellt sich, auch Romulus will in einer ungerechten Welt die Gerechtigkeit vollziehen, aber Hamlet brachte mich auch in einer Frage weiter, die sich heute der Dramaturgie stellt und nicht nur ihr, im Grunde der modernen Kunst überhaupt, und wenn ich auf diese Frage näher eingehe, so nicht, um abzuschweifen, sondern um zu demonstrieren, wie in den Fragen des Theaters das Persönliche und das Allgemeine ineinandergreifen, um zu zeigen, wie das Erlebnis Ernst Ginsberg, wie das Erlebnis des schauspielerischen Phänomens überhaupt, unmittelbar in die Schreibweise eines Schriftstellers einzugreifen vermag.

Die Frage ist aufgeworfen worden nach dem Wesen des Theaters im wissenschaftlichen Zeitalter, ob das Theater in einer Welt des wissenschaftlichen Denkens noch das gleiche sein könne wie in einer nicht wissenschaftlich denkenden Welt, es ist eine Frage nach der Funktion des Theaters. Als Position ist sich das Theater gleich geblieben. Das wissenschaftliche Denken ist ein Denken in begrifflich scharf gestellten Fragen, ein Denken in Problemen, denn Wissenschaft ist nur möglich, wenn das Objekt der Wissenschaft begrifflich dargestellt werden kann, und wenn wir heute feststellen, daß der Mensch nicht nur die Natur, sondern sich selbst und sein Zusammenleben mit den anderen Menschen wissenschaftlich untersucht, so meinen wir damit, daß er sich als Problem sieht, vergessen aber, daß es auch eine nicht wissenschaftliche Problematik gibt, zum Beispiel ein philosophisches oder theologisches Denken, auch hier steht der Mensch begrifflich scharf gestellten Fragen, Problemen gegenüber. Der Mensch denkt immer in Begriffen und stellt aus den Begriffen seine Probleme auf, aber er selbst lebt in einer Welt der Konflikte, in einer Welt, in der sich die Einsichten, Motive und Leidenschaften widerstreiten, er lebt in ständiger Kollision bald mit sich selbst, bald mit der Familie, bald mit dem Staat. In dieser Welt der Konflikte steht aber auch das Theater, das ist seine gleichbleibende Position, die Frage nach seiner Funktion lautet, ob sich das Theater als Mittel eigne, die Welt der Konflikte vom Problem her zu ändern, eine Frage, die sich für den Dramatiker in der Form stellt, ob er vom Problem oder vom Konflikt auszugehen habe.

Ich möchte diese Frage hier nur aufwerfen, sie nicht in allen ihren Aspekten beleuchten, Verwirrung entsteht nur, wenn die Frage nicht gesehen wird, wenn die Meinung aufkommt, die Dramatik gehe an sich von einem Problem aus. Grundsätzlich scheinen beide Methoden möglich. *Geht der Dramatiker vom Problem aus*, so hat er es auch zu lösen, die Handlung als Illustration dieses Vorgangs kann er jedoch nur als Konflikt darstellen. Die Lösung eines Problems ist etwas Positives, sie ist die Beantwortung einer Fragestellung, sei sie nun in Form einer Moral oder einer Doktrin, sie befriedigt den Intellekt, doch stellt sich ihr die Wirklichkeit entgegen, denn die Lösung eines Problems ist nicht auch schon die Lösung des Konflikts, der dem Problem zugrunde liegt, der Konflikt als das Konkrete ist vielschichtiger als das Problem, als das Abstrakte. *Geht der Dramatiker vom Konflikt aus*, braucht er keine Lösung, sondern nur ein Ende, seine Handlung ist keine Illustration eines Problems, sondern die Darstellung eines Konflikts, bei der die verschiedenen Probleme, die der Konflikt stellt, zwar gezeigt werden können, jedoch nicht gelöst werden müssen. Die Beendigung eines Konflikts kann glücklich oder unglücklich ausfallen, der Dramatiker hat nicht ein Problem zu lösen, sondern seine Geschichte zu Ende zu denken. Beim Dramatiker vom Problem her ist die Frage nach Positiv oder Negativ sinnvoll, beim andern ist sie sinnlos, denn die Frage, ob Coriolan, König Lear, Tartuffe oder der Dorfrichter Adam positive oder negative Helden seien, ist Stumpfsinn.

Diese Frage, meine Damen und Herren, nach der Ausgangsposition meines eigenen Arbeitens, ging mir zum ersten Male am Beispiel des Hamlet auf, den Ernst Ginsberg spielte, an einem Stück, worin alles, was sich ereignet, jede Ungeheuerlichkeit und jeder unglückliche Zufall, nicht einem Problem, sondern einem Konflikt zuliebe geschieht; die Antwort, die ich darauf zu geben hatte, war nicht schlagartig, als eine Erleuchtung, sondern erst nachträglich, zuerst noch dunkel und vage, als Ahnung des Weges, den ich einzuschlagen hatte, von nun an nämlich *nur* vom Konflikt auszugehen. Nicht aus Mißachtung den Problemen gegenüber, sondern aus besorgter Achtung vor ihnen, weil sie bedenklich werden, werden sie nicht immer vom Konflikte her, vom Besonderen, korrigiert. Ich glaube an eine natürliche Arbeitseinteilung der menschlichen Gesellschaft. In ihr hat der Schriftsteller und mit ihm der Schauspieler den Menschen in seinen Konflikten sichtbar zu machen, ihn zu dokumentieren, der Denker, in welcher Form er sich auch präsentiert, hat die Probleme des Menschen zu finden und als Probleme zu lösen, die Menschheit braucht beide Darstellungsweisen, die denkerische als Vorschlag zur Lösung ihrer Konflikte, die künstlerische als Warnung, in ihren Lösungsversuchen nicht unmenschlich zu werden.

Ich nehme Abschied von Ernst Ginsberg. Er war mein Freund und als Schauspieler einer meiner Lehrer und ein Teil meiner Erfahrung mit dem Theater sowie der Schlüsse, die ich aus dieser Erfahrung gezogen habe. Für uns alle aber, meine Damen und Herren, war er etwas Einmaliges, wie jeder Schauspieler etwas Einmaliges ist, ein Sinnbild der Einmaligkeit eines jeden Menschen.

Meine Damen, meine Herren,
Ist der Forderung «Erkenne dich selbst» schwer und
nur unzulänglich nachzukommen, da sich ein jeder über
sich selbst am leichtesten täuscht, so stellt uns gar der
Versuch, den andern zu erkennen, vor unüberwind-
liche Schranken. Mögen wir dem andern noch so nahe
stehen, mögen wir ihn lieben, achten, oder mögen wir
seine Gegner sein, wir kennen ihn nie, wie er ist, wir
kennen nur Zeichen, die von ihm kommen, Wirkungen,
die von ihm ausgehen, Fakten, die sich feststellen, zusammenstellen lassen. Wir erleben den andern, oft eindringlich, manchmal erschütternd, doch unser Wissen
über ihn ist grausam begrenzt, grausam begrenzt aber
auch die Möglichkeit, ihm zu helfen. Der wirkliche
Raum zwischen den Menschen ist unermeßlicher, als
wir das wahrhaben wollen, als die Liebe, die Freundschaft, ja die Feindschaft es wahrhaben will. Seinen
Weg hat ein jeder selber zu gehen, er wird auf eine Bahn
geschleudert, die ihn unweigerlich immer weiter von
den andern treibt, in den Tod. Gedenken wir dieser alten,
harten Wahrheit, so ist es denn auch nicht nur in einem
äußeren, sondern auch in einem inneren Sinne richtig,
wenn wir hier Kurt Hirschfeld auf seiner Bühne und vor
seinem Publikum mit unser aller Trauer ehren, gibt es
doch, wie vieles andere, ein Theater auch nur aus der
Not des Menschen heraus, daß er sich so wenig und den
andern so gar nicht kennt. Der Mensch ist keine Rechnung, die aufgeht, keine Formel, die sich niederschrei-
ben ließe, er ist ein Geheimnis, und weil er als Geheimnis
angelegt ist, sind wir genötigt, so zu tun, als ob der

Mensch darstellbar wäre. Wir spielen auf der Bühne aus einem Mangel heraus, wir sind zur Fiktion gezwungen, auf diesem Zwang ruht unser Theater, jedes Theater, unsere Kultur, jede Kultur, ja, sehen wir genauer, unsere Gesellschaft, jede Gesellschaft. Die Wahrheit läßt sich nicht spielen, wir können nur wahr spielen, so wie wir ja auch nicht richtig zu handeln vermögen, sondern nur aufrichtig, fair: Daß wir diese Selbstverständlichkeiten unterlassen, macht die Bühne, die Welt immer wieder zur Schmiere. Im Wissen um diese Zusammenhänge liegt die Sendung des Theaters, des Theaters, dem die Leidenschaft des Mannes galt, dessen wir hier gedenken, den wir kannten und der uns doch wieder unbekannt war, es ist eine bittere, demütige, hilflose Sendung. Sie bestimmt nun auch unsere Trauerfeier, muß sie bestimmen. Wir sind es dem Toten, wir sind es seiner Bühne schuldig. Wir haben es zuzugeben. Die Trauerfeier, die wir hier veranstalten, erreicht den Toten nicht mehr, er hat uns verlassen, seine Loge ist leer, wir mögen ihn preisen, verherrlichen, zu zeichnen versuchen, es ist ihm gleichgültig, wir kommen zu spät, die Feier fällt nur auf uns zurück, die wir noch leben, wir betrauern nur uns, nicht ihn, mit Recht, sicher, ein Erlebnis, das wir hatten, lange hatten, ist nun vorüber, das Erlebnis, einen mutigen Menschen erlebt zu haben, es gibt kein größeres. Und so tun wir denn auch hier «als ob», aus einem Erwachen, aus einer verlegenen Bestürzung heraus, mehr als Theater, mehr als ein Trauerspiel, kann auch diese Feier nicht sein. Diese Feststellung mag grausam klingen, aber wir, die wir mit dem Toten arbeiteten, wir, all die Freunde, die er in der Theaterwelt fand, die Anwesenden und die Abwesenden, haben die Freundespflicht, sie auszusprechen, denn es ist keine Schmälerung, unsere Ohnmacht einzugestehen. Die Trauer ist menschlich, doch führt sie nicht weiter. Was allein weiterführt, ist der Mut, sich den Tatsachen zu stellen, die der Tote stellt. Was war, ist noch lebendige, bald verblassende Geschichte, aber eben schon Geschichte, was bleibt, ist mehr als Erinnerung, mehr als Dank. Es ist das, was der Tote hinterläßt: eine Frau, ein Kind, den Ruf einer Stadt, eine Theaterstadt geworden zu sein. An diese Tatsachen haben wir uns zu halten, hat sich die Stadt zu halten, hier entwischen wir nicht dem Toten, hier verhaftet er uns, hier sind wir verpflichtet, hier versagen oder bestehen wir vor ihm und vor uns.

IV

DER SCHRIFTSTELLER
ALS LESER

Meine Damen, meine Herren,

Wie Sie eben vernommen haben, wurde mir der dies-
jährige Schillerpreis der Stadt Mannheim verliehen, so
daß ich nun nicht gut darum herumkomme, Schiller auch
mitzufeiern, eine Aufgabe, der ich mich denn notgedrungen unterziehen muß, obschon ich mir nicht ganz im
klaren bin, *wem* ich nun zu danken habe, Schiller oder
dem Herrn Oberbürgermeister. Doch wenn mir viele –
aus nicht nur Ihnen, sondern auch mir verständlichen
Gründen – die Berechtigung, hier zu reden, absprechen
mögen, ein gewisses Recht kann ich mir wenigstens zubilligen: Nicht nur, daß ich ebenso schweizere, wie
Schiller, wir sind unterrichtet, schwäbelte, sondern auch,
weil Schiller schließlich das Nationaldrama der Schweizer schrieb und nicht jenes der Deutschen. Allerdings
kannte er diese auch weit besser als uns; wäre er Schweizer gewesen, etwa ein Untertan der gnädigen Herren zu
Bern, hätte er es wohl ebenfalls unterlassen.

Doch fällt mir trotz der hohen Ehre die Rede schwer.
Bedenken anderer Art melden sich. Ich bin weder Literaturwissenschaftler noch Schillerkenner. Mein Beruf als
Schriftsteller verhindert eine mehr als gelegentliche und
freizeitliche Beschäftigung mit Literatur. Ich bin rein
technisch nicht in der Lage, Schiller als Zacke im Pano-
rama der großen Männer des abtretenden achtzehnten
Jahrhunderts von Süden her gesehen einwandfrei auszu-
messen. Auch fehlt mir der Drang, mich näher mit jener
Literatur abzugeben, die sich mit Literatur abgibt. Ich
vermag nur Vermutungen auszudrücken, ohne Möglichkeit, ihnen näher nachzuspüren, das Vermutete, Erwit-

terte streng wissenschaftlich zu beweisen, aber auch ohne Lust dazu, aus Ahnung vielleicht, daß sich auf dem literarischen Gebiete in Wahrheit wenig beweisen lasse, und aus dem Verdachte heraus, daß ein Beweis hier möglicherweise nichts bedeute, weil er sich auf einer anderen Ebene abspiele, auf dem Schachbrett der Spekulation nämlich, und dadurch die vielen Unstimmigkeiten nicht beachten könne und dürfe, die sich auf der Ebene des Tatsächlichen den Erscheinungen so hartnäckig und störend beimengen. Auch gehört zu einer Feier eine feierliche Rede, eine Beschwörung des Gefeierten, ein Entrollen seines Lebens, ein Eingehen auf seine Werke, profund und von hoher Warte herab, aber auch ein wenig Lüge, ein wenig Übertreibung, zuviel des Rühmens.

Wenn ich Sie in dieser Hinsicht enttäuschen muß, verzeihen Sie mir. Es geschieht nicht aus Respektlosigkeit, wenn ich es unterlasse, Schiller ins Absolute, Endgültige, Vorbildliche aufzublähen, überhaupt mich so aufzuführen, als wären die Klassiker die heiligsten Güter der Nation, nicht weil ich die Klassiker für kein Gut halte, sondern weil ich den Nationen in dieser Sache mißtraue. Für den tätigen Schriftsteller jedoch kann nur ein menschliches Verhältnis zu den Klassikern von Nutzen sein. Er will keine Götzen in ihnen sehen, keine unerreichbaren Vorbilder, sondern Freunde, Anreger, Gesprächspartner; oder auch, mit der gleichen Legitimität, Feinde, Schöpfer von oft langweiligen Romanen und pathetischen Theaterstücken. Er will sich ihnen nähern und sich wieder von ihnen entfernen, ja, schreibt er, sie vergessen dürfen, weil, und auch dies ist legitim, ihn im Zustande des Schreibens, des Planens und Ausführens eigentlich stört, daß schon andere vor ihm und *wie* geschrieben haben, denn jedes Produzieren ist an einen gewissen momentanen Größenwahn gebunden.

So will ich denn zu Ihnen nicht von der Wirkung reden, die Schiller mit einigen seiner Werke immer noch gerechterweise auf dem Theater ausübt, sondern mehr vom Dialog, den ich mit Schiller führe, vom Bilde, das ich mir von ihm mache, ganz unwissenschaftlich, ich habe es schon zugegeben, vom Bilde zum persönlichen Arbeitsgebrauch, zur Kontrolle des eigenen Arbeitens. Auch wir Schriftsteller sollten bisweilen wissen, was wir tun, und das können wir am besten, wenn wir untersuchen, was andere getan haben. Hat nun diese Methode den Vorteil, daß ich nur über das zu reden brauche, was mich bei Schiller beschäftigt, weist sie jedoch den Nachteil auf, daß wesentliche Aspekte seines Arbeitens unterschlagen werden, so etwa Schillers Verhältnis zur Antike, seine Lyrik, seine Bedeutung als Historiker usw. Auch beschäftigen mich eigentlich nicht so sehr seine Dramen – ich gehe ihnen meistens höflich aus dem Wege, vorsichtigerweise, aus einem natürlichen Selbstschutz heraus und weil ich mit ihnen Mühe habe, weshalb soll ich mich hier verstellen – als vielmehr sein dramaturgisches und philosophisches Denken, das sich hinter ihnen verbirgt. Das scheint vielleicht nicht selbstverständlich. Zwar gilt Schiller noch heute als ein außerordentlich klarer Kopf, der in außerordentlich klarer Weise Auskunft über die besondere Schwierigkeit seiner Schriftstellerei gab, doch war ein klarer Kopf in der damaligen deutschen Literatur ja längst nicht eine so große Seltenheit wie in der heutigen, man braucht nur aus dem Stegreif aufzuzählen, Lessing, Herder, Wieland, Lichtenberg, Humboldt, Goethe usw. Angesichts dieser allgemeinen, mächtigen und so ganz ungewohnten Aufhellung des Geistes auf deutschem Sprachgebiet noch besonders auf Schillers Klarheit hinzuweisen, scheint daher müßig. Es versteht sich gewissermaßen von selbst, daß er auch hier groß und klar wirkt. Anderseits jedoch – und das ist nicht zu leugnen – zählen seine philosophischen Schriften nicht zu seinen populären Arbeiten.

Sein Philosophieren kommt vielen veraltet vor, spekulativ, schematisierend. Seine Schriften, über das Tragische, über Anmut und Würde, über naive und sentimentalische Dichtung, über das Erhabene usw. werden als große Prosa bewundert, aber sie erscheinen wie in Begriffen versteinert, mit allzuviel Sinn belastet, ästhetisch und ethisch zugleich, moralisierend, kaum zu widerlegen, aber isoliert, bedeutungslos für die Gegenwart, erhaben, doch unfruchtbar.

So ist der Zugang zu Schillers Denken schwer. Zwar liegt es überall offen da, besonders in seinen Briefen. Er kommentiert sich unaufhörlich. Wir erhalten Einblick in seine Schriftstellerei, in diesen damals so jämmerlich unrentablen Beruf. Zuerst bewundern wir den Organisator. Das ist Schillers unheimlichste Seite. Zeitschriften werden gegründet, Honorarfragen geregelt, Mitarbeiter gewonnen, die Kritik wird organisiert, oft eigentlich nicht unbedenklich, es riecht nach literarischer Klüngelwirtschaft, das Publikum selbst wird als ein Faktor eingesetzt, der betrogen sein will, mit dem man sich im Kriegszustande befindet, mit dem viel zu rechnen, aber wenig zu verdienen ist. Daneben aber, wichtiger, liegt das Getriebe seiner Werkstatt bloß. Wir sehen Maschinerien anlaufen. Pläne werden ausgeführt, angefangen, konzipiert, Stoffe untersucht, was spricht dagegen, was dafür, braucht dieses Unternehmen viel Arbeit, kostet jenes wenig Mühe, was müßte noch studiert, was untersucht werden, wo liegt die dramaturgische Schwierigkeit, wie ist vorzugehen, wo müßte die Handlung stocken, verzögert, beschleunigt werden. Alles ist erklärbar, ohne Werkgeheimnis, auf Wirkungen bedacht, für die Bühne entworfen. Die Dramaturgie wird betrieben, wie sie Lessing betrieb, als eine Kunst des Stückeschreibens, als eine Reflexion darüber, was das Theater kann und will, als etwas Erlernbares, als eine Wissenschaft eigentlich. Schiller beherrscht die dramaturgischen Regeln, indem er sie herrschen läßt. Seine Dramatik beruht auf einer durchaus sicheren, handfesten Dramaturgie, nicht ohne Grund ist gerade *er* der Dramatiker der Schulmeister geworden.

Diese Dramaturgie zielt auf das Rhetorische. Der Mensch wird in Szene gesetzt, um rhetorisch ausbrechen zu können. Operndramaturgie. Doch hat dieses Vorgehen seine bestimmten Auswirkungen auf die Bühnenwelt, die dargestellt wird. Das Rhetorische akzeptieren wir nur dann ungezwungen, wenn es sich aus den Funktionen der dramatischen Personen ergibt, welche die Handlung tragen. Etwa bei einer Gerichtsverhandlung. Die Personen sind gegeben, ihre Rollen verteilt: der Richter, der Staatsanwalt, der Angeklagte, der Verteidiger. Jeder besitzt seine bestimmte Funktion innerhalb der Handlung. Rede und Widerrede, Anklage und Verteidigung und Urteilsspruch ergeben sich natürlich und in rhetorischer Form, wollen etwas Bestimmtes, enthüllen etwas Bestimmtes. Wie in diesem Grundmodell aber sind auch die Personen der rhetorischen Dramen gesetzt, ihre Funktionen durch die soziale Schichtung ihrer Welt sanktioniert: der König, der Soldat, der Bürger usw.

Das rhetorische Drama setzt eine geschlossene und sozial gestufte Welt voraus, voraus eine Hierarchie, die auf der Bühne vorausgesetzt wird, aber auch dargestellt werden kann, zu einem Spielrahmen verdichtet, in welchem die einzelnen Spielzüge auf ihre Richtigkeit hin überprüfbar sind. Diese Voraussetzung der alten Dramatik ist auch Schillers Voraussetzung. Die Konzeption seiner Dramen ist bis auf ihre letzten Möglichkeiten hin durchdacht, oft zu genau, denn eine vollkommene Konzeption macht eigentlich die Ausführung überflüssig, die dann, wird sie unternommen, doch zu Fehlern führen kann, zu merkwürdigen poetischen Fehlleistungen. Sie geschehen der Konzeption zuliebe und unterlaufen demjenigen weniger, der nur vage konzipiert, der vom Poetischen *und* von der Erfahrung, von der Bühne ausgeht, dem notgedrungen dramaturgisch dann vieles schief gerät, wie etwa einem Shakespeare. Doch weiß dafür Schiller, der von der Konzeption her kommt, aufs genaueste Bescheid über alle Regeln, Kniffe, Möglichkeiten, man staunt da nur, wie versteht er nur zu exponieren, einzuteilen, zu steigern, zu retardieren, die Abgänge und Auftritte zu gestalten, Schlußpointen zu setzen, «dem Mann kann geholfen werden, Kardinal, ich habe das meinige getan, tun Sie das Ihre, dem *Fürsten* Piccolomini, der Lord läßt sich entschuldigen, er ist zu Schiff nach Frankreich, und frei erklär ich alle meine Knechte»; was sind das nur für letzte Verdichtungen, wie setzt er aber auch Effekte ein, oft unbedenklich, Hollywood könnte es nicht besser und dikker. Zugegeben.

Doch ist hinter all dem erstaunlichen technischen Vermögen, hinter all dem Instinkt für die Szene, für das Theatergemäße und Theatralische, hinter all den rhetorischen Arien und Auseinandersetzungen, die durch seine Dramaturgie ermöglicht werden, noch ein anderes Wissen verborgen, die Erkenntnis von Gesetzen, die nicht vom Objekte, vom Drama herstammen. Dies wird scheinbar durch eine bloße Klassifizierung erreicht. Er teilt die

Dichtung in eine naive und in eine sentimentalische ein. In Wahrheit aber wird es ihm dadurch möglich, nicht von den Regeln oder von einem Stilbegriff, sondern vom Dichter auszugehen, von seinem Verhältnis zur Zeit her die Dichtung zu bestimmen. Wurden die Regeln durch die Dramaturgie gesetzt, werden sie nun durch die Zeit diktiert. Die Dichter, schreibt er, seien überall, schon ihrem Begriffe nach, die Bewahrer der Natur. Wo sie dieses nicht ganz mehr sein könnten und schon in sich selbst den zerstörenden Einfluß willkürlicher und künstlicher Formen erführen oder doch mit demselben zu kämpfen gehabt hätten, da würden sie als die Zeugen und als die Rächer der Natur auftreten. Sie würden entweder Natur sein, oder sie würden die verlorene suchen. Daraus entsprängen zwei ganz verschiedene Dichtungsweisen, durch welche das ganze Gebiet der Poesie erschöpft und ausgemessen werde. Alle Dichter, die es wirklich seien, würden, je nachdem die Zeit beschaffen sei, in der sie blühten, oder zufällige Umstände auf ihre allgemeine Bildung und auf ihre vorübergehende Gemütsstimmung Einfluß hätten, entweder zu den naiven oder zu den sentimentalischen gehören. Diese Sätze erheben einen nicht geringen Anspruch. Das ganze Gebiet der Poesie soll durch die Unterscheidung des naiven Dichters vom sentimentalischen erschöpft und ausgemessen sein. Also auch die Dramatik, deren Grundfrage lautet, wie denn überhaupt die Welt durch das Theater wiedergegeben werden könne.

Gibt es nun zwei Dichtungsweisen, die naive und die sentimentalische, muß es auch zwei verschiedene Möglichkeiten geben, die Welt durch das Theater darzustellen. Doch müssen wir eine notwendige Einschränkung machen. In einem gewissen Sinne ist das Theater stets etwas Naives. Wir müssen uns nämlich, reden wir von den Regeln der dramatischen Kunst, vergegenwärtigen, daß wir mit diesen Regeln nicht nur ein in sich geformtes Kunstwerk, sondern auch, soll die Bühne einen Sinn haben, eine Unmittelbarkeit der theatralischen Wirkung zu erzielen suchen. Diese unmittelbare Wirkung ist jedoch nur möglich, wenn wir beim Publikum eine gewisse Naivität grundsätzlich voraussetzen. Ein Theaterstück ereignet sich auf der Bühne, rollt vor den Augen des Publikums ab, ist so unmittelbares Geschehen; ein Publikum ist im Momente des Zuschauens notgedrungen naiv, bereit mitzugehen, sich führen zu lassen, mitzuspielen, ein nachdenkliches Publikum hebt sich selbst auf, das Theater verwandelt sich *in* ein Theater. Die Kunst des Dramatikers besteht darin, das Publikum erst nachträglich zum Nachdenken zu bringen. Doch setzt nun die natürliche Naivität des Publikums auch eine Übereinstimmung zwischen ihm und dem Autor voraus, soll die Unmittelbarkeit zustandekommen. Der naive Theaterdichter wird die Naivität des Publikums teilen, der sentimentalische in Rechnung stellen. Deshalb haben es die Schauspieler unter den Dramatikern am leichtesten, die Denker am schwersten.

Shakespeare, Molière, aber auch Nestroy sind die legitimsten Herrscher auf der Bühne, Schiller einer ihrer größten Usurpatoren. Für die ersteren ist die Unmittelbarkeit der Bühne kein Problem, Shakespeare gar kann sich die schwerstverständlichen Monologe erlauben, ihn trägt die Bühne immer, er ist rhetorisch aus Freude am Rhetorischen, Schiller dagegen aus einem Willen zur Klarheit, zur Deutlichkeit heraus. Seine Sprache verwandelt das Mittelbare ins Unmittelbare, ins Sofortverständliche. Daher die Bühnenwirksamkeit dieser Sprache, die nichts Intimes an sich hat, die in ihren großen Momenten das Gesetz selbst zu verkörpern scheint, daher aber auch ihre Popularität, ihr Hang zum Sprichwörtlichen, leicht Faßlichen, aber auch ihre Neigung, allzu moralisch, traktathaft zu wirken.

Doch ist die Schwierigkeit, die ihnen die Bühne bereitet, nicht der einzige Unterschied zwischen dem naiven und dem sentimentalischen Dramatiker. *Ist* nämlich der naive Dichter Natur, wie sich Schiller ausdrückt, muß er auch in der Wirklichkeit die Natur sehen, somit die Wirklichkeit akzeptieren, sie durch das Theater nachahmen, in ein Spiel verwandeln. Er versetzt das Publikum in Mitleid und Schrecken oder bringt es zum Lachen. Im naiven Theater wird die Wirklichkeit nicht durchschaut, sondern als göttliche Ordnung erlebt, als Schöpfung, als Naturgesetz, als Auswirkung des Milieus und der Herkunft, eine Möglichkeit des Dramas, die Schiller nicht voraussehen konnte, die die Wissenschaftlichkeit des neunzehnten Jahrhunderts voraussetzt, die jedoch tatsächlich wieder naives Theater schuf. Der naive Dichter ist kein Rebell. Das Schicksal des Ödipus offenbart die Götter, führt sie nicht ad absurdum, die Verbrechen des Claudius stellen *sein* Königtum in Frage, nicht *das* Königtum, für den sentimentalischen Dichter jedoch müßten sie es tun. Er ist nur als Rebell denkbar. Für ihn ist die Wirklichkeit nicht die Natur, sondern die Unnatur, die er im Namen der Natur zu richten hat. Das Theater ist das Podium seiner Anklage. In Tyrannos. Die Szene wird zum Tribunal. Der sentimentalische Dichter klärt das Publikum auf. Es soll die Ungerechtigkeit der Welt nicht nur erleben, nicht nur Mitleid empfinden, nicht nur Schrecken, sondern auch als eine Wirkung ganz bestimmter Ursachen erkennen, es soll das Rasen eines Karl Moor, eines Ferdinand nicht nur mit Mitleid und Furcht entgegennehmen, sondern auch billigen, sein Zorn soll entfacht werden. Der Mensch scheitert am unnatürlichen Zustande der Welt. Der Sohn erhebt sich gegen den Vater, der Bruder gegen den Bruder. Der Mensch geht schuldlos zugrunde. Sein Opfer bleibt nur in einer inneren Weise sinnvoll. Es offenbart die Tragik der Freiheit oder eine falsche Gesellschaftsordnung; im äußeren Sinne aber ist das Opfer vergeblich, weil es die richtige Gesellschaftsordnung nicht herbeiführt.

Doch ist an dieser Stelle nun die Frage berechtigt, ob diese Haltung denn genüge, ob nicht gerade die Erkenntnis, daß sich die Welt in einem schlechten Zustande befinde, nicht nur die Einsicht voraussetze, wie die Welt sein sollte, sondern auch moralischerweise den Hinweis notwendig mache, auf welche Weise die Welt wieder in Ordnung kommen könne, und ob dieser Hinweis dann nicht die Aufforderung in sich schließen müsse, diesen Weg auch zu beschreiten. Wird aber diese Frage bejaht, genügt es nicht, die Welt als ungerecht zu beschreiben. Sie muß dann als eine veränderbare Welt beschrieben werden, die wieder in Ordnung kommen kann und in welcher der Mensch nicht mehr ein Opfer zu sein braucht. Ist dies aber so, verwandelt sich der Schriftsteller aus einem Rebellen in einen Revolutionär.

Damit aber wird mein Vortrag leider etwas ungemütlicher. Er muß notgedrungen das rein dramaturgische Gebiet verlassen, in welchem sich gefahrlos fachsimpeln läßt, Schiller ist ein gar zu unbequemer Gegenstand, ein leider auch hochpolitischer Fall. Es dürfte klar sein, daß ich mit meiner Auslegung des naiven und sentimentalischen Theaters scheinbar Schiller verfehlt und Brecht getroffen habe, der ja überhaupt, sieht man genauer hin, in vielem mit Schiller zu vergleichen ist, auch in freundlichen Zügen, etwa in der Neigung, bisweilen unfreiwillig komisch zu wirken, es ist bei beiden manchmal so, als ob Friederike Kempner mitdichte: «Ehret die Frauen, sie flechten und weben!» «Aus fuhr das Geschlecht der Agronomen.» Dieser große Schriftsteller stellt die extremste Form des sentimentalischen Dichters dar. Er verließ das Stadium der Rebellion, um Revolutionär zu werden, durch sein Theater die Gesellschaft zu verändern. Er wurde Kommunist, wir wissen es.

Doch muß ich hier etwas Selbstverständliches einschieben. Brechts Weltanschauung mag für viele schmerzhaft sein, für viele ärgerlich, doch darf sie nicht als eine bloße Verirrung, als eine Nebensache behandelt werden. Sie gehört wesentlich zu Brecht, sie ist ebensowenig eine zufällige Eigenschaft seiner Werke wie ihre Bühnenwirksamkeit, ihre dichterische Präzision, ihre dramaturgische Kühnheit und nicht zuletzt wie ihre Menschlichkeit. Diese legitime Leistung zwingt uns, Brechts Kommunismus sachlich zu betrachten, ihn aufs neue auf seine Wahrheit hin zu untersuchen. Wir dürfen keine Ausflüchte machen; zugeben, was zuzugeben ist.

Brechts Dichtung ist eine Antwort auf unsere Welt, auf unsere Schuld, eine der wenigen ehrlichen Antworten auf unsere Phrasen, eine Darstellung dessen, was wir unterlassen haben, auch wenn es eine kommunistische Antwort ist. Wir müssen uns mit ihm auseinandersetzen. Als Gespenst unserer Furcht hat uns der Kommunismus längst gelähmt, wir sind in Schrecken erstarrt, so wie wir als Gespenst seiner Furcht ihn längst gelähmt haben. Versteinert sind wir beide. Was aber von seiner Seite aus natürlich ist, weil er doch eine Ideologie darstellt, die an sich aus ihrer Natur heraus zu keinem Dialoge fähig sein kann, ist von unserer Seite unnatürlich. Wir können mit dem Kommunismus einen echten Dialog führen, er nicht mit uns. Wir können ihn überwinden, indem wir ihn furchtlos betrachten, immer aufs neue durchdenken, seine Wahrheit von seinem Irrtum scheiden; er vermag weder uns noch sich selber furchtlos zu betrachten. Wir müssen tun, was der Kommunismus versäumt, sonst erstarren wir wie er in einer Ideologie. Deshalb stellt das Ärgernis, daß sich zu unserer Zeit der größte deutsche Dramatiker im Glauben, menschlich zu handeln, auf die Seite einer Revolution schlug, an uns die Frage nach unserer Antwort auf unsere Zeit. Haben wir überhaupt eine Antwort, oder tun wir nur so, als ob wir eine hätten? Haben wir nicht einfach Furcht? Furcht vor einer unvermeidlichen Operation? Lassen wir uns nicht einfach treiben? Sind unsere ständigen Hinweise auf die Freiheit nicht Ausreden, die uns gestatten, das Notwendige zu unterlassen, um bei den alten Werten zu bleiben, mit deren Zinsen sich leben läßt, die wir übernommen haben, ohne sie aufs neue zu durchdenken?

So wenden wir uns denn in Wirklichkeit, wenn wir Schiller fragen, weshalb *er* kein Revolutionär geworden sei, an uns. Auch in seine Zeit fällt eine große Revolution, die ihn nicht nur zum Ehrenbürger ernannte, sondern der wir schließlich auch vieles von dem verdanken, was wir nun gegen den Kommunismus zu verteidigen vorgeben. Mehr noch. Auch in Schillers Zeit fällt eine deutsche Niederlage, wie zu Brechts Zeiten zerfiel ein deutsches Reich, unterblieb aber auch eine deutsche Revolution, aus freilich ganz anderen Gründen: Der Einbruch Napoleons führte zu den Befreiungskriegen, der Einbruch der Alliierten noch bedeutend schneller zum Wirtschaftswunder.

Wie handelte nun Schiller? Was zog er für Konsequenzen? Können wir ihn für unsere Sache in Anspruch nehmen, für unsere Freiheit aufbieten? Haben wir ihn auf seine Dramaturgie hin befragt, müssen wir ihn nun in unserem eigenen Interesse auf seine Ethik, auf seine Politik hin befragen. Gab er eine Antwort auf seine Zeit? Stellte er überhaupt noch seine Zeit dar? Ist die Meinung berechtigt, er habe zwar in seinen Jugenddramen die Zeit kühn anzupacken gewagt, die Willkür der Fürsten und des Adels gegeißelt, die Intrigen, die Verworfenheit der Lakaien, die Ohnmacht der Gesetze und die Wehrlosigkeit der Bürger, aber später seine Zeit fallen lassen, um Klassik zu treiben, Zeitloses, Symbolisches, so daß wir aus diesem Grunde endlich in seinen späteren Werken weder seine noch unsere Zeit wiedererkennen?

Nun ist es jedoch etwas bedenklich, unsere Zeit so ohne weiteres mit der seinen zu vergleichen. Ging in unserer ein homogenes, zentralistisches, diktatorisches Reich unter, nahm damals ein heterogenes, zersplittertes, unzentralisiertes Reich sein Ende, das Dritte Reich konnte zerbrechen, das Heilige Römische Reich Deutscher Nation war unzerbrechlich wie Sand, es löste sich einfach in seine verschiedenen Bestandteile auf, die Länder wurden umgruppiert, ohne ihre Struktur zu verlieren. Auch milderte die deutsche Kleinstaaterei den Absolutismus, er wirkte sich nicht überall gleich aus, dazwischen lagen wie Inseln die freien Reichsstädte, es gab größere Ausweichmöglichkeiten, man konnte sich durchmausern, Vorsichtsmaßnahmen ergreifen, von einem deutschen Staat in den andern schlüpfen, Schiller als Emigrant brauchte sich nur nach Mannheim zu begeben.

In diesem unzulänglichen, aber politisch entschärften Staatengemische, das sich nicht in eine Weltbombe verwandeln konnte, spielte sich Schillers Leben ab. Er war von Halbheiten umstellt, in kleinen Verhältnissen, krank, stets in Geldsorgen. Auf seine Gönner und Freunde angewiesen, an die Fron seiner Professur für allgemeine Geschichte gefesselt, kam er nie fort, erblickte er nie das Meer, erforschte er den Strudel, in den sich sein Taucher stürzt, bei einer Mühle. Die Zugehörigkeit zur Nation, die ihn zu ihrem Nationaldichter erhob, betrachtete er als ein Pech, nicht als ein Glück, das Jahrhundert, in welchem er lebte, verabscheute er. Dieser Gefangene einer Welt, die nicht auf ihn zugeschnitten war, dachte über die politischen Verhältnisse, in denen er sich befand, nüchtern, realistisch. Wenn er die Deutschen für unfähig hielt, eine politisch einheitliche, große Nation zu bilden, wenn er die deutsche Größe abseits vom Politischen als etwas Geistiges verstand, urteilte er nicht unpolitisch – gar so unrecht hatte er schließlich auch wieder nicht –, aber kleinstaatlich. Von dieser Kleinstaatlichkeit des damaligen Reiches her muß man ihn begreifen, als Bürger des weimarischen Zwergstaates.

Es war eines seiner Grundgefühle, politisch ohnmächtig zu sein, in einer Welt zu leben, die sich ohne Rücksicht auf die Nation einrichtete, der er angehörte, während der Revolutionär nicht nur das Gefühl braucht, im Namen einer Partei, sondern auch gleich im Namen der ganzen Welt zu handeln, Brecht aus jener zweifelhaften Epoche stammt, in der Deutschland wirklich eine Weltmacht war. Nur wenn wir dies bedenken, können wir auch unsere Zeit in jener Schillers wiederfinden, nicht nur, weil die Bedeutung Deutschlands höchst zweitrangig und Europa selbst eine Ansammlung von doch recht zweifelhaften Kleinstaaten geworden ist, sondern weil auch wir in unsere Schranken gewiesen sind.

Wir haben aufs neue zu durchdenken, was des Staates und was des einzelnen ist, worin wir uns zu fügen haben, wo zu widerstehen ist, worin wir frei sind. Die Welt hat sich nicht so sehr durch ihre politischen Revolutionen verändert, wie man behauptet, sondern durch die Explosion der Menschheit ins Milliardenhafte, durch die notwendige Aufrichtung der Maschinenwelt, durch die zwangsläufige Verwandlung der Vaterländer in Staaten, der Völker in Massen, der Vaterlandsliebe in eine Treue der Firma gegenüber. Der alte Glaubenssatz der Revolutionäre, daß der Mensch die Welt verändern könne und müsse, ist für den einzelnen unrealisierbar geworden, außer Kurs gesetzt, der Satz ist nur noch für die Menge brauchbar, als Schlagwort, als politisches Dynamit, als Antrieb der Massen, als Hoffnung für die grauen Armeen der Hungernden. Der Teil geht nicht mehr im Ganzen auf, der einzelne nicht mehr in der Gesamtheit, der Mensch nicht mehr in der Menschheit. Für den einzelnen bleibt die Ohnmacht, das Gefühl, übergangen zu werden, nicht mehr einschreiten, mitbestimmen zu können, untertauchen zu müssen, um nicht unterzugehen, aber auch die Ahnung einer großen Befreiung, von neuen Möglichkeiten, davon, daß nun die Zeit gekommen sei, entschlossen und tapfer das Seine zu tun.

Dies zugegeben, drängt sich die Beschäftigung mit Schiller erneut auf. Als Dramatiker ist er vielleicht ein Verhängnis des deutschen Theaters, will man ihn als Lehrmeister einsetzen. Seine Regeln und Kniffe leben möglicherweise nur durch ihn, schon bei Grillparzer und Hebbel wird alles zweifelhafter, gut für Studenten der Germanistik, bei Schiller ist offenbar nichts zu lernen, er ist wahrscheinlich der Unwiederholbarste, ein Sonderfall, totgepriesen und mit Vorurteilen über ihn behaftet, dies sei alles dahingestellt und nicht näher untersucht, es ist unwichtig: Was bleibt, ist ein mächtiger Impuls, eine reine Kraft, ein einmaliges Wagnis, nichts für große Zeiten, aber für schwere. Er wurde durch die geschichtlichen Umstände gezwungen, eine Welt zu akzeptieren, die er verurteilte [Brecht in Ostberlin mußte verurteilen, was er akzeptiert hatte, das Schicksal jedes echten Revolutionärs]. Er griff nicht an, sondern versuchte, die Freiheit des Menschen unangreifbar zu machen. Die Revolution war für ihn sinnlos, weil er die Freiheit tiefer durchdachte als sie. Er versuchte nicht, die Verhältnisse zu ändern, um den Menschen zu befreien, er hoffte, den Menschen für die Freiheit zu ändern. Er wies seiner Nation das Reich des Geistes zu, aus welchem sie freilich bald emigrierte. Er teilte, wie die Götter Griechenlands, die Welt. Im Reiche der Natur herrscht die Notwendigkeit, die Freiheit im Reiche der Vernunft, dem Leben steht der Geist gegenüber. Die Freiheit wird nicht durch die Politik realisiert, nicht durch Revolutionen erzielt, sie ist als die Grundbedingung des Menschen immer vorhanden und wäre der Mensch in Ketten geboren. Sie manifestiert sich nur in der Kunst rein, das Leben kennt keine Freiheit. Das größte Übel ist nicht die Knechtschaft, sondern die Schuld, die Revolution ersetzt die Knechtschaft durch die Schuld: Ihr wird der Aufstand der Eidgenossenschaft entgegengehalten, die Erhebung eines einfachen Naturvolkes der Hirten, die wir Schweizer angeblich einmal waren. Das Ideal der Freiheit läßt sich nur in einer naiven Welt verwirklichen, in der Welt der Unnatur wird die Freiheit etwas Tragisches. Sie läßt sich nur noch durch das Opfer vollziehen. In Schillers Dramen offenbart sich eine unbedingte Welt, gefügt aus ehernen Gesetzen, zwischen deren Schwungrädern der Weg der Freiheit schmal und streng verläuft.

Wenn wir es wagen, diese Welt zu denken, müssen wir sie ebenso ablehnen, wie wir dies mit jener Brechts meistens tun. Ahnen wir in der einen unseren Untergang, wittern wir in der andern unsere Unterdrückung, so lassen wir sie denn beide lieber als eine poetische Welt gelten, die wir genießen. Denn wir fordern die Freiheit an sich, ohne Rücksicht auf unsere Schuld, wir berechtigen Brecht, indem wir nicht vor Schiller bestehen: Beide Dichter sind unsere Richter, aber wir kümmern uns nicht um ihr Urteil, wir bewundern den Stil, in welchem sie es niedergeschrieben haben.

So haben wir keine brauchbaren Antworten auf unsere Fragen erhalten, doch gibt es vielleicht nur verschlüsselte Antworten. Wenn hinter Brecht der Marxismus und, noch weiter zurück, Hegel steht, wirkt in Schiller jener große und merkwürdige Augenblick der Philosophie weiter, der mit Kant anbrach, in welchem die Vernunft sich selber untersuchte und ihre Grenzen erforschte, in welchem sie aber auch auf eine mächtige Weise aktiv wurde, indem sie die Erfahrung nicht mehr als von den Dingen herstammend, sondern als ihr Werk erklärte, um die Welt als Geheimnis hinter den Erscheinungen, hinter dem von der Wissenschaft Erfaßbaren, unangetastet zu lassen. Schillers Konzeption der Dichtung scheint von ähnlicher Struktur. Wie der Verstand bei Kant vom Subjekte her die Erscheinungsformen der Welt leiht, so muß bei Schiller der Dichter aus seiner Idee die Welt neuschöpfen, darstellen, zu erzielen suchen. Doch ist diesem Vorgehen eine unerbittliche Grenze gesetzt, das Denken dringt nie zur Wirklichkeit, sondern nur, wie Schiller sich ausdrückt, zum Gesetz, zu den Symbolen, zu den Typen. In dieser Fähigkeit, von seinen Grenzen zu wissen, liegt vielleicht seine größte Bedeutung. Er dachte streng und unbedingt, aber machte Halt, wo Halt zu machen war, er kannte vor allem sich selber, er war sein größter Kritiker, begriff sich schärfer als seine Bewunderer. Nur so begriffen, «erkenntniskritisch», sind seine Kompromisse keine faulen, sein Idealismus nicht weltfremd, sein Denken nicht nur abstrakt. Schiller bewältigte die Realität, in die er sich gestellt sah. Seine Freundschaft mit Goethe ist wie ein Werk der praktischen Vernunft, die berühmte Definition, die Goethes und Schillers Schaffen voneinander abgrenzt und doch beides voneinander abhängig macht, philosophisch und diplomatisch zugleich, ein denkerischer Kompromiß dem Leben zuliebe, eine Formel, die Freundschaft ermöglicht. Er wußte genau, was er unternahm. Das Phänomen Goethe widerlegt im tiefsten Schillers Konzeption, mit dem Begriff des Naiven ist Goethe nicht zu erklären, denkerische und künstlerische Möglichkeiten tauchen auf, die sich Schiller verbaut hatte, Schiller begann, den Bau wieder niederzureißen. Reines Denken setzt sich nicht um, der Denker, der sich aufzugeben wagt, findet die Gestalt, denkt sich erst so zu Ende.

Von da an wagte Schiller aufs neue zu handeln, anders zu handeln. Er ließ die Philosophie fallen und schrieb seine klassischen Werke. Er zerbrach das Gesetz, das er sich einst selber gab, er löste sich von seiner Zeit, indem er ins dichterische Drama vorzustoßen suchte. Doch auch als Handelnder bleibt ihm das Schicksal seiner Natur, das er als Denker auf sich nahm: vom Denken zu den Dingen zu wollen, sie nie zu erreichen. Nur so können wir sein Pathos, seine Rhetorik als etwas Einmaliges erkennen, nicht als etwas Hohles, Übertriebenes, wie es oft scheint,

scheinen muß, sondern als ein ungeheures Gefälle vom
Denken zur Welt hin, als die Leidenschaft der Denkkraft
selbst, die überzeugen will, ohne die Klarheit zu verlieren, die das Differenzierteste im Einfachen verkörpern
will. Populär, ist er dennoch der schwierigste, der unzu-
gänglichste, der widersprüchlichste der Dramatiker. Keiner ist so schwer zu bewerten wie er, keiner so schwer
anzusiedeln, bei keinem liegen die Fehler so sichtbar wie
bei ihm, und bei keinem sind sie so unwesentlich, er
wächst, indem man sich mit ihm beschäftigt, vom Fernen ins Nahe.

Man müßte sein, was er war, um ihm gerecht zu werden,
die Leidenschaft seines Denkens besitzen; ohne diese
Leidenschaft werden dessen Resultate verfälscht. Man
löscht das Feuer, wenn man es verwässert. Der Gegenstand seines Denkens war die Kunst und die Natur, der
Geist und das Leben, das Ideale und das Gemeine, doch
flüchtete er nicht in die Ideenwelt. Er grenzte ab und
hielt aus. Er faßte die Freiheit strenger als die andern,
doch nicht einem System, sondern dem Leben zuliebe, er
setzte Spannungen, um Funken zu erzeugen, er erhöhte
den Menschen, weil er ihn mehr als das Allgemeine, mehr
als den Staat liebte. Er konnte in diesem nur ein Mittel
erblicken.

In Schiller ist die große Nüchternheit spürbar, die wir
heute dem Staate gegenüber nötig haben, dessen Neigung, total zu werden, immanent geworden ist: Der
Mensch ist nur zum Teil ein politisches Wesen, sein
Schicksal wird sich nicht durch seine Politik erfüllen,
sondern durch das, was jenseits der Politik liegt, was
nach der Politik kommt. Hier wird er leben oder scheitern.

Der Schriftsteller kann sich nicht der Politik verschreiben. Er gehört dem ganzen Menschen. So verwandeln sich denn Schiller *und* Brecht aus unseren Richtern, die uns verurteilen, in unser Gewissen, das uns nie in Ruhe läßt.

Was aber Schiller entdeckte, nachdem er seine Beschäftigung mit der Philosophie aufgegeben hatte, bleibt uns für immer als eine Erkenntnis, unabhängig davon, ob uns Schiller als Dramatiker beeindrucke oder nicht, ob er unser Vorbild sei oder nicht: Der springende Punkt in der Dramatik liege darin, eine poetische Fabel zu finden. Damit wird die Dramatik ein Versuch, mit immer neuen Modellen eine Welt zu gestalten, die immer neue Modelle herausfordert.

In die gestellte Falle, die drei schönsten Gedichte zu nennen, möchte ich nicht hineingehen. Die schönsten Gedichte sind einem auch die liebsten, und diese verraten heißt nun doch zuviel verraten. Die liebsten Gedichte gesteht man, wenn überhaupt, nur wenigen Menschen. Vor allem nicht dem Leser.

Ein Gedicht will ich trotzdem nennen. Nicht mein liebstes also, auch nicht eines jener, die mir am wichtigsten sind oder gar am nützlichsten, aber doch eines jener Gedichte, die mich am meisten verwundern, am meisten in Erstaunen versetzen. Kenne ich doch keines, das so sehr Wortkunst, so sehr Filigran und dennoch so elementar sein dürfte: im höchsten Grade zivilisiert und im höchsten Grade Natur.

Den viergeteilten Chor meine ich, der den dritten Akt im zweiten Teil des Faust beschließt und dem zuliebe mir vieles, was nachher kommt, gestohlen werden kann: Die heiligen Anachoreten, die ekstatischen, profunden, seraphischen Patres, gebe ich willig her [einige Stellen, herrliche Stellen, ausgenommen] samt dem Doctor Marianus [in der höchsten, reinlichsten Zelle].

Nun, ich liebe lange Gedichte besonders, das sei zugegeben in diesem peinlichen Verhör, wenn auch lange nicht alle langen, und das längste [um ein zweites zu nennen) kann ich auswendig, Trakls «Rondel»:

> Verflossen ist das Gold der Tage,
> Des Abends braun und blaue Farben:
> Des Hirten sanfte Flöten starben,
> Des Abends blau und braune Farben;
> Verflossen ist das Gold der Tage.

Wann vermöchte diese Dauer zu enden, wann die Nacht,
die da angebrochen ist?

Schön sind diese zwei Gedichte vor allem in der Erinnerung, dunkle, verschwenderische Ströme, Ahnung gewaltiger Rhythmen, die einzelne Wortgebilde heran-
schwemmen, doppelt rein, doppelt deutlich nun in dieser
Flut:

«Faselnd mit dem jüngsten Faun», «Donnerts, rollen
unsre Donner in erschütterndem Verdoppeln, dreifach,
zehnfach hinten nach», «Den durchaus bepflanzten Hügel» [die Landschaft, die ich liebe], und kaum vermöchte
ich eine andere Stelle deutscher Sprache zu nennen, in
der das Geschlechtliche, Zottige, Nächtliche so Wort und
Bild geworden ist wie in jener: «Und dazwischen schreit
unbändig grell Silenus' öhrig Tier.» Gibt es einen un-
heimlicheren Vers?

Immer abwärts, immer tiefer wässern wir,

> mäandrisch wallend,

Jetzt die Wiese, dann die Matten, gleich den Garten

> um das Haus ...

diese Stelle scheint mir Goethe wie wenige seiner Verse
zu enthalten, Goethe in seiner gebändigten Dämonie
[immer abwärts, immer tiefer], in seiner leichten Vorliebe für klassizistische Schnörkel [mäandrisch wallend],
in seiner Genialität für das Differenzierte [jetzt ... dann ...
gleich ...], Goethe in seiner phrasenlosen Humanität.

Der viergeteilte Chor aus Faust II
3. Akt

Ein Teil des Chors.

Wir in dieser tausend Äste Flüsterzittern, Säusel-
schweben
Reizen tändelnd, locken leise wurzelauf des Lebens
Quellen
Nach den Zweigen; bald mit Blättern, bald mit Blüten
überschwenglich
Zieren wir die Flatterhaare frei zu luftigem Gedeihn.
Fällt die Frucht, sogleich versammeln lebenslustig Volk
und Herden
Sich zum Greifen, sich zum Naschen, eilig kommend,
emsig drängend,
Und, wie vor den ersten Göttern, bückt sich alles um
uns her.

Ein andrer Teil.

Wir an dieser Felsenwände weithinleuchtend glattem
Spiegel
Schmiegen wir, in sanften Wellen uns bewegend,
schmeichelnd an;
Horchen, lauschen jedem Laute, Vogelsingen,
Röhrigflöten,
Sei es Pans furchtbarer Stimme; Antwort ist sogleich
bereit.
Säuselts, säuseln wir erwidernd; donnerts, rollen unsre
Donner
In erschütterndem Verdoppeln, dreifach, zehnfach
hinten nach.

Ein dritter Teil.

Schwestern, wir, bewegtern Sinnes, eilen mit den
Bächen weiter;
Denn es reizen jener Ferne reichgeschmückte Hügelzüge;
Immer abwärts, immer tiefer, wässern wir, mäandrisch
wallend,
Jetzt die Wiese, dann die Matten, gleich den Garten
um das Haus.
Dort bezeichnens der Zypressen schlanke Wipfel,
über Landschaft,
Uferzug und Wellenspiegel nach dem Aether steigende.

Ein vierter Teil.

Wallt ihr andern, wos beliebet, wir umzingeln, wir
umrauschen
Den durchaus bepflanzten Hügel, wo am Stab die Rebe
grünt;
Dort zu aller Tage Stunden läßt die Leidenschaft des
Winzers
Uns des liebevollsten Fleißes zweifelhaft Gelingen sehn.
Bald mit Hacke, bald mit Spaten, bald mit Häufeln,
Schneiden, Binden,
Betet er zu allen Göttern, fördersamst zum Sonnengott.
Bacchus kümmert sich, der Weichling, wenig um den
treuen Diener,
Ruht in Lauben, lehnt in Höhlen, faselnd mit dem
jüngsten Faun.
Was zu seiner Träumereien halbem Rausch er je bedurfte,
Immer bleibt es ihm in Schläuchen, ihm in Krügen
und Gefäßen,
Rechts und links der kühlen Grüfte, ew'ge Zeiten
aufbewahrt.

Haben aber alle Götter, hat nun Helios vor allen,
Lüftend, feuchtend, wärmend, glutend, Beerenfüllhorn
aufgehäuft,
Wo der stille Winzer wirkte, dort auf einmal wirds
lebendig,
Und es rauscht in jedem Laube, raschelt um von Stock
zu Stock.
Körbe knarren, Eimer klappern, Tragebutten ächzen hin,
Alles nach der großen Kufe zu der Keltrer kräftgem
Tanz.
Und so wird die heil'ge Fülle reingeborner saft'ger
Beeren
Frech zertreten; schäumend, sprühend mischt sich's,
widerlich zerquetscht.
Und nun gellt ins Ohr der Zimbeln mit der Becken
Erzgetöne;
Denn es hat sich Dionysos aus Mysterien enthüllt,
Kommt hervor mit Ziegenfüßlern, schwenkend
Ziegenfüßlerinnen,
Und dazwischen schreit unbändig grell Silenus' öhrig
Tier.
Nichts geschont! Gespaltne Klauen treten alle Sitte
nieder;
Alle Sinne wirbeln taumlig, gräßlich übertäubt das Ohr.
Nach der Schale tappen Trunkne, überfüllt sind Kopf
und Wänste;
Sorglich ist noch ein- und andrer, doch vermehrt er die
Tumulte;
Denn um neuen Most zu bergen, leert man rasch den
alten Schlauch!

Goethe

Wie ich deutschen Zeitungen entnehmen muß, hat Frau
Tilly Wedekind, die Witwe des großen Dichters, gegen
mich vor dem Schutzverband Deutscher Schriftsteller
die Anklage erhoben, mit meiner Komödie «Die Ehe
des Herrn Mississippi» ungefähr fast alle Werke ihres
Gatten abgeschrieben zu haben, vor allem «Schloß Wetterstein». So überaus merkwürdig diese Anklage auch ist
und wie wenig ernst sie genommen wird, so muß gerade
aus diesem Grunde vermieden werden, daß man sie nun
einfach als absurd und unsinnig abtut: Frau Tilly ist zu
verteidigen, nicht ich. Für ihr Verhalten gibt es eine allgemeine Erklärung und eine besondere. Ganz allgemein
gesprochen, ist es deutlich, daß ihr Kampf gegen mich
nur ein Teil ihres Kampfes für ihren Gatten ist, ein Teil
eines notwendigen Kampfes, um es gleich zu sagen, denn
es ist zu bedauern und zu bekämpfen, daß Wedekind so
selten gespielt wird. Wenn wir Frau Tilly daher in ihrem
Kampf für Wedekind unterstützen wollen, müssen wir
auch das Verständnis dafür aufbringen, daß sie nun
meint, mich des Plagiats anklagen zu müssen. Ferner ist
es nur natürlich, daß sie als Gattin eines Schriftstellers
fühlt, daß wir einander irgendwie abschreiben, doch ist
sie leider weder ihrem Mann dahinter gekommen noch
mir, *wie* man dies tut. Im besonderen jedoch fiel sie einem Irrtum zum Opfer, der darum interessant ist, weil
er – so möchte ich es formulieren – mitten in die Atomi-
stik des Dramas führt, in den Kern, von dem aus sich
ein Drama entwickelt.

Hier muß eine Bemerkung über die «Ehe des Herrn Mississippi» eingeschoben werden. Diese Komödie ist ein

künstlerisches Experiment, mehr in ihr zu sehen, etwa gar eine Technik, die ich nun auch des weiteren anzuwenden im Sinne hätte, wäre Unsinn, doch ist es an der Zeit, einmal über die Art dieses Experimentes zu sprechen: nicht nur den Behauptungen Frau Wedekinds zuliebe, sondern auch, weil die vielen Kritiken, die mir vor Augen gekommen sind, über diesen Punkt im Dunkeln tappen und schon aus diesem Grunde oft irren, auch wenn sie loben. Der Kritiker und der Schriftsteller stehen natürlicherweise nicht auf der selben Ebene. Der Kritiker hat ein Kunstwerk als Ganzes zu betrachten, denke ich, für den Schriftsteller ist es die Arbeit, die ihm wichtig ist, die Arbeit, in meinem Fall, ein Drama zu schreiben: das Resultat dieser Arbeit, diesen endlich zur Welt gekommenen Sohn, betrachtet er mit mehr Mißtrauen als Freude. Nun gibt es zwei Arten eines künstlerischen Arbeitens, grob gesagt, wie ja diese Unterscheidungen immer grob sind und nur auf dem Papier ganz stimmen, die deduktive und die induktive Möglichkeit des Schreibens. Es ist ein Unterschied, ob einer die Arbeit, die er ausführt, schon der Hauptsache nach im Kopf trägt, oder ob er nun ins Blaue hinein schreibt, ein Unterschied, ob der Stoff der Grund oder ob er das Resultat des Schreibens ist. Ich will gleich gestehen, daß ich nicht wußte, *wohin* ich zielte, als ich den «Mississippi» zu schreiben unternahm. Wohl stellten sich mit der Zeit verschiedene Ahnungen und Pläne ein, wie etwa das Stück einmal aussehen könnte, doch erfüllten sich diese Ahnungen meistens nicht. Die Neugier war zu groß. Ich schrieb mich immer wieder in Gegenden hinein, die immer neue Pläne notwendig machten. Die Arbeit war aufregend, wer Einblick hatte, schüttelte den Kopf. Ich wagte es, mich meinen Einfällen hinzugeben, denn es ist eine meiner künstlerischen Überzeugungen, daß sich ein Schriftsteller vor allem dann der Welt aussetzt, wenn er es wagt, sich seinen Einfällen auszusetzen: So möchte ich die Art meines Experimentierens im «Mississippi» verstanden haben. Das Abenteuer dieser Arbeit lag durchaus darin, den Stoff zu finden, nicht die Form. Daß dann die gespenstische Aufgabe an mich herantrat, den so abenteuerlich gefundenen Stoff auch zu begreifen, ist wohl ein anderes Kapitel.

Nach dieser Bemerkung müssen wir uns wieder Frau Wedekind zuwenden. Ihre Behauptung stützt sich nach dem Bericht, der mir vorliegt, vor allem auf die «auf Anhieb verblüffende Ähnlichkeit der dramatischen Ausgangsstellung zwischen dem ersten Akt von ‚Schloß Wetterstein‘ und dem ersten Akt der ‚Ehe des Herrn Mississippi‘. Dort heiratet die Witwe den Mann, der ihren Gatten im Duell getötet hat, hier heiratet die Mörderin ihres Gatten den Mann, der seine Frau ermordete, die mit dem Ermordeten ein Verhältnis hatte. So sind natürlich auch alle wesentlichen Übergangsrepliken von auffallender Ähnlichkeit. Um hier nur einige zu zitieren: Bei Dürrenmatt: ‚Sie bieten mir eine Ehe an, um mich endlos foltern zu können.‘ Bei Wedekind: ‚Das gäbe eine Folterkammer von Ehe‘ [nicht ‚der Ehe‘, wie die Zeitung schreibt). Bei Dürrenmatt: ‚Wir sind durch unsere Tat unauflösbar miteinander verknüpft.‘ Bei Wedekind: ‚Wir sind einander gewachsen, wir haben nichts voreinander voraus.‘» [Abendzeitung München 2. 6. 52]. Das war Tillys Geschoß. Dazu wäre etwa zu bemerken:

1. Gesetzt, daß die beiden Akte einem Richter vorgelegt würden, der weder je etwas von Wedekind noch je etwas von mir gehört hätte, vorgelegt mit der Bemerkung, einer dieser Akte sei vom andern abgeschrieben, so

würde er zwangsläufig von der Überlegung ausgehen müssen, daß im Plagiat alles zufällig und unbegründet erscheinen müsse, was im Original notwendig und begründet sei, und ebenso zwangsläufig käme er nun zum Schluß, Wedekind habe *mir* abgeschrieben. In der «Ehe des Herrn Mississippi» zum Beispiel, würde der Richter sein Urteil begründen, führe der Vorwurf Anastasias: «Sie bieten mir eine Ehe an, um mich endlos foltern zu können» dialektisch, indem nur ein Wort geändert werde, zur Antwort Mississippis: «Um *uns* endlos foltern zu können. Unsere Ehe würde für beide Teile die Hölle bedeuten.» Mississippi sei Staatsanwalt. Er wolle das Gesetz Mosis wieder einführen und habe schon zweihundertfünfzig Todesurteile durchgesetzt. Die Ehe mit Anastasia sehe er als eine Strafe an. Der Ausspruch Anastasias sei denn auch in diesem bösartigen Milieu am Platz und leider nicht übertrieben. Wenn nun dagegen Wedekinds Leonore sage: «Das gäbe eine Folterkammer von Ehe», und Rüdiger darauf antworte: «Das gibt keine Folterkammer von Ehe. Man liebt sich, oder man trennt sich», so sei hier das Bild des Folterns nicht weitergeführt wie bei Dürrenmatt und gehe in keiner Weise aus dem Milieu hervor. Ebenso sei es mit den andern Ähnlichkeiten. So werde etwa bei Wedekind Tee serviert und bei Dürrenmatt Kaffee getrunken. Bei Dürrenmatt sei der Kaffee etwas Wichtiges, damit werde immer wieder vergiftet, er sei gleichsam eine bürgerliche Geheimwaffe, während bei Wedekind der Tee keine Rolle spiele, nur zufällig serviert werde und offenbar nur darum ins Stück geraten sei, weil sich Wedekind an Dürrenmatts Kaffee erinnert habe.

2. Sobald man sich jedoch auch mit Wedekinds und Dürrenmatts anderen Werken beschäftige, würde der Rich-

ter weiter ausführen, sei es leicht zu beweisen, daß Dürrenmatts «Ehe des Herrn Mississippi» nicht von Wedekinds «Schloß Wetterstein» abgeleitet sein könne, sondern von der Szene zwischen dem Kaiser und seiner Frau Julia im dritten Akt der Komödie «Romulus der Große», die Dürrenmatt im Jahre 1949 herausgegeben habe. Der Staatsanwalt Mississippi sei eine Weiterführung der Gestalt des Romulus, der sich ja auch damit rechtfertige, daß er ein Richter sei. Die Gestalt des Mississippi sei nichts anderes als eine Kritik, die der Autor an einer seiner Gestalten ausübe. Aus dem Verhältnis Romulus–Julia, das ebenfalls eine Ehe mit einer bestimmten Absicht sei, habe sich folgerichtig die Ehe Mississippi–Anastasia entwickelt. Die Dialektik sei dieselbe, wenn auch das Verbrechen nicht dasselbe sei. Julia: «Du kannst mir nichts vorwerfen, wir haben das gleiche getan.» Romulus: «Nein, wir haben nicht das gleiche getan. Zwischen deiner und meiner Handlung ist ein unendlicher Unterschied.» Anastasia: «Sie haben getötet, und ich habe getötet. Wir sind beide Mörder.» Mississippi: «Nein, gnädige Frau. Ich bin kein Mörder. Zwischen Ihrer Tat und der meinen ist ein unendlicher Unterschied.» Wedekind habe mit dem Motiv [welches von Shakespeares Richard dem Dritten stamme], daß eine Frau den Mörder ihres Gatten heirate, die Schwachheit des weiblichen Geschlechts aufzeigen wollen; Dürrenmatt dagegen sei es von Anfang an um etwas anderes gegangen: einer Mörderin aus Trieb habe er einen Mörder aus Gerechtigkeit gegenübergestellt, mit der Absicht, wie es scheine, eine allzu starre Gerechtigkeit ad absurdum zu führen. Dürrenmatts Motiv und jenes Wedekinds und Shakespeares seien völlig verschieden, den Unterschied als gleichgültig hinzustellen sei unmöglich, ebenso unmöglich wie etwa die Behauptung, zwischen einem Wasserstoffatom und einem Heliumatom sei kein wesentlicher Unterschied, denn es sei gleichgültig, ob sich nun ein Elektron oder zwei um den Kern bewegen ... [dies zur Atomistik].

Wenn ich auch schweren Herzens zugeben muß, daß dieser angenommene Richter nicht leicht zu widerlegen ist und sich ebenso spitzfindig erweist wie Frau Tilly; wenn ich auch einsehe, daß ich mir und nicht Wedekind im ersten Akt abgeschrieben habe, so möchte ich dagegen beteuern – und ich bitte, mir zu glauben –, daß ich *doch* ein «Plagiator» bin. Daß Frau Tillys Behauptungen so paradoxe Resultate ergeben, liegt nur daran, daß sie anders recht hat, als sie glaubt. Frau Wedekind hat von der Praxis der Schriftsteller immer noch die abenteuerlichsten Vorstellungen. Wenn die Literatur so wäre, wie dies Frau Wedekind glaubt, gäbe es keine mehr, und wenn es eine gäbe, ließe sich kaum etwas Abstruseres denken denn eine solche Literatur. Daß ein Dramatiker von der Potenz Wedekinds auf andere Dramatiker wirkt, ist natürlich: Daß für mich Wedekind aus einem besonderen Grunde wichtig ist, muß nun dargestellt werden.

Wenn es nämlich weiter heißt, daß Frau Wedekind noch Anleihen aus «Erdgeist», «Büchse der Pandora», aus «Hidalla» und «Franziska» festgestellt haben will, so ist es ihr besonderes Pech, ausgerechnet nicht auf das Werk Wedekinds gekommen zu sein, das nun wirklich auf die «Ehe des Herrn Mississippi» einwirkte: auf den «Marquis von Keith», ein Theaterstück, das ich für Wedekinds bestes halte und welches mich auf die Idee brachte, die Menschen als Motive einzusetzen. In diesem Stück ging mir die Möglichkeit einer Dialektik *mit* Personen auf, da ja der Marquis von Keith, der eigentlich ein Proletarier ist, in Ernst Scholz, der in Wahrheit ein

Graf ist, sein genaues Spiegelbild besitzt. Auch dies ist natürlich nicht neu, das haben die Dramatiker immer angewandt, und nicht nur die Dramatiker: man denke an Don Quichotte–Sancho Pansa, oder etwa an John Kabys – den Letzten seines Geschlechts – und Herrn Litumlei – den Ersten seines Geschlechts – bei Gottfried Keller. Doch bei Wedekinds Marquis von Keith zeigte sich dieser Kunstgriff eben *mir* besonders deutlich, und damit hatte ich ein Prinzip gefunden, induktiv zu schreiben und meine fünf Hauptpersonen zu finden, indem ich eine aus der andern entwickelte und so fort.

Neben der besonderen Bedeutung Wedekinds jedoch für die «Ehe des Herrn Mississippi» gibt es noch eine allgemeine. Wir haben es mit diesem Dramatiker gewiß nicht leicht. Sein Problem, das Geschlechtliche, steht heute nicht mehr im Mittelpunkt – leider. Es wäre sicher angenehmer als der kalte Krieg. Noch hat man es nicht gelernt, in Wedekind Komödien zu sehen, daher läßt er die meisten kalt: sie nehmen ihn ernst, falsch ernst. Man sieht ihn immer noch als einen wilden Sexualreformer und wertet seine Aussagen mit Wahr oder Falsch; man sollte endlich dahin kommen, in ihm nicht ein Verhältnis zu der Wirklichkeit zu sehen, sondern eine Wirklichkeit, nicht so sehr, *was* er widerspiegelt, sondern *wie* er die Dinge widerspiegelt. Die Bedeutung Wedekinds liegt vor allem in seiner Sprache. Sie ist nicht papierdeutsch, wie man glaubt, sondern bühnendeutsch, eine Bühnenprosa: Hier knüpft er als einziger an Kleist an, an die Prosa des «Käthchen», so merkwürdig diese Ansicht auch scheinen mag. Wedekind ist einer der wenigen, denen es gelang, Konversationsstücke zu schreiben, ohne Konversation zu machen, ein Problem, das sich gerade heute immer wieder stellt, man denke an die «Cocktail-Party» Eliots.

Da der Bruch mit dem Naturalismus nun einmal geschehen ist, müssen wir eine neue Bühnensprache finden. Doch muß immer wieder betont werden, daß es heute keinen allgemeinen Stil mehr geben kann, sondern nur Stile. So wichtig auch Wedekind sein mag, die Möglichkeit in Wedekind ist wichtiger: Es ist eine Möglichkeit der Komödie. *Hier* habe ich eingesetzt. Ich glaube nicht, daß ein heutiger Komödienschreiber an Wedekind vorbeigehen kann, wie mir dies Frau Tilly offenbar zumutet. Sie hängt an einzelnen Pointen, die ähnlich sein mögen, weil sich Pointen immer ähnlich sind, mir geht es um wichtigere Dinge. Wedekind wirkte auf mich ein, aber nicht jener Wedekind, den seine Witwe meint, sondern einer, den es noch nicht gibt, den wir erst entdecken müssen.

Karl Kraus' Stellung zum Weltgeschehen ist aus seinen Buchtiteln herauszulesen. Nach dem «Untergang der Welt durch schwarze Magie», worunter er die Presse verstand, nach den dadurch zwangsläufigen «Letzten Tagen der Menschheit» 1914–1918 brach «Die dritte Walpurgisnacht», der Teufelstanz der Schemen und der verlorenen Seelen, mit Hitler an. Die Weltgeschichte wurde aufs neue zum Weltgericht. Die Katastrophe brach zum zweiten Male in diesem Jahrhundert über eine Menschheit herein, deren Schuld Gedankenlosigkeit und mangelnde Einbildungskraft war, wie er ihr immer wieder vorwarf, über eine Menschheit, «die nicht tötet, aber fähig ist, nicht zu glauben, was sie nicht erlebt». Richteten Operettenfiguren die Menschheit im Ersten Weltkriege hin, so stieg nun mit Hitler ein Weltmetzger herauf. «Ein armes Volk hebt beschwörend die Rechte empor zu dem Gesicht, zu der Stirn, zu der Pechsträhne: Wie lange noch!» Diese Aspekte machen Karl Kraus bei vielen so unbeliebt. Die Welt braucht ihre Wunschträume, und daß die, welche regieren, schon wissen, was sie tun, träumt sie am hartnäckigsten. Wenn sich die Menschheit anschickt, unterzugehen, soll sie es mit Tiefsinn tun, nichts Beleidigenderes als der Gedanke, sie könnte von Durchschnittsmenschen zugrunde gerichtet werden; auch im tiefsten Unglück hofft man immer noch, das Blutbad sei wenigstens von einem mythischen Oberförster angerichtet.

Dazu stellt sich ein Mißverständnis ein. Karl Kraus hat sich Zeit seines Lebens mit Personen auseinandergesetzt. Auch «Die dritte Walpurgisnacht» ist vorerst eine

Auseinandersetzung mit Personen. Diese Kampfart, die stets auf Menschen zielte und höchst persönlich war, hat man Karl Kraus als Eitelkeit ausgelegt, ahnungslos, daß dies nur seine Methode war, genau zu sein. Über Gottfried Benn läßt sich schließlich bestimmter reden als über die Realisationen des Weltgeistes, über die Gottfried Benn damals redete. Karl Kraus umging den Menschen nie um einer Idee willen und so auch seine Gegner nicht. Dies macht ihn so unbequem, daß man ihm noch heute aus dem Wege geht: die Literatur wird bei ihm ungemütlich. Da der Geist für ihn etwas Konkretes war, die Sprache nämlich, war auch der Mensch für ihn etwas Konkretes. Mitleid war eine seiner stärksten Triebfedern. Er weigerte sich, ins Allgemeine Reißaus zu nehmen und über Vorgänge die Augen zuzudrücken, «gegen die es in Chicago Polizeischutz gibt», wie dies allzu oft in der deutschen Literatur geschah. Für die Vergewaltigung des Menschen gab es keine Möglichkeit der Entschuldigung. Nicht nur die Kultur, die Menschheit war geschändet. «Der Journalismus, welcher den Raum der Lebenserscheinungen falsch dimensioniert, ahnt nicht, daß die letzte Privatexistenz als Gewaltopfer dem Geist näher steht als alles ruinierte Geistgeschäft.» So schaute er vor allem auf die Kriminalität des Geschehens.

Doch damit ist nur der Hintergrund gegeben. Daß Karl Kraus die Regierung Hitlers eine Diktatur nennt, die «alles beherrscht außer der Sprache», charakterisiert erst die «Dritte Walpurgisnacht». Es ging ihm nicht darum, wie dies etwa Thomas Mann tat, über die Nazis zu schreiben, was doch auch nötig war [weshalb denn Kraus mit dem Satz beginnt: Mir fällt zu Hitler nichts ein], sondern darum, von der Sprache her, diesem durch Hitler nie zu eroberndem Gebiet, zurückzuschlagen. Die Sprache rächt sich an Hitler, das Zitat verhaftet ihn, die Grammatik wird zur Guillotine. «Die Welt beim Wort zu nehmen» war seit jeher Karl Kraus' Unterfangen, nun nimmt er Hitler beim Wort. Er stellt ihn in die Sprache, wie Shakespeare Mörder in die Szene stellt. Die Dinge werden absurd, indem sie das Medium der Sprache passieren, eine Komödie entsteht, die sich die Tragödie des deutschen Volkes selber schrieb, durch die Sprache wird eine Prognose der Hitlerzeit möglich, der die kommenden Jahre nur noch Quantitatives beifügen konnten.

Das Sprachkunstwerk der «Dritten Walpurgisnacht», welches, wie alles, was Karl Kraus schrieb, sich von der zeitgenössischen Literatur so sehr unterscheidet, daß die allzu große Beschäftigung mit ihr seinen Genuß fast unmöglich macht, weil es auf eine besondere Art aktive Leser verlangt, erschien erst jetzt, fast zwanzig Jahre später, von Heinrich Fischer im Kösel Verlag München herausgegeben und mit einem meisterhaften Nachwort versehen. Es waren in der Hauptsache zwei Gründe, die Karl Kraus bewogen, das 1933 geschriebene Werk zurückzuhalten, wie er in seiner letzten, nicht minder bedeutenden großen Schrift «Warum die Fackel nicht erscheint» ausführte, und beide umschreiben noch einmal sein Wesen. Er fürchtete, durch seine Schrift Juden zu gefährden, und dann war er sich bewußt, daß sein Werk als Schöpfung der Sprache unübersetzbar bleiben mußte und so, verboten bei den Deutschen und verloren für das Ausland, seine Bedeutung nur darin finden konnte, daß es geschrieben wurde, nicht daß es erschien. So schwieg er denn. «Die ganze unfaßbare Kontrasthaftigkeit des Weltgeschehens offenbart ihnen der Umstand», sagte er von seinem Publikum, «daß in einer Zeit, wo Adolf Hitler das große Wort führt, Karl Kraus schweigt, der seinerseits darin doch den einzigen Punkt erkennt, wo noch etwas von der Harmonie der Sphären vernehmbar ist ...»

Die Stadt, in der sie geboren wurde, Elberfeld, und jene,
die alte, heilige, in der sie starb, Jerusalem, kommentieren sie: Man nannte sie eine Kaffeehausliteratin und
trieb sie in die Wüste. In Zürich, wo das Schauspielhaus
[eine seiner großen Taten] ihr Stück «Arthur Aronymus
und seine Väter» uraufführte, das nur zweimal gegeben
werden konnte, lebte sie auch. Verflucht, in einer Zeit zu
leben, die Philosophie treibt, wenn sie dichtet, und Wissenschaft, wenn sie mordet, nannte sie sich Jussuf, Prinz
von Theben. Sie war ein so großer Phantast, daß sie aus
der Wupper einen Nil machte, doch gerade so gewann
sie auf eine geheimnisvolle Weise die Wirklichkeit, nicht
jene freilich, die eine Schöpfung der Menschen ist, sondern jene höhere, welche die Schöpfung selbst ist: die
Ursprünglichkeit dieses Planeten. Sie sah die Dinge wie
zum erstenmal und sagte sie wie zum erstenmal. Dann
fällt auf, wie oft sie Menschen zum Gegenstand ihrer
Gedichte macht, die Erzväter, Saul, David und Jonathan,
aber auch Menschen, die sie kannte, so Georg Trakl, den
sie liebte, wie also immer Menschen für sie wichtig sind.
Ihre Prosa – von der «Das Hebräerland» das Schönste
ist – reichte bis zum Pamphlet. «Ich räume auf», schrieb
sie gegen ihre Verleger. Das herrliche Gedicht «Ein alter
Tibetteppich» wurde vor allem von Karl Kraus bewundert, der einmal für sie Geld sammelte und sie die
stärkste und unwegsamste lyrische Erscheinung des modernen Deutschland nannte. Eines ihrer schönsten Lie-
beslieder schrieb sie im Alter. Sie war Jüdin und eine
Deutsche. Sie glaubte wie ein Kind, unbestimmter als

Trakl, ohne dessen Verzweiflung, doch kann nur der das Wort verstehen, das sie über ihren Sohn schrieb: «Meine Liebe zu dir ist das Bildnis, das man sich von Gott machen darf», der sie vom Religiösen *und* vom Jüdischen her sieht. Sie war so unbekümmert Dichterin, daß sie alles konnte, auch das Dramenschreiben, also etwas, das die heutigen Dramatiker lange nicht immer können, von dem sie sagte, es sei eine schreitende Lyrik. [Damit, wenn man das Wort richtig begreift, ebensoviel Wert auf das Schreiten wie auf die Lyrik legt, vor allem unter Lyrik das versteht, was Else Lasker-Schüler mit ihren Gedichten tat, ist etwas Wichtiges gesagt.] Sie wurde aus Deutschland ausgewiesen, doch aus der deutschen Sprache konnte man sie nicht ausweisen: Hier wies sie sich aus. Sie hatte so sehr Sprache, daß nichts, kein Unglück, keine Verfolgung diese Sprache zerstören konnte, immer wieder brach die Sprache mit ihr in Gebiete durch, von denen die Schulweisheit sich wirklich nichts träumen läßt. So heilte sie, was die Zeit schändete. Da die Deutschen die Juden verfolgten, rettete eine arme, vertriebene Jüdin mit wenigen anderen – o mit wie wenigen – die deutsche Sprache.

Wenn es auf den ersten Blick merkwürdig berührt, daß der öffentliche Literaturbetrieb bis jetzt von Else Lasker-Schüler so wenig Notiz nahm [verglichen etwa mit der Papierflut, die Rilke hervorruft, um einen anderen bedeutenden Dichter zu nennen], so ist zu bemerken, daß eine Zeit in der Hauptsache nach jenen Dichtern greift, die sie nötig zu haben glaubt, und darum gerade die liegen läßt, die sie nötig hat. Unter anderem – vielem anderen – ist wohl die Unsicherheit der Philosophie daran schuld, die, soweit man in diese dunkle Sphäre Einblick erhält, nicht mehr recht sich selber traut und nun die

Literatur als Stoff erfunden hat, als Ablenkung gleichsam, so daß man sich um jene philosophischen Reste balgt, die der Dichtung unter den Tisch fallen, besonders wenn ein Rilke dichtet. Einer solchen Zeit liegt daher notgedrungen eine so kompakte Erscheinung wie Else Lasker-Schüler nicht, die keinen Rest der Philosophie übrigläßt, nur unmittelbare Dichtung ist, bald nur Vision, bald nur Erinnerung, bald nur Liebe, bald nur Klage, alles ausschließlich, mit wilder Leidenschaft – oder dann bedeutungslos, verworren wird, wenn sie ohne Inspiration schrieb, was oft vorkam, bändeweise. So hatte Rilke mehr Hochplateau, durchaus angenehm zu kultivieren, geeignet für Sommergäste, Sommerkurse und literarische Fremdenführer. Er war lawinensicherer, hatte mehr Niveau als sie, die ein kühneres Gebirge war als er, vulkanischer Natur, mit steileren Abstürzen und größeren Höhen. Zwei Landschaften, die nichts miteinander zu tun haben. Ebensowenig konnte die Epoche etwas mit Karl Kraus anfangen, der alles mit ihr anfing, der, ein ungeheuerliches Kraftfeld an Sprache, gerade das und ausschließlich das tat, was die Zeit nicht wollte, das Absolute. Daher gehört Else Lasker-Schüler zu Karl Kraus, dem sie ihre schönsten Gedichte, die hebräischen Balladen, widmete, den sie den Kardinal nannte und dessen Schicksal, nicht populär, weiten Kreisen unbekannt zu sein, sie teilt – es gibt kein schöneres. Immer wieder aufs neue entdecken läßt sich nur, was nicht Mode werden kann.

So ist es auch natürlich, daß der Herausgeber und Auswähler der Gedichte, Prosa, Schauspiele und Briefe Else Lasker-Schülers, Ernst Ginsberg, gleich auf über 600 Seiten kam: Die Dichterin mußte vorgestellt werden, so sehr war sie in Deutschland in Vergessenheit geraten.

Alles Wesentliche ist denn in diesem Bande zu finden. Dazu kommen einige Zeichnungen Else Lasker-Schülers und Photographien. Wesentliche Zeugnisse und Erinnerungen an die große Dichterin, an diese seltsame Frau mit dem oft so skurrilen Humor [so sagte sie zu Gerhart Hauptmann, er sehe aus wie die Großmutter von Goethe], schließen den sorgfältig hergestellten und mustergültig herausgegebenen Band.

Genauer auf sein Leben eingehen hieße eine moderne Odyssee schreiben, die Verfolgungen, die er erleiden, die Listen, die er anwenden mußte, das Elend auch, in welches er nicht nur in Europa geriet. Einst populär, von vielen gesungen, Bänkelsänger und Lyriker, ein Sprachkünstler ersten Ranges, mächtig auch des Rotwelschen, Dramatiker, Übersetzer, Kenner der Malerei, Deutscher dem Papier, Franzose dem Herzen nach, ein Berliner alles in allem, homme de lettre, stets klar, stets unbestechlich, schrieb er die letzten Gedichte in den Vereinigten Staaten, vorher in den Flüchtlingslagern Frankreichs, Gedichte, in denen verzichtet wird, sich in eine Weltanschauung oder gar in eine Partei zu retten, was ja auch vorgekommen ist: Der Qual steht allein der Vers gegenüber. Alles erscheint auf den menschlichen Aspekt der Katastrophen reduziert, jeglicher Trost ist über Bord geworfen. Dieser Mehring ist nicht mehr populär. Die Menschen wollen ihre Untergänge entweder besungen haben oder vergessen, durch die Münder der Opfer reden die Untaten selbst. Mehring verstummte, mehr noch, beging jetzt eben die Bosheit, sechzig zu werden. Odysseus hat entweder heimzukommen oder umzukommen, beides ist für den Ruhm gleich dankbar, gleich verwendbar, Mehring ist nur davongekommen. Damit läßt er es bewenden. Sein Ithaka ist untergegangen. Es gibt keine Heimkehr mehr, auch wenn er nun in Europa haust, vorübergehend, und gegenwärtig in Zürich. Von vielen verhaftet, läßt er sich nicht mehr verhaften; da er Gewalt in jeglicher Form und in jeglichem Lager kennen lernte, fällt er auf keine mehr herein, traut keinem Boden so ganz, hält vieles für tot, was noch zu leben glaubt. Hartnäckig, störrisch oft, weil er nicht mißbraucht sein will. Aus dem Lyriker ist ein Kritiker geworden, besser: ein Mensch, der prüft, was mit ihm denn überstanden habe, der nach dem sucht, was noch für ihn bleibt, unzerstörbar, auch wenn die Bibliothek verloren ist. Zurück blieb ein Europa, gesichtet von einem seiner Opfer, ein Rest Menschlichkeit, einige Farben, gepinselt auf Leinwand, ein Rest Glauben, einige Bücher, französische, englische, deutsche sogar, eine leise Möglichkeit des Geistes, mit der man nichts verzeihen, die man aber immer wieder gebrauchen sollte.

Die Gestalt des Grafen Öderland taucht bei Frisch bereits im «Tagebuch mit Marion» auf, ein dunkles, blutiges Gespenst, eine drohende Brandröte; in der Moritat, die das Schauspielhaus nun aufführte – eine Arbeit, die Frisch mehr als ein Jahr beschäftigte –, versuchte er diese Gestalt zu verdichten, ihr ein Gesicht, ein Schicksal zu geben. Das kühne Unternehmen ist gescheitert.

Dieser Schiffbruch ist zu untersuchen. Das Abenteuer des Stückes, sein Wagnis und sein Untergang, ist interessanter und aufregender als das Gelingen anderer Stücke. Nicht Frischs Dramatik hat beim Öderland versagt, die Dramatik selbst hat vor Öderland versagt. Der Untergang war mathematisch vorauszuberechnen, sicher nicht von Frisch, der hypnotisiert von seiner Vision den Wurf wagte, aber vom Zuschauer. Der Fehler liegt nicht in Frischs Kunst, nicht bei jener Knuths, weder in der sicheren Regie Steckels noch im faszinierenden Bühnenbild Ottos, er liegt in der Gestalt des Öderland selbst, einer wirklichen, positiven Leistung Frischs, deren Bedeutung er durch die Bühnenfassung nicht erreichen konnte, die nicht zu erreichen ist. So blieb das abenteuerliche Schiff trotz einer guten Bemannung irgendwo in den dramatischen Meeren zwischen dem Allgemeinen und Privaten stecken. Als Bühnenstück ist der Graf Öderland ein gefallener Engel, sein Beil hat als erstes das Stück erschlagen.

Wer ist Graf Öderland? Eine Möglichkeit, die Gestalt annahm, durch Frisch Gestalt annahm. Eine Mythe, die entdeckt wurde. Das ist viel. Ein Name, aber was für ein

Name! Ein Name, der allein schon das ganze Gespenst enthält, der allein schon Dichtung, vielleicht die Dichtung vom Grafen Öderland ist. Ein Mensch, der aus dem Mittelbaren ins Unmittelbare bricht, die Explosion eines Atoms aus dem Gebundenen ins Ungebundene, ein tödlicher Umwandlungsprozeß, wie er sich am Ende der Zeit abspielen mag, eine Gestalt, die eine Kraft des Menschen bloßlegt, die fürchterlicher denn seine Leidenschaft ist: die Kraft des Gefälles, die der Sturz in das Nichts auslöst. Denn das Nichts an sich hat keine Kraft, doch entfesseln die Dinge, die in diesen Abgrund fallen, die Kraft tödlicher Geschosse: zu Öderland tritt das Beil, das Beil und Öderland sind eins.

In den ersten, lockeren, scheinbar flüchtigen Szenen, die wir aus dem «Tagebuch» kennen, erscheint Öderland als ungewisser Schatten, eine Ahnung mehr denn ein Bild. «Und so weiter» war der Schluß, Öderland schritt aus der Dichtung hinaus, aber nicht aus unserem Bewußtsein, spielte in der Wirklichkeit weiter. Im Theaterstück hat Frisch dieses «Und so weiter» ausgeführt: Der Graf springt aus dem Fenster. Öderland wird ein bestimmter Mensch, mit dem Gesicht eines Schauspielers, das er nun annehmen muß. Er bekommt ein Schicksal. Kann Graf Öderland ein Schicksal haben?

Das Schicksal Öderlands, das ihm Frisch gegeben hat, ist, genau gesprochen, die Sinnlosigkeit des Beils. Es lohnt sich nicht, zum Beil zu greifen, es lohnt sich nicht, in den Abgrund zu stürzen, die Gewalt vor allem lohnt sich nicht. Aber damit schwächt Frisch Öderland ab, ja, er verfälscht ihn. Öderlands Tat ist nicht ein Ausweg, wie behauptet wird, sondern Verzweiflung. Die Frage, ob die Verzweiflung einen Sinn hat oder nicht, ist unmöglich. Ein Sturz ins Nichts ist ein Ereignis, das jenseits von

Sinn oder Nichtsinn steht. Eine Atombombe explodiert, wenn die Bedingungen gegeben sind, unbeschadet, ob dies einen Sinn hat oder nicht. Öderland ist weder ein Gewissen noch eine Idee, er kennt weder eine Reue noch eine Aufgabe. Man kann auch nicht an Stelle der Idee das Leben setzen, das zu suchen wäre, eine unerträgliche Romantik. Öderland ist ein Beil und nichts weiter. Ein Beil denkt nicht, empfindet keinen Ekel, es mordet. Leben ist Mord geworden. Ein solches Leben hat aber im strengsten Sinne keine Geschichte mehr. An die Stelle des Schicksals tritt die bloße Mechanik.

Kann man das auf der Bühne darstellen? Ist der ungeheuerlichen Gestalt mit der Kunst der Bühne beizukommen? Kann sich ein Beil auf dem Theater verwirklichen? Frisch hat es versucht. Mit allen Mitteln. Mit einer erstaunlichen Technik. Er gab Öderland ein bestechendes Schicksal, er ließ ihn am Leben scheitern, an der ewigen Wiederholung der Figuren, die in immer neuen Verkleidungen auftreten. Aber es war nicht mehr Graf Öderland, der scheiterte, es war der merkwürdige Fall eines gewissen Staatsanwalts, der verunglückte: an Stelle eines Allgemeinen stand ein Besonderes, an Stelle einer mythischen Figur ein Massenmörder mit einem originellen Motiv. Die Bühne selbst zwang Frisch diese Abwertung einer Gestalt auf, doch muß festgehalten werden, daß das Mißlingen Stil, Größe hat: die Größe der Notwendigkeit. Ein Abgrund, ein Rachen, der sich öffnet, kann kein Gesicht haben. Auf der Bühne wurde Öderlands Schicksal privat, nicht zwingend, denn sein Ende ist eine Hoffnung, daß etwas, was an sich schon verzweifelt ist, noch einmal verzweifelt [für den Zuschauer die Hoffnung, daß wir doch wieder einmal davonkommen]. Die Verzweiflung Öderlands kann nicht durch eine neue Verzweiflung als Selbstmord enden, sie kann nur mechanisch beendet werden durch ein Attentat.

Frisch schuf im Öderland, wie er im Tagebuch vorliegt, eine Dichtung; die Moritat ist ein interessanter, raffiniert ausgestatteter Theaterspektakel geworden mit großen dichterischen Stellen. Ich denke vor allem an den Mörder, an den Hellseher – eine bestechende Leistung Kalsers –, an den unerhörten Einfall, eine Gesellschaft, die, stehend, mit gefüllten Tellern über die Lage diskutiert, so grotesk behindert, einem Mörder mit einem Beil gegenüberzustellen, Momente, die allein das Stück sehenswert machen. Dies alles kann nicht genug gesagt werden. Doch eines konnte nicht glaubhaft gemacht werden: der Graf Öderland und sein Beil. Das Stück ist eine Menagerie, in der ein ausgestopfter Tiger vorgeführt wird.

Die mythische Gestalt des Öderland, nicht viel mehr als ein Wort, ist Frischs große Tat – was kann ein Dichter mehr? Als Gestalt der Phantasie wird sie ihren weiteren Weg nehmen. Das Theaterstück jedoch bleibt im Privaten stecken, es gehört Frisch allein. Ich weigere mich, im «Öderland» ein etwas blutigeres «Santa Cruz» zu sehen. Es geht um mehr. Man kann Öderland nicht als Warnungstafel verwenden: Greift nicht zum Beil! Wenn einmal die Bedingungen da sind, wird man zum Beile greifen. Es ist Aufgabe, diese Bedingungen aus der Welt zu schaffen. Graf Öderland kann nicht gerichtet werden, weil Öderland selbst die Hinrichtung ist. Öderland läßt sich nicht ins schweizerische Geistesleben als eine Gestalt des Kultur-Malaise einbauen. Graf Öderland geht die Welt an, er ist eine Gestalt der Apokalypse.

Es darf gesagt werden, glaube ich, daß sich im Gebiet
des Romans noch eine Tradition vorhanden findet, die
es erlaubt, sichere, nicht stümperhafte Werke abzuliefern.
Was Thomas Mann etwa oder Hermann Hesse produzieren, ist, wenn auch vom Abenteuerlichen, Gewagten entfernt, legitim, lobenswert, Vorbild für Nachahmer, die,
weil auch sie sich in der Tradition bewegen, nicht eigentlich Nachahmer, sondern Wanderer auf einer gangbaren
Straße sind. Dieser Weg, den der Roman nimmt, auf dem
es nicht viel Neues, sondern nur viele Novitäten gibt,
weist seine Meisterwerke, seine Gesellenstücke und seine
Konfektion auf. Er kennt die abseitigen Landschaften
Stifters, die Genialität Tolstois und Balzacs; doch wird
er hin und wieder von etwas Einmaligem überflutet: Don
Quichotte, Tristam Shandy, Gullivers Reisen etwa oder
Proust kommen von Gebieten außerhalb des Romans,
aber brechen in ihn ein, erobern ihn.

Vor allem ist, will Kritik geübt werden, zu untersuchen,
was denn passiert sei. Das Einmalige ist weder zu vergleichen, da es als das Einmalige unvergleichbar ist,
noch historisch einzuordnen oder ins Gewohnte herüber-
zuretten. Doch setzt die Forderung solcher Kritik voraus, daß das Einmalige auch als solches zu erkennen sei,
Merkmale besitze, die es als das Einmalige charakterisie-
ren. Das Einmalige nun beim Roman [in der Kunst
überhaupt] kann nicht im Stoff liegen. Der Roman hat
die Welt zum Gegenstand, bald eine größere, bald eine
kleinere, und jeder Stoff ist ein Teil der Welt – auch der
Mars, wird er erobert, oder erobert er uns. Das Einmali-

ge liegt in der Form. Das Einmalige setzt einmalige Form voraus, bestimmt von einer besonderen Ausgangslage. Die einmalige Form ist nicht wählbar, sondern muß ergriffen werden als das Rettende, das Notwendige. Der «Zauberberg» etwa verlangt keine besondere Form, der Stoff selbst ist ein Roman, um es abgekürzt zu sagen, der mit bestimmten Regeln zu meistern ist, und das Erstaunliche ist die Souveränität, mit der hier erzählt wird. Beim Einmaligen jedoch wird erst durch die Form das Erzählen, der Stoff möglich: In anderer Form käme nicht ein schlechter Roman heraus, sondern ein Unding, in unserem Fall ein peinliches Unding. Dem Einmaligen haftet etwas vom Ei des Kolumbus an: ohne den rettenden Einfall steht das Ei eben nicht, und kommt der Einfall, ist alles gerettet, das Schwierige, Unmögliche wird nun leicht, der Autor betritt einen Raum, in welchem es nur noch Volltreffer gibt, Fehler treten nur im Sinne des Zuviels auf, wie bei allen jenen Romanen, die auf einem rettenden Einfall fußen. Wie beim Don Quichotte eben, wie bei Gullivers Reisen.

Ist jedoch das Einmalige aus einer besonderen Ausgangslage heraus notwendig erstanden, so ist es für die Kritik unmöglich, den Grund zu übergehen und das Werk an sich, abgelöst von diesem Grunde zu betrachten, als philosophische Konzeption etwa oder als sprachliches Dokument zu nehmen, wie es die Literaturwissenschaft heute so oft tut, ist doch gerade das, weshalb es zu diesem Dokument kam, das Entscheidende. Der Grund jedoch ist beim Autor zu suchen. Er steht als Täter fest. Was nun Frisch betrifft, so fällt bei ihm die Neigung auf [die er mit anderen teilt], nehmen wir ihn im Ganzen, daß er sein Persönliches, sein Privates nicht in der Kunst fallen läßt, daß er sich nicht überspringt, daß es ihm um sein

Problem geht, nicht um ein Problem an sich. Er ist in seine Kunst verwickelt. Frisch ist einer jener Schriftsteller, die sich hartnäckig weigern, rein zu dichten, was viele um so mehr ärgert, als dieser Autor offensichtlich reiner und besser dichten könnte als jene, die es heute tun. Auch «Stiller» hebt sich da nicht von Frischs andern Werken ab, nicht von seinen Tagebüchern, nicht von seinen Dramen. Er ist nur ein Schritt weiter, doch nicht von der Gefahr, von der Neigung weg, sich selbst zu meinen, sondern auf sie hin, mitten in sie hinein. Das künstlerische Problem, das sich Frisch im «Stiller» aufgab, wäre, wie man aus sich selber eine Gestalt, einen Roman mache; doch gibt es dieses Problem nur als etwas Nachträgliches, als eine Arbeitshypothese der Kritik. Kunst machen ist nicht mit der Lösung eines Schachproblems verwandt. Für Frisch stellte sich dieses Problem als eine existentielle Zwangslage: einerseits nicht von sich loszukommen, anderseits ohne zu gestalten, ohne sich darzustellen, nicht leben zu können. Persönliche Ehrlichkeit und künstlerische Notwendigkeit standen sich gegenüber.

Schachtheoretisch gesehen – anders kann die Kritik nie sehen – läßt sich das Problem, in das ich so die Zwangslage, das Existentielle verwandle, wohl darstellen. Das rücksichtslose Unternehmen, sich selbst darzustellen, sich selbst zu meinen, ließe sich ehrlicherweise nur in der Form einer Konfession, einer Beichte wagen, bezogen auf den überpersönlichen Hintergrund der Religion, die das Private aufhebt, wie dies bei Augustin, bei Kierkegaard der Fall ist; fällt jedoch dieser Hintergrund fort wie bei Frisch, ist die Beichte nicht mehr als Buch denkbar, von dem noch Tantièmen zu beziehen wären; was man etwa einem Freunde gesteht, ist nicht einer Leserschaft mitzuteilen, will man nicht der Peinlichkeit verfallen.

Am absurdesten scheint es jedoch, aus einer Selbstdarstellung einen Roman machen zu wollen, das zu tun, was
Frisch unternimmt.

Gesetzt nämlich, er unternähme es, innerhalb der Tradition des Romanschreibens zu bleiben und sich mit ihren
Mitteln auszudrücken, wie ginge er nun vor? Er würde
sich vielleicht, könnte ich mir denken, einen wohlmeinenden Freund ersinnen, einen Staatsanwalt etwa, der das
Leben des Schriftstellers Max Frisch erzählen würde nach
Art der wohlmeinenden Freunde, Historiker oder Mön-
che, die anderswo die Geschicke der Romanhelden berichten; er würde diesen Max Frisch etwas verändern,
ihm einen andern Namen, sagen wir eben Anatol Ludwig
Stiller, geben, ihn auch Bildhauer sein lassen, überhaupt
so frei als nur irgend möglich mit sich umgehen, um
nicht in die Nähe eines Schlüsselromans zu geraten. Dies
alles wäre schön und gut, und sicher, da Frisch ja erzählen kann und Sprache besitzt wie wenige heute, eine
schöne und, wie die Kritik wohl schreiben würde, reife
Leistung, die hoffen ließe, endlich, endlich komme das
reine Dichten. Und doch eben darum, weil Frisch mit
Stiller nicht irgendwen, sondern sich selbst meint, peinlich. Der Roman braucht eine Gestalt. Frisch müßte sich
zusätzlich Schicksal andichten, zusätzliche Lösungen an-
streben, seine Frau etwa sterben und sich erstarren lassen,
über sein Leben hinausgehen, wollte er sich als Roman,
sich selbst eine Gestalt geben, die man als das Ich, als
sich selber nie ist: Gestalt ist man nur von außen, vom
andern her, in welches sich Frisch verwandeln müßte;
doch damit, daß dieses Zusätzliche hinzukäme, würde
auch die Wahrhaftigkeit in Frage gestellt, die doch hinter
jeder Selbstdarstellung stehen sollte. Er würde sich meinen und wieder nicht sich, eine Identität ständig leugnen,

die nicht aufzuheben wäre. Dazu käme, wenn auch wider Willen, das Selbstmitleid hinein, das etwa auch den letzten Chaplin-Film so ungenießbar macht. In Form des Romans ist eben keine Selbstdarstellung, kein Aufklären seiner eigenen Situation möglich, nicht einmal ein Selbstgericht, wie so viele auf Grund des Märchens meinen, das uns die Literaturwissenschaft erzählt. Auch daß nur wenige wüßten, daß sich Frisch mit Stiller selber meinen würde, könnte daran nichts ändern – ein Roman wird nicht auf die Hoffnung hin möglich, es komme niemand dahinter –, kurz, Frisch würde das tun, was er in seinem Nachwort des Staatsanwalts ein wenig getan hat, nicht ganz siebzig Seiten lang, die nur darum nicht ganz verunglücken, weil sie im Schatten des Gelungenen, Einmaligen stehen, ein nachträgliches und nebensächliches Entgleisen, eine Stilübung innerhalb der Tradition, die aber wieder bei vielen und gerade bei der schweizerischen Kritik den Roman offenbar rettet, indem man ihn dort für wichtig ansieht, wo er nicht wichtig ist, um das zu übersehen, was gesehen werden sollte.

Sind so die Schwierigkeiten angedeutet, denen sich Frisch gegenübersah – nur äußere Schwierigkeiten, über die noch berichtet werden kann, nur Schachprobleme eben, die auf die wahren Schwierigkeiten des Schreibens hinweisen, die nicht immer *im*, sondern oft, öfter vielleicht, *vor* dem Schreiben liegen, im Weg, der zurückgelegt werden muß, um das Geschütz in eine Stellung zu bringen, von der aus Treffer möglich, zwangsläufig werden –, ist so der Autor umstellt von lauter Unmöglichkeiten des Schreibens, scheint ihm jede Freiheit genommen, durch den Roman [das ist ja das Problem] sich selbst darzustellen, sich selbst nicht zu fliehen, sich zu meinen und nur sich, so ist nun zu zeigen, was Frisch tat; der Schritt ist darzustellen, durch den er die Freiheit gewann, durch den der Roman möglich wurde; die Form ist aufzuweisen, durch welche die Möglichkeit auftauchte, wohl blitzartig, aus sich selbst einen Roman zu machen. Denn in der Kunst spielen sich die Dinge umgekehrt ab als in der Kritik, um noch einmal diesen Unterschied zu machen. In der Kunst kommt die Lösung vor dem Problem; die Kritik kann nur stutzen, sich wundern, daß auf einmal ein Roman möglich ist, wo doch keiner möglich sein könnte, wie wir eben ausführten, und nun die Gründe suchen – erfinden, wie ich vielleicht genauer sage –, die diese kritisch widersinnige Tatsache, daß nun eben doch einer möglich war, erklären. Eine solche Erklärung ist dann eben, daß Frisch eine einmalige Form gefunden habe, die den Roman ermögliche, womit sich die Kritik, und zwar legitim, wieder einmal am eigenen Schopf auf sicheren Boden gezogen hat.

Von der Form her nun betrachtet, ist der Roman «Stiller» ein Tagebuch, ein scheinbar hastig, oft scheinbar überstürzt geschriebenes, doch nicht jenes eines Bildhauers namens Stiller, mit dem sich Frisch selber meint, sondern eines Herrn James Larkin White aus New Mexiko, der auf der Durchreise in der Schweiz verhaftet und nach Zürich gebracht wird unter dem Verdacht, er sei der verschollene Bildhauer Anatol Ludwig Stiller-Tschudy [gegen den wiederum ein Verdacht besteht, in eine Spionageaffäre zugunsten Rußlands verwickelt zu sein], und der Grund, weshalb dieses Tagebuch geschrieben wird, ist einfach der, daß James White damit beweisen möchte, *nicht* Stiller zu sein. Dies alles muß ich mit einschließen, will ich von der Form dieses Buches reden, Form ist immer ein sehr komplexes Gebilde. Die Form ist hier die eines fingierten Tagebuches einer fingierten Persönlichkeit, die damit die Behauptung aufrechterhalten will, sie sei nicht eine andere [und es ist, kritisch, theoretisch gesehen, etwas schade, daß Frisch gegen Schluß des Buches diese Behauptung, von der wir ahnen, sie sei nur eine Fiktion, die immer schwerer zu glauben ist, widerlegt, durch das Nachwort eben, und so die Form zu verwischen droht, indem er sie aufhebt. Auch halte ich es für falsch, diese Form zu begründen, wie es Frisch mit seinem «Engel» versucht]. Diese Form ist nun freilich ein glänzender Einfall, doch, und dies ist die nächste Frage, die ich zu stellen habe, ist sie auch zwangsläufig, notwendig, und so erst etwas Einmaliges, so erst eine wirkliche Form, zu der eben die Notwendigkeit gehört? Dies zu entscheiden, habe ich die festgestellte Form mit der Problematik zu konfrontieren, die wir entwickelt haben. Denn nur wenn die vorhandene Form der Problematik nicht aus dem Wege geht, sondern sie enthält, sie zu Kunst umformt, ist sie eine wirkliche, nicht zufällige Form.

Die vorhandene Form spiegelt genau die Problematik wider, stellt sich nun heraus. Das Problem war, und es zeigte sich in immer neuen Aspekten: Wie macht man aus sich selber einen Roman? Und einer der Aspekte: Wie kann ich zwar die Identität leugnen, ohne sie aber aufzuheben? Genau dies ist die Form: White ist die geleugnete Identität mit dem nicht aufgehobenen Stiller. Weiter: Problematik, Form und Handlung sind hier eins. Die Handlung des Buches, der Prozeß gegen White, ist das ständige Behaupten Whites, er sei nicht Stiller, und das ständige Behaupten der Welt [der Behörden, des Staatsanwalts, des Verteidigers, der Frau Julika usw.], er sei Stiller. Damit wird die Freiheit gewonnen, sich selbst darzustellen, auch wenn sie eine komödiantische, eine

Narrenfreiheit ist. Das Ich wird eine Behauptung der Welt, der man eine Gegenbehauptung, ein Nicht-Ich entgegenstellt. Anders gesagt: an Stelle des Ichs tritt ein fingiertes Ich, und das Ich wird ein Objekt. Romantechnisch gesehen: das Ich wird ein Kriminalfall. Einfacher ausgedrückt: Frisch hat sich durch diese Form, die gleichzeitig Handlung, gleichzeitig die Problematik selbst ist, in einen andern verwandelt, der nun erzählt, nicht von Stiller zuerst, sondern von sich, von White eben, für den Stiller der andere ist, für den er sich nun zu interessieren beginnt und dem er nachforscht, weil man doch ständig behauptet, er sei mit ihm identisch. Gerade durch diese Romanform wird so Selbstdarstellung möglich, gesetzt – und das ist nun wichtig, entscheidend –, der Leser mache auch mit, spiele mit. Ohne Mitmachen ist der «Stiller» weder zu lesen noch zu begreifen. Dies gilt aber auch von der Kritik: Gerade sie hat da mitzumachen, innerhalb der Spielregeln zu bleiben, anzunehmen. Eine Kritik außerhalb dieses Spiels ist für die Kunst verloren und spielt sich in den hermetisch abgeschlossenen Räumen ab, deren Türen niemand einzurennen vermag, aus dem einfachen Grunde, weil keine vorhanden sind.

Nach dieser vielleicht nicht immer ganz leichten Untersuchung ist die Möglichkeit gegeben, den Roman im richtigen Sinne zu lesen, in der Richtung seiner Form. Es ergeben sich verschiedene Ebenen, spielen wir mit, nicht gedankenlos, gewiß, im Bewußtsein eben, daß wir mitspielen, daß alles notwendige Spielregeln sind, die wir freiwillig annehmen.

Da wäre der Schreibende, James Larkin White, dem der Prozeß gemacht wird, Stiller zu sein, und der am Schluß verurteilt wird, es zu sein. Er schreibt, das Gegenteil zu beweisen, in die Hefte, die ihm der Verteidiger bringt, und der Leser liest über die Schultern des Verteidigers mit, schüttelt wohl auch manchmal wie dieser biedere Schweizer den Kopf. Zwar kann der Verteidiger mit diesen Heften nicht gerade viel anfangen, er ist ein Durchschnittsdenker, doch White, einmal ins Schreiben gekommen, wird im Gefängnis unfreiwillig zuerst und dann freiwillig zum Schriftsteller, wie ja andere auch. Seine Schriftstellerei, soweit wir das aus diesem einzigen Dokument beurteilen können, ist teils glaubwürdig, teils das Gegenteil und vom Durchschnittskritiker her gesehen hoffnungslos ichbezogen, immun gegen jeden gesunden Menschenverstand, sogar die Werte will er erst glauben, wenn er sie sieht. Auch der Whisky spielt eine etwas große Rolle, als ob es nicht auch gute Schweizer Weine gäbe. Er hat etwas von einem kulturlosen Einwohner der USA. Einerseits berichtet er von seinem Leben, anderseits schreibt er getreulich nieder, was ihm im Gefängnis zustößt, und drittens bemüht er sich, begreiflicherweise, über den verschollenen Stiller klar zu werden. Gehen wir gleich zu den unglaubwürdigen Seiten seiner Schriftstellerei über, wir müssen hier zugeben: zu der Darstellung seiner selbst.

Das einzige, was daran [in Hinsicht auf den Beweis, den er liefern will] überzeugt, ist eigentlich nur die Schilderung der Orte, an denen er gewesen ist. Mexiko, die Wüste, New York, eine Tropfsteinhöhle, Kalifornien, und hier erweist sich dieser Amerikaner [deutscher Abstammung] als Schriftsteller allerbesten Formats. Er erzählt ganz und gar uneuropäisch, oder doch so, wie es die Europäer vielleicht einmal gekonnt haben. Die heutigen Europäer meinen immer etwas anderes, wenn sie von einer Landschaft berichten, bald Seele, bald Mythologie, bald Philosophie, bald Patriotismus und Heimatkunde, während White die Landschaft darstellt, als käme er gerade vom Mars und sähe diese Landschaften zum ersten Mal, als die Landschaften eines Planeten. Es sind Gemälde von großer Schönheit, von großer Sprache. Sogar eine Zürcher Landschaft so zu sehen gelingt ihm, eine Landschaft, die doch literarisch belastet ist, von unzähligen Autoren beschrieben, bedichtet, eine Kühnheit, zu der nun wirklich offenbar nur ein Amerikaner fähig sein kann, die aber auch den einzigen Beweis abgibt, John Larkin White sei wirklich John Larkin White.

Denn da steht nun auch die Schilderung seiner Schicksale. Die Schilderung der verschiedenen Orte allein genügt ja nicht, seine Existenz als White zu beweisen, er hätte ja auch dorthin gereist sein können. Sind diese Schicksale vom Spiele, von der Form aus gesehen, wo wir wissen, wo wir White fingieren, von bezaubernder Ironie, so sind sie von White her gesehen, von seinem Beweise her verunglückte Schriftstellerei, billiges Kino [daß ausgerechnet in einer Tabakplantage ein Vulkan ausbricht, glaube wer will!], Flunkereien, Märchen offenbar, ganz wie diese Isidor- und diese Rip van Winkle-Geschichte, Schauerhandlungen, die niemanden außer seinen Wärter Knobel überzeugen, den aber in die höchste Seligkeit stürzen, sitzt er doch endlich einem richtigen Verbrecher gegenüber, einem ganz unschweizerischen Verbrecher, der nicht nur einen jämmerlichen Mord auf dem Gewissen hat, wie es sich hierzulande bisweilen ereignet, oder deren zwei, wenn es hoch kommt, sondern amerikanisch, großzügig, gleich deren fünf [die zu beschreiben freilich Whites Phantasie nicht ganz ausreicht]. Tonnerwetter! Wärter Knobels Beruf beginnt interessant zu werden, und wie sich leider mehr und mehr herausstellt, daß White doch nicht ein fünffacher Mörder ist, sondern eben Stiller, ein Landsmann, ein Zürcher gar, schrumpft Knobel zusammen, um jede Romantik betrogen, ein enttäuschter Mann. Begreiflich: Ist es doch der Traum jedes anständigen Wärters, einmal ein richtiges Raubtier zu bewachen und nicht nur Kaninchen und Schafe. Sehen wir jedoch die übermütigen Geschichten mit der Problematik zusammen, so erweist sich dieses Umschlagen in komödiantische Handlung, dieses Schwanken teils ins Billige, teils in das Unheimliche der Florence-Affäre etwa als das zusätzliche Schicksal, das der Selbstroman braucht, welches nun als Witz, als Floskel an wirklich Erlebtem erscheint.

Kommen wir nun zu einer der vergnüglichsten, aber auch wichtigsten Seiten dieses erstaunlichen Romans, zu seiner politischen Seite: Whites Urteil über die Schweiz, seine Schilderung des Landes, das ihn gefangen hält; ein Urteil von der Fremdenverkehrssituation entfernt, von der aus sonst Urteile über die Schweiz abgegeben werden. Um es gleich zu sagen: Das Gefängnis kommt gut davon, und das ist schließlich auch ein Lob seines Gastlandes, und ein nicht unwichtiges. Das Gefängnis ist in Ordnung. Was jedoch die Welt außerhalb betrifft, die Nicht-Gefängnis-Welt, berühmt durch ihre Freiheit, die White hin und wieder zu Konfrontationszwecken oder ähnlichem besuchen darf ...

Ein Journalist hat es unternommen, der Geschichte der
Atomforscher nachzugehen. Es ist ein spannendes Buch
entstanden und ein wichtiges. Eine notwendige Infor-
mation. Es tut gut zu wissen, wie weit der Ast angesägt
ist, auf dem wir sitzen. Eine Chronik vom Untergang
einer Welt der reinen Vernunft. Robert Jungk verzichtet
darauf, den Gegenstand der bedenklichen Forschung näher darzustellen, um die es hier geht, die Verhaltungs-
weisen kleinster Teile von Materie, er zeichnet die Akteure.

Die Story: Der Verdacht, es liege im Bereich des menschlich Möglichen, eine Atombombe zu konstruieren, taucht
als eine vorerst mehr absurde Idee mitten in den großen
Erfolgen einer neuen Wissenschaft auf, der Kernphysik.
Viele halten die Idee anfänglich für unmöglich, so Einstein, so Rutherford, und Hahn, der Entdecker der Kern-
spaltung, meint: Das kann doch Gott nicht wollen. Hitler
kommt an die Macht, die strohblonde Dummheit der
Rassentheorie vernichtet die Internationalität der Wissenschaft, bedeutende Physiker emigrieren, bedeutende
bleiben, das Mißtrauen wächst auf beiden Seiten, doch
dringt die Möglichkeit der Höllenbombe noch nicht zu
den Politikern, und im Sommer 1939 hätten noch zwölf
Menschen durch gemeinsame Verabredung deren Bau
verhindern können [Heisenberg]. Sie taten es nicht. Der
ungarische Physiker Szilard veranlaßt im Krieg Einstein,
sich an Roosevelt zu wenden, aus der Furcht heraus, Hitler konstruiere eine. So wird die Waffe aus einem Wett-
rüsten heraus entwickelt, das in Wahrheit nicht stattfindet:

die deutschen Physiker lassen die Nazi nicht auf die Idee kommen. Vergeblich versuchen Einstein und Szilard, wie der Krieg gegen Deutschland zu Ende ist und sich keine deutsche Atombombe findet, ihren Vorschlag rückgängig zu machen. Der Schreibtischgeneral Groves hat die Sache schon in die Hand genommen und durchgepeitscht, riesige Fabrikanlagen sind entstanden, die Atomforscher unter Anführung Oppenheimers in die Macht der Militärs geraten, kaserniert und überwacht, zwei Milliarden Dollars sind aufgewendet, und so wird am 16. Juli 1945 «Trinity» zur Explosion gebracht, und im August fallen «Thin Boy» und «Fat Boy» auf ein schon kapitulationsbereites Japan.

Der weitere Verlauf ist noch tragischer. An die Stelle des fingierten Wettrüstens USA–Deutschland tritt das wirkliche USA–Sowjetunion, eingeleitet durch den irrsinnigen Versuch, die Atombombe geheimzuhalten, Wissenschaft als ein Staatsgeheimnis zu behandeln, kalter Krieg und Verrat, um endlich, wie beide Mächte die Bombe besitzen, mit dem Bau der Wasserstoff- und der Dreistufenbombe – Waffen ohne Grenzen –, ermöglicht durch die Elektronen-Rechenmaschine «Maniac»=«Wahnsinniger», die Menschheit als solche zu gefährden.

Die Aktualität dieses außerordentlichen Buches liegt jedoch nicht so sehr in der Chronik der Ereignisse, sondern im Umstand, daß gezeigt wird, inwiefern Wissen Macht sein kann und vor allem, wie aus Wissen Macht wird. Das ungeheuerlichste Machtmittel der Gegenwart beruht auf einem so sublimen Wissen, daß die Frage lautet: Wie war es möglich, daß sich dieses spezielle und durch die Schwierigkeit seines Verstehens an sich geschützte Wissen in Macht umwandeln konnte, daß sich auf der menschlichen Ebene etwas Ähnliches ereignete wie auf der physikalischen, in der sich Materie in Energie verwandelte?

Dieser Prozeß wurde mittels der Zertrümmerung einer internationalen Elite von Wissenschaftern durch die Politik ausgelöst. Der Gedanke, welcher der Atombombe zugrunde liegt, die tiefe Einsicht in die Struktur der Materie, ist ein Gedanke der Menschheit, gleichsam vertreten durch eine kleine Elite von Forschern, und nicht von einer Nation zu pachten. Auch gibt es keine Möglichkeit, Denkbares geheim zu behalten. Jeder Denkprozeß ist wiederholbar. Das Problem der Atomkraft – die Atombombe ist nur ein Sonderfall dieses Problems – kann nur international gelöst werden. Durch Einigkeit der Wissenschafter. Daß diese Voraussetzung schon durch Hitler zerstört wurde, schuf das Verhängnis. Es zwang die Physiker, ihr Wissen an eine Macht zu verraten, aus dem Reiche der reinen Vernunft in jenes der Realität überzusiedeln.

Ein Trost kann gewagt werden. Wenn wir die Atombombe überstehen, werden wir die Atomkraft einmal nötig haben. Auch die Elektrizität wurde zu einer Zeit entdeckt, als sie noch nicht «nötig» war. Was wir Technik nennen, ist etwas biologisch Notwendiges, doch muß der Mensch, der Einzelmensch, logischerweise, seine Erfindungen und Entdeckungen oft vor ihrer allgemeinen Notwendigkeit machen. Ein Teil der Technik ist immer vorweggenommene Zukunft. Was biologisch einmal notwendig sein wird, um das Leben der Menschheit zu ermöglichen, erscheint jetzt noch als ein Störfaktor, als eine Bedrohung des Lebens, aber gerade dadurch als Zeichen, daß die Politik und ihr letztes Mittel, der Krieg, nicht mehr stimmen, daß das menschliche Zusammenleben neu überdacht werden muß, die Organisation dieser Welt.

Das Prinzip, das der Wasserstoffbombe zugrunde liegt, entdeckte Houtermans, indem er über Vorgänge in der Sonne nachdachte. Das Pech Houtermans besteht darin, in einer Welt zu leben, in der eine gewisse Art von Denken offenbar gefährlich ist, wie das Rauchen in einer Pulverfabrik. Nun ist es unmöglich, die Pflicht, ein Dummkopf zu bleiben, als ethisches Prinzip aufzustellen. Die Frage lautet, wie sich die Physiker in der heutigen Welt verhalten müssen und nicht nur die Physiker – Denken kann vielleicht überhaupt in Zukunft immer gefährlicher werden. Die Elite, von der Jungk berichtet, wäre dann nur ein Vorposten. Sie hatte insofern Erfolg, als sich ihre Berechnungen durch die Atombombe bestätigten, doch ihr Erfolg war ihr Versagen, denn sie konnte die Atombombe nur bauen, indem sie sich den Politikern und Militärs auslieferte. Ihr Fehler war es, daß sie nie als Einheit handelte, daß sie im Grunde die einmalige Stellung nie begriff, in der sie sich befand, daß sie sich weigerte, Entscheidungen zu fällen. Das Wissen fürchtete sich vor der Macht und lieferte sich deshalb den Mächten aus. Aus dieser Schwäche heraus hoffte diese Elite, daß die Politik der Atombombe gewachsen sein werde, daß die Politik realisiere, was sie selber nicht vermochte. Doch war die Welt auf alles, nur nicht auf die Atombombe vorbereitet. Diese Waffe stellte nicht nur neue Aufgaben, die noch niemand vorher überdacht hatte, sondern auch Vorbedingungen, die nicht nur nicht erfüllt, sondern auch nie geplant waren. Alle Resolutionen der Wissenschafter – auch der Frank-Report – kamen zu spät, oder besser gesagt: richteten sich an eine Menschheit, die gar nicht in der Lage war, diese Forderungen zu realisieren: es sind Forderungen an eine imaginäre Welt, Forderungen, nicht zu sündigen nach dem Sündenfall. Über die Atomkraft verfügen nun die, die sie nicht begreifen. Es ist daher nicht zu bestreiten, daß die Elite versagte. Der Ausspruch des Mathematikers Hilbert, den Jungk überliefert, daß die Physik für die Physiker zu schwer sei, bestätigte sich auf eine gespenstische Weise. Wie dieses Versagen bei den Hauptakteuren zutage tritt, zeigt Jungk erschütternd: der Abwurf der Bomben auf Japan, ja auch der Bau der Wasserstoffbombe hätten vermieden werden können. Im Grunde wußte niemand, was er tun sollte. Was «technisch süß» war, verführte die meisten, und oft war es einfach nicht möglich, schuldlos zu bleiben. Daß alles menschlich verständlich ist, macht die Geschichte teuflisch. So entsteht schließlich der Eindruck, daß all diese apokalyptischen Bomben nicht erfunden wurden, sondern sich selber erfunden haben, um sich, unabhängig vom Willen einzelner, vermittels der Materie Mensch zu verwirklichen.

Was ist Photographie? Das Handhaben eines technischen Apparats. Was ist Technik? Nach Adrien Turel die Möglichkeit, Prothesen anzuwenden, in unserem Falle: an Stelle des Auges eine Kamera. Er konfrontierte den Menschen mit der erfolgreichsten Bestie der Erdgeschichte, mit dem Saurier, dem Drachen unserer Sagen und Träume. Dieses Reptil, fast gehirnlos, mit seiner Neigung zum Monströsen und Grotesken, manchmal fünfzig Tonnen schwer, über hundertfünfzig Millionen Jahre das herrschende Wirbeltier, gegen dessen Geschichte sich die unsrige etwas lumpig ausnimmt, was die zeitlichen Dimensionen betrifft, variierte im Laufe der noch endlosen Zeit seine Spindelform ebenso entschlossen wie zweckgemäß, paßte sich allem an, dem Lande, den Meeren, den Lüften; bald entwickelten sich die Vorderbeine zu Riesenfledermausflügeln, so daß es als eine Flugmaschine, gewaltige Schatten werfend, dahinsegelte, bald verkümmerten die Vorderbeine zu Greifklauen, während die Hinterbeine mächtig wurden, worauf es nach Menschenart dahinschritt, hochaufgerichtet, donnernd und stampfend, den blutverschmierten Kopf, groß wie ein Volkswagen, sechs Meter über der Erde, dann wieder wuchs sein Hals, schlangenartig, damit es sich, Tang äsend, ins warme Wasser wagen konnte, oder aber es verwandelte sich gar in einen pfeilschnellen Raubfisch. Dem gegenüber der Mensch. An sich kaum besser als sein Vorgänger. Teils harmlos, teils Raubmensch, bald gesellig, bald Einzelgänger. Er stieg wohl etwas verlegen von den Bäumen, müssen wir vermuten, ein Gelächter der Tierwelt, beinahe eine Karikatur, von jedem besseren Raubtier leicht zu verspeisen, von jedem mittleren Gorilla zu demütigen. Doch kam der genierte Besitzer des entwickeltsten Gehirns auf den Geist, zuerst sicher nur verblüfft und zögernd, durch Jahrhunderttausende, doch dann resolut. Er packte an. Was der Saurier stumpf aus seinem ergiebigen Knochengerüste durch Jahrmillionen an Panzer, Waffen, Fluggeräten und Fortbewegungsmitteln entwickelte, schuf der Mensch nun frisch in wenigen tausend Jahren. Aus einem seltenen Exemplar, in einigen verlausten Horden versammelt, nackt um ein qualmendes Feuer herum, aus einer raren Sehenswürdigkeit des frühen Quartärs, wurde das erfolgreichste Lebewesen unserer Zeit, das die Erde umzugestalten begann, indem es sich selbst umgestaltete, umformte. Der Mensch veränderte sich. Nicht durch die Entwicklung seiner Knochen, durch die Anpassung seiner Form, nicht biologisch, sondern demiurgisch, durch die Prothesen seiner Technik. Er paßte sich nicht der Natur, sondern paßte die Natur sich an. Nun fliegt der Mensch, der König der Säuger, der Saurier unserer Zwischeneiszeit auch durch die Lüfte, taucht in die Meere, saust über die Erde, bohrt sich in sie hinein, lauscht, späht, gibt sich kund, tötet bis in die fernsten Fernen, zischt den Planeten entgegen, schweißt die Elemente zusammen, nimmt sie auseinander, baut sie um. Notgedrungen. Technik ist unumgänglich. Die Menschheit ist explodiert, hat sich ins Milliardenhafte vermehrt, und so muß nun die Erde immer grundsätzlicher ausgebeutet werden, ihre Pflanzen, ihre Tiere, aber auch ihre Stoffe, ihre Säuren und Basen, ihre Metalle und Mineralien, vor allem aber ihre Energien. War einst die Beschäftigung mit der Elektrizität ein Anlaß zur Naturspekulation, ja, zur Erkenntnis der Gottheit, ist sie längst nackte Lebensnotwendigkeit geworden, und so wird es auch einmal die Ausnutzung der Atomkraft sein, ist es schon geworden, denn nur die Furcht vor ihr hält einstweilen die Menschen davon ab, wie Saurier übereinander herzufallen. Das Paradies genügte, um Adam und Eva zu ernähren, zur Erhaltung von Milliarden scheint die Hölle nötig zu sein. Der Saurier mußte übertroffen werden, nicht unbedingt seine Gehirnlosigkeit, und so droht er uns wieder einzuholen. Sind wir ihm in der grauen Vorzeit wohl mühsam genug entgangen, uns zitternd in Höhlen verkriechend, als die Erde vor dem donnernden Herannahen der letzten Exemplare seiner Rasse noch einmal erbebte, begegnet er uns nun desto schrecklicher in uns selber. Unsere Flucht vorwärts, in den Geist, in die Zivilisation war vergebens. Stand uns der Tyrannosaurus Rex, steht uns nun der Homo tyrannicus gegenüber. Doch gibt es diesmal keinen Fluchtweg mehr. Der Kampf ist auszutragen.

Von diesem «allgeschichtlichen» Aspekte her – den wir hier gehorsam rapportieren – ist nun die Kamera leicht zu bestimmen. Es ist das Auge des Menschensauriers, das uns da anglotzt. Starr und kalt. Seine Fähigkeiten sind erstaunlich. Ob es sich um die fernsten Spiralnebel handelt, dämmerhaft, abermilliarden Lichtjahre fern, die mit all ihren Kugelhaufen, Gaswolken und Überriesen, Cepheiden und Zwergen in jähem Sturze im Raum versinken, oder um die schattenhaften Kohlenstoffatome des Hexamethylbenzol-Moleküls, nur die Kamera vermag sie gerade noch zu erspähen. Das natürliche Auge des Menschen ist der Zeit unterworfen, sein Bild ist flüchtig, die Netzhaut bewahrt nicht auf, ist vergeßlich, läßt sich täuschen, vom Objekt und vom Intellekt, der nur allzuoft sieht, was er zu sehen wünscht, und das nicht Erwünschte unterdrückt. Auch einen allzu flüchtigen Ablauf der Dinge vermag der Mensch nicht mehr zu registrieren. Die Kamera dagegen greift in die Zeit ein, holt den Bruchteil einer Sekunde heraus, bewahrt, fixiert, setzt die Bewegung außer Kurs, zerlegt sie in ihre verschiedenen Phasen, hält den flüchtigsten Augenblick fest, bannt. Sie ist unbestechlich, überscharf, alldurchdringend. Sie zeigt auf, was erscheint. Sie berichtet, was ist. Sie dokumentiert.

Photographie ist immer Dokumentation. Wo sie uns am meisten angeht, begegnen wir in ihr uns selbst. Im Anderen. Werde ich einmal auch so sein? Warum teile ich nicht dieses Los? Warum habe ich hier nicht geholfen? Diese Fragen bedrängen uns. Photographie wird zur Dokumentation des Menschengeschlechts. Sie macht unseren Planeten zu unser aller Heimat, denn Heimat ist nur, wovon wir uns ein Bild machen können. Dokumente sagen aus, sie haben nicht vor uns zu bestehen, sondern wir vor ihnen, sie fragen, sie klagen an, sie zeugen vom Menschen, von seiner Furcht, von seiner Freude, von seinen Verstecken und Schleichwegen, von seiner Begierde, von seiner Einsamkeit, von seinem Können und von seinem Versagen. Sie erschüttern durch das, was sie aufzeigen. Wir sind ihnen ausgeliefert, und es ist nötig, daß wir uns ihnen ausliefern. Dem Blick der Kamera ist standzuhalten.

Damit jedoch vor uns ein Papierhändler auftauche, dumpf und schmutzig, ein Atlas unter einem Weltall von Papier, dann wieder das runzlige Antlitz einer Greisin, damit überhaupt alte Frauen wie in bösen Träumen erscheinen, bald neugierig und fett von einem Balkon, bald aufmerksam zwischen Gitterstäben hindurchspähend, erkaltet, ohne Illusionen, voll Vergänglichkeit und Bitternis, oder in vermodertem Pelzmantel Zeitungen aus dem Kehricht fischend, damit sich vor uns die Elephantenpuppe eines Schaubudenmonstrums siegreich und doch gedemütigt aufpflanze wie eine weiße Negergöttin, damit uns bald zwei Teufelskinder schrecken, bösartig, höllenlustig, bald ein Weltmetzger mit seinem geschlachteten Opfer, zufrieden das Riesengewicht auf riesigen Schultern wägend, den Schinderlohn schon berechnend, oder ein feister, asthmatischer Taubengott, später eine kläffende Bestie, mit der Vordertatze in den Bannkreis eines alten Pneus geraten, ferner etwa ein gestrandetes Automobil irgendwo, nutzlos, ausgeweidet, ein Kadaver aus Blech, dann eine Mauer, voller Risse und Schmutz wie eine unendliche Mauer von Zeit, an der einer kauert, über die es kein Hinüber mehr gibt, endlich Bäume wie Korallenriffe, erloschene Laternen, nutzlose Geleise, ein Kind endlich, schlafend, wie achtlos hingeworfen, neben einem Eimer, wenige Kilo Mensch, von niemandem gefragt, und der leere Blick einer Betrunkenen; damit dies alles erscheine, festgehalten werde, auftauche aus der grenzenlosen Anonymität der Menschheit, damit alle diese Bilder und Eindrücke vor unsere Augen geschwemmt werden wie Strandgut, muß die Kamera von jemandem ausgelöst, muß gesehen, muß beobachtet werden. Jeder kann knipsen. Aber nicht jeder kann beobachten. Photographieren ist nur insofern Kunst, als sich seiner die Kunst des Beobachtens bedient.

Damit kommen wir zum Schluß, vom Beobachteten zum Beobachter. Zu Bernhard Wicki. Daten liegen bei. Ebenso Lebenslauf. Aus einem Schauspieler ist ein großer Filmregisseur geworden, diese Photographien gehören zu seinen Vorbereitungen. Doch glaube ich darauf hinweisen zu dürfen, daß ich von ihm einige Gedichte kenne.

Gute Gedichte. Auch das scheint mir wichtig. Beobachten ist ein elementar dichterischer Vorgang. Auch die Wirklichkeit muß geformt werden, will man sie zum Sprechen bringen. Daß Wicki von diesem Zusammenhange weiß, bezeugen seine Bilder. Sie stellen einen Fischzug ins Menschliche dar, die Beute ist zeitig und zeitlos zugleich.

UNTERSUCHUNG ÜBER DEN FILM «DAS WUNDER DES MALACHIAS»

I. VORBEMERKUNG

Über Wunder

Davor ist zu warnen. Wunder geeignet für naive Gattungen. Märchen, Zaubertheater, Stummfilm. Das «Wunder von Mailand» nahm das Wunder naiv auf, als schönes Märchen vom Sankt-Nimmerleins-Tag. Der Film «Das Wunder des Malachias» läßt das Wunder in einer nicht naiven Welt geschehen. Das ist die Chance, aber auch die Gefahr des Filmes. Er darf nicht nur «poetisch», sondern muß auch «logisch» stimmen, in sich logisch sein.

Dramaturgischer Aspekt

Das Wunder gehört in den Bereich des «deus ex machina». Die religiös ärgerliche Frage: warum Gott dieses Wunder getan habe, muß dramaturgisch gestellt werden. Auch verführt das Wunder leicht zu einer gewissen religiösen Mogelei [auch bei Marshall]. Daher muß ein Wunder entweder bewußt *nicht* motiviert werden, als etwas an sich Unverständliches, oder dann muß der Sinn des Wunders aufs schärfste herausgearbeitet werden, besonders dann natürlich, wenn es sich gleich zweimal ereignet. Gott hat in der Dramaturgie die Karten aufzudecken.

Dramaturgische Eigenschaft

An sich stellt ein Wunder meistens eine Prüfung oder eine Chance dar, immer aber eine Hilfe zum Glauben oder dessen Bestätigung.

Dramaturgische Sonderfrage: Wie kann ein Wunder rückgängig gemacht werden?

Erste Antwort: Nicht wieder durch ein Wunder. Sonst
ersetzt das zweite Wunder das erste und muß, um aufgehoben zu werden, wieder durch ein drittes Wunder ersetzt
werden usw. Die dramaturgische Schwierigkeit des Filmes «Das Wunder des Malachias» liegt jedoch gerade
darin, daß dieser Weg gewählt wurde. Die «Eden-Bar»
fliegt auf eine Insel und fliegt wieder zurück, wobei in der
Filmfassung noch die weitere Besonderheit dazukommt,
daß sich während des zweiten Fluges der Glaspalast ins
Nichts auflösen muß, der um die Eden-Bar herum gebaut
wurde. Zwar kommt es bei einem Wunder auf etwas mehr
oder weniger nicht so darauf an, aber hier ist dieses «mehr»
doch so, daß dieses zweite Wunder das erste [das Hin-
fliegen der Eden-Bar] bedeutend übertrifft, um so mehr,
weil ja auch eine weitaus größere Anzahl von Gästen
durch die Luft transportiert werden müssen, oder, falls die
Gäste auf der Insel zurückgelassen werden, wenigstens
Zeuge dieses Wunders sind. Der Roman hilft sich leicht
aus dem Dilemma [zu leicht]: «Die Zeitungen schrien vor
dem zweiten Wunder ebenso auf, wie sie es vor dem ersten
getan hatten» usw. Der Film hat es schwieriger. Er kann
nicht einfach so tun, als ob das zweite Wunder keine
Bedeutung mehr hätte. Auf alle Fälle ließe ich im 111. Bild
nicht die gläserne Halle und das Haus verschwinden,
sondern nur das Haus aus der gläsernen Halle.

Zweite Antwort: Soll daher ein Wunder durch ein Wunder rückgängig gemacht werden, darf das zweite Wunder
überhaupt nicht als Wunder erkannt, sondern als etwas
Natürliches gehalten werden. Dies stellt eine dramaturgische Notwendigkeit dar.

2. THEORETISCHE ANWENDUNG DIESER DRAMATURGISCHEN NOTWENDIGKEIT

Vorerst müssen die für das «Fest» wesentlichen Voraussetzungen kurz dargestellt werden.

a] Malachias versetzt durch sein Gebet die «Eden-Bar» von einer Großstadt auf eine einsame Insel.

b] Das Wunder wird von einzelnen Menschen erlebt.

c] Das Wunder wird von der Gesellschaft erlebt.

d] Die moderne Presse und Reklamewelt bemächtigt sich dieses Wunders [Presse und Reklamewelt = Bindeglied zwischen Gesellschaft und Wirtschaft].

e] Die Wirtschaft bemächtigt sich dieses Wunders.

   1. Reißguß – Littmann

   2. Schünemann – Gördes

Resultate

f] Das Wunder verliert dadurch bei den Menschen an Glaubwürdigkeit. Es nutzt sich ab. Der Mensch hindert den Menschen am Glauben.

g] Die Kirche ist gezwungen, sich von einem Wunder zu distanzieren, das eine Blasphemie geworden ist.

Dies alles ist vom Drehbuch ausgezeichnet dargestellt. Logisch notwendig ist jedoch nun auch die Reaktion der Wirtschaft auf f und g darzustellen.

h] Durch die Distanzierung der Kirche und durch die ständig anwachsenden Zweifel am Wunder sieht sich *vor allem* die Wirtschaft bedroht. Inwiefern?

   1. Schünemann hat auf Grund des Wunders ungeheure Summen auf einer einsamen Insel investiert.

   2. Wird nun das Wunder desavouiert, soll «Lourdes ohne Lourdes» möglich werden, muß Schünemann etwas anderes als ein Wunder bieten. Etwas Wunderbares.

i] Aus h läßt sich nun die Struktur des «Festes im Eden-Club» folgern.

1. Dieses Fest muß der Höhepunkt möglichst vieler der aufgezählten Faktoren sein. [Höhepunkt der Wirtschaftskritik, aber auch der Menschenschicksale. Kontrast: der betende Malachias an der Küste.]

2. Aber auch Höhepunkt der wirtschaftlichen Ausnutzung des Wunders.

3. Auch muß es die Wendung der Beziehung Wirtschaft – Wunder bringen. Die neue Idee muß verkündet werden. Diese kann zum Beispiel in der Ankündigung bestehen, daß die «Eden-Bar» im Glaspalast abgerissen werde, um einem Schwimmbassin Platz zu machen. Aus der Eden-Bar muß ein Garten Eden werden.

4. Das Wunder, das sich nun während des Festes ereignet [der Rückflug der Eden-Bar] wird nun als eine vorbereitete Festüberraschung stürmisch gefeiert und belacht, da ja Schünemann gerade vorher den bevorstehenden Abbruch der Eden-Bar verkündet hatte [er kann sogar vorher auch verkündet haben, daß er die Eden-Bar wieder in der Großstadt auf demselben Platz aufbauen werde, «um die Kirche zu beruhigen, denn auch die Finanz hat kein Interesse, den Glauben an etwas faule Wunder zu unterstützen»].

3. PRAKTISCHE VORSCHLÄGE [ungefähr]:

a] Der Höhepunkt des Festes kann aus der Ankündigung bestehen, die Eden-Bar werde im Glaspalast abgebrochen und an ihre Stelle trete ein Schwimmbassin, um an dieser geweihten Stätte einen echten Garten Eden zu ermöglichen, der auch im Winter benutzbar sei. Diese Ankündigung in Form einer blasphemischen Rede von Glaß im Namen Schünemanns. Wortspiele mit «Wunder». Von einem Wunder heiße es, nun in ein Wunder der Technik überzugehen, in das wirkliche Wunder unserer Zeit vorzustoßen usw. Dazu Scheinwerferpanne, nur das drehende Licht des Leuchtturms, dann ist plötzlich die Eden-Bar verschwunden. Verblüffung, darauf riesiges Gelächter, Bravo, Beifall, alles gratuliert Schünemann zu dem Jux. Jeder hatte die Kulissen für die wirkliche Eden-Bar gehalten. Und schon tanzt man auf dem nackten Felsen, der nun in der Mitte des Glaspalastes zum Vorschein gekommen ist. Schünemann etwas erstaunt zu Gördes: «War's wirklich eine Kulisse?» «Keine Ahnung.» Schünemann zündet sich eine Zigarre an: «Na, jedenfalls muß man es dem lieben Gott lassen, der Mann meint es wirklich fair mit uns Geschäftsleuten.»

Dann 111. Bild ohne Gebet. Nur Malachias, der sich vom Gebet erhebt.

Darauf Schlußbild.

b] [Erweiterung] Das Fest beginnt mit einer Auslosung: Das Liebespaar der Eden-Bar, das Paar der Wundernacht, Malachias und Malachine. Christian und Nelly werden ausgelost. Erscheinen als Mönch und Nonne. Blasphemische Hochzeit durch Glaß und Münster-Preuß. Werden in die Eden-Bar geleitet.

Ufer. Malachias kommt ins Bild.

In der Eden-Bar im Glaspalast: Nelly und Christian sich umarmend. Zynische Liebesszene.

Dann Rede Glaß, Kurzschluß, Wunder usw. wie Fest bei a.

Malachias sich am Ufer erhebend. Davongehend.

Christian und Nelly treten Zigaretten rauchend aus der Eden-Bar. Erstarren. Befinden sich in der Großstadt.

«Das Wunder.» «Es ist wieder geschehen.» «Aber zu spät für uns beide.» Entfernen sich über den nächtlichen menschenleeren Platz, ohne noch einmal voneinander Abschied zu nehmen.

Dann Schlußbild.

Ob man denn auch eigentlich über Ronald Searles gespenstischen Einfall, Schoolgirls mit den wildesten Lastern zu behaften und sie die scheußlichsten Verbrechen begehen zu lassen, lachen dürfe, ist eine Frage, die sich gewiß stellt, doch meistens wohl erst dann, wenn man gelacht hat. Nun besitzt ja die Karikatur, wie alle Geschosse des Witzes, eine nicht geringe Durchschlagskraft, und das Lachen ist nicht immer allein ihr Endzweck, sondern oft nur die Detonation ihres Einschlags [eine Detonation, die sich dann eben zwangsläufig ereignet]. Das Geschoß jedoch dringt darauf dem Ziel, das es sich erwählte, mitten ins Herz. So auch bei Searle. Gewiß ist auch der reine Ulk da, die Harmlosigkeit, der zeichnerische Einfall, doch gerät er unversehens in unheimliche Bezirke, wie dies vielen englischen und amerikanischen Humoristen ja eigen ist, man denke nur an Mark Twains «Menschenfresserei im Eisenbahnzug», wo die Groteske unversehens zu einer dämonischen Kritik der amerikanischen Demokratie wird. Die Karikatur ist eine der Waffen des menschlichen Geistes geworden, das ist zu bedenken, eine der Möglichkeiten der Kritik am Menschen, und ich glaube nun nicht, daß dies so überflüssig ist. Doch ist damit die Frage nach dem Wesen dieser Schoolgirls noch nicht gelöst. Was hier geschehen ist, läßt sich genau zeigen, wenn auch nicht erklären. Am besten wohl, wenn man Searles Vorgehen im logischen Raume wiederholt. Durch den Syllogismus etwa: Die Menschen morden, foltern und trinken, Schoolgirls sind Menschen, also morden, foltern und trinken Schoolgirls. Was wird damit erreicht? Nun, das Bedrohliche, die schreckliche Möglichkeit im Menschen wird durch einen Dreh, wenn man will, durch einen Kniff der Groteske, als etwas Absurdes und gleichzeitig als etwas «Allgegenwärtiges», Absolutes ans Tageslicht gebracht; hier, indem Zeit eliminiert wird, als würde man etwa den Säugling Hitler alle jene Dinge vollbringen lassen, die der Mann Hitler dann vollbrachte. Dies zur satirischen Technik Searles, zu einer Technik, die ja am vollendetsten ein anderer Engländer, Swift, beherrscht hat.

Karikaturisten wie Searle sind vor allem bedeutend durch den Einfall, später erst durch ihre zeichnerischen Qualitäten [die wir durchaus nicht leugnen möchten]. Sie gehören der Satire, dem Witz an, das möchte ich noch einmal bemerken, und es ist heute nötig, die Satire in jeder Kunstgattung als eine eigene Kunstart zu begreifen, die ihre eigenen Gesetze besitzt und ihre eigene Ästhetik, gibt es doch heute auch Musik, die zu ihr gehört, und dies wohl viel mehr, als man glaubt. Die Satire ist eine exakte Kunst, gerade *weil* sie übertreibt, denn nur wer die Nuance und das Allgemeine zugleich sieht, *kann* übertreiben. Auch diese Kunst will gelernt sein. So soll man denn in Searle das sehen, was er ist. Vor allem einen echten Komödianten, auch wenn er mit einem Male gar nicht mehr gemütlich ist. Das sind die echten Komödianten nämlich nie. Die beißen. Achtung vor Ronald Searle.

Rosalie de Constant war ein kleines, buckliges Fräulein,
das mit ihrer Familie von Genf nach Lausanne in die
Chablière gezogen war und dem Haushalte vorstand,
Cembalo und Mandoline spielte, ja sogar komponierte,
daneben einen enormen Briefwechsel führte, so mit dem
Naturforscher und Freunde Rousseaus Bernardin de
Saint-Pierre; aber auch an das schwarze Schaf der Familie Constant, an ihren Bruder Charles «le Chinois»
schrieb sie öfters, an einen Pechvogel, dem im Geschäftsleben und in China vieles schiefgegangen war, bis er
endlich, nach einem langen Prozeß mit der englischen
Admiralität, eine Genfer Bankierstochter heiratete. Das
wäre alles an und für sich kaum mehr der Rede wert.
Aber 1790 begann Rosalie de Constant mit der Arbeit an
ihrem Herbarium, entstanden die ersten Aquarelle eines
Werks, das einmal 1251 Blätter enthalten sollte, dessen
Vorlagen sie selber in der näheren und weiteren Heimat
sammelte. Ein Jahr vorher hatte sich die Französische
Revolution angebahnt, dieser mächtige Versuch, die Verhältnisse der Menschen untereinander zu ändern. Später,
als das Fräulein immer noch zeichnete und malte, ließ
Robespierre die Köpfe rollen, krempelte Napoleon Europa um, kam hoch und ging wieder unter, versuchte
man zu restaurieren und zu renovieren. Zwischen den
beiden so ungleichen Unternehmen, zwischen dem ruhi-
gen der Westschweizerin und jenem blutigen der Weltgeschichte, scheint es keinen Zusammenhang zu geben;
es sei denn, man sehe in dieser leidenschaftlichen Pflan-
zenmalerei eine Flucht aus der Zeit in die reinen, schmerz-
losen Regionen der Flora. Möglich. Doch ist jede Flucht

aus der Zeit illusorisch: die Zeit hat uns, nicht wir haben die Zeit. Was wir auch unternehmen, die Zeit handelt durch uns, drückt sich durch uns aus. Die Wege sind verschieden, die Impulse die gleichen. Auch entwickelt sich jede Zeit aus ihrer Vergangenheit, allmählich und eigentlich unmerklich, schleppt noch lange den Ballast des Vergangenen mit sich, all die Irrtümer und Vorurteile der Vorgänger, vermischt es mit dem Neuen. Die Menschheit denkt mit vielen Köpfen. Die Resultate, die sie erzielt, sind nie eindeutig, auch nie einheitlich, sondern vielfältig, sich widersprechend. Alles hängt zusammen. Die Französische Revolution und das Herbarium der Genferin wurzeln beide in der Aufklärung. Rousseau ist für beide wichtig, der ja nicht nur den «Contrat social» schrieb, sondern auch selber botanisierte, dessen «Briefe über die Anfangsgründe der Botanik» für Rosalie de Constant ausschlaggebend gewesen sind. Die Aufklärung führte zu Revolution und Evolution, zu Gewaltmaßnahmen und Erziehungsplänen, zu Marat und Pestalozzi. Jede Zeit ist paradox, bringt ihre Ungeheuer und Heiligen hervor, treibt wilde Schößlinge und verborgene Blüten, schwemmt Unsinniges ans Licht und Gnädiges. Wenn wir heute vielleicht in diesem Herbarium mehr ein rührendes ästhetisches Gebilde erblicken, oder wenn wir geneigt sind, diese Aquarelle fast wie abstrakte Formenspiele zu betrachten, so dürfen wir dennoch nicht vergessen, daß die Westschweizerin nicht als Malerin beurteilt sein will, gar etwa als «peintre naïf». Jede Zeit hat ihre Wissenschaft, ihren wissenschaftlichen Stil, sucht etwas ganz Bestimmtes herauszubringen, weist ihre eigene Neugierde auf. In jener Jahrhundertwende war die Naturwissenschaft noch weitgehend ein Sammeln, Ordnen, Einordnen ins Ganze. Noch war sie der Philoso-

292

phie untergeordnet, wenn auch mühsam und künstlich. Das Ideal der Zeit war die Gesamtbildung, und so war man denn über alles im Bilde. Aus dem einfachen Grunde, weil es noch möglich war, «alles» zu wissen, weil die Kenntnisse sich noch vom einzelnen Individuum bewältigen ließen. Spezialisten schienen noch nicht notwendig, und wo sie aufgetaucht waren, stießen sie auf Widerstand. Die geistigen Konflikte jener Zeit weisen darauf hin, etwa Goethes hartnäckiger Kampf gegen Newtons Optik. Goethes Farbenlehre war Wissenschaft im Sinne der Aufklärung, ein Beschreiben und Ordnen der Phänomene, nicht ein Erklären, die Optik des Engländers dagegen ist strenge Wissenschaft in unserem Sinne, ein Zurückführen der Erscheinungen auf Naturgesetze, ein Transponieren ins Mathematische, reine Physik und als solche schon abgesondert, weitgehend nur dem Physiker verständlich, dem Spezialisten. Dies vorausgesetzt ist nun auch unser Herbarium durch ein wissenschaftliches Werk zu würdigen. Es geht Rosalie de Constant nicht um die Anordnung der Zellen, um den osmotischen Druck oder um den chemischen Aufbau des Chlorophylls, aber es geht ihr um die Gestalt der Pflanzen, gleichsam um ihre Individualität. Die Blumen werden porträtiert. Sie begegnen uns als Lebewesen, als pflanzliche Leiber, losgelöst vom Standort, vom Erdreich, vom Humus. Sie sind reine Objekte, immer neue Manifestationen der immer gleichen Lebenskraft. Aber die Wissenschaft mußte weiterdringen, die Gestalt auflösen, analysieren. Auch die Botanik. Sie drang immer mehr ins «Nicht-Sichtbare» vor, tauchte mit ihren Mikroskopen und Elektronenmikroskopen ins Unendlich-Kleine. Ihr Weg führte von der Gestalt, vom Endprodukt des Lebens zu dessen Vorbedingungen, in den abstrakten Bereich des Atomaren.

Aber wie weit sich auch die Wissenschaft in dieses schwankende Reich vorwagt, nie darf sie ihren Ursprung vergessen. Sie entstammt der natürlichen Wißbegierde des Menschen, seiner Fähigkeit zu beobachten. Rosalie de Constants Herbarium ist ein allgemeingültiges Werk der Naturbeobachtung, ein klassisches Werk und als solches zeitlos, ein bleibendes Zeugnis des menschlichen Geistes, eine liebenswürdige Schule des Sehens.

V

DER SCHRIFTSTELLER
ALS THEATERKRITIKER

Wichtig an Karl und Franz ist vor allem, daß sie Brüder sind. Von dieser Beziehung her sind sie zu beleuchten. Es handelt sich um eine Urbeziehung wie die des Vaters zum Sohn. Wir schließen hier die Beziehung Mann-Weib oder die des Freundes zum Freund aus, denn diese Beziehungen sind das, was sie sind, Beziehungen zwischen den Menschen. Die Beziehung Vater-Sohn ist aber mehr, sie ist auch ein Gleichnis zu der Beziehung Gott-Mensch, Schöpfer-Geschöpf. Dies ist die Urbeziehung, die Beziehung, die am Anfang steht, mit der die Bibel beginnt, mit der die Zeit beginnt, mit der aber auch das Drama beginnt. Zu Gott und Adam treten jedoch Kain und Abel, der Jüngere zum Älteren. Die Beziehung des Bruders zum Bruder ist nur durch den Vater da, die Beziehung des Bruders zum Bruder ist nur möglich, weil in ihr die Beziehung Vater-Sohn nicht aufgehoben ist. Indem aber ein Bruder zum Bruder tritt, weist die Beziehung Vater-Sohn ein neues und entscheidendes Moment auf: Die Beziehung Vater-Sohn ist nicht umkehrbar, sie ist nicht gleich der Beziehung Sohn-Vater: Ein Sohn hat nur einen Vater, aber ein Vater mehrere Söhne. Ein Sohn ist durch den Vater bestimmt, aber ein Vater nie durch einen Sohn allein, sondern durch alle seine Söhne; es müßte denn der Sohn der Vater sein.

Doch auch in der Beziehung des Bruders zum Bruder liegt ein besonderes Moment, jenes, das den Kain zum Kain und den Abel zum Abel macht. Ohne dieses Moment wären sie nur so verschieden, wie die Eins von der Zwei verschieden ist, allein durch ihre Position in der

Zeit. Dieses Moment liegt darin, daß sie beide eine andere Beziehung zum Vater haben, zu Gott. Oder anders gesprochen, dieses Moment ist die Gnade, die der eine hat und die dem andern fehlt. Erst durch die Gnade gibt es Individualität, kann die Zwei vor der Eins sein, wie Abel vor Kain ist, der Jüngere vor dem Älteren. Hier liegt die dialektische Möglichkeit der Feindschaft zwischen Kain und Abel.

Diese Überlegung ist einfach und summarisch, sie umreißt das Problem wie eine flüchtige Skizze, die wir entwerfen, um uns verständlich zu machen. Wir würden sie vielleicht überall da machen, wo von Brüdern die Rede ist, gerade von zweien, auch dort, wo zwischen ihnen nicht der Haß, sondern die Liebe steht, wir denken etwa an die Brüder Walt und Vult in Jean Pauls «Flegeljahre», denn auch von ihnen ist nur einer der Begnadete.

Auch glauben wir Schiller keinen Zwang anzutun, wenn wir zuerst von Kain und Abel geredet haben. Schiller denkt in den Räubern noch ganz in biblischen Vergleichen, und er schrieb sie zu einer Zeit, in der man noch Klopstock las. Er vergleicht den alten Moor mit Jakob, die Gerichtsvision des Franz ist aus der Apokalypse, Daniel bezeichnet sich selbst als Elieser usw.

In der Beziehung Franz-Karl liegt immer der Vater, der, wie Gott den Abel, Karl mehr liebt. Wie Kain haßt Franz den Bruder. In der Bibel steht nur, daß Kain ein Ackermann und Abel ein Schäfer gewesen sei und daß Gott nur das Opfer des Abel gnädig aufgenommen habe, der fromm war. Kain ist unfromm und tötet aus Neid, weil er die Gnade nicht hat. Das läßt sich auch von Franz sagen, aber dennoch ist Franz nicht gleich Kain. Zwar ist auch Franz nicht fromm, aber er ist auch der Benachteiligte, der Häßliche. Schon darin liegt eine wichtige Tatsache, daß Franz im Gegensatz zu Kain der Zweitgeborene ist, daß alles Recht bei Karl, dem Bruder liegt. Karl ist der Held und Franz der Schurke, Franz heißt die Canaille. Dieses Wort des Schweizer hat ihn für immer abgestempelt. Der Gegensatz Karl-Franz ist größer als der Gegensatz Kain-Abel und darum auch flacher. Zwischen Kain und Abel steht allein die Gnade Gottes. Das Vorbild zu Franz ist eindeutig Shakespeares Richard der Dritte. Schiller versucht, den Richard mit Franz zu übertreffen, etwa so, wie in den unmöglichen Faustdramen Klingemanns und Grabbes versucht wird, Goethes Mephistopheles durch einen wirklichen Teufel zu übertreffen. Aber reine Teufel wirken nicht mehr, denn es ist eine alte Theaterregel, daß man nie ungemischte Charaktere auf die Bretter stellen darf. In Wirklichkeit ist jedoch der Gegensatz Franz-Richard anders.

Der Unterschied zwischen den beiden ist im wesentlichen in den Anfangsmonologen des Richard und des Franz enthalten. Beide stehen dort den gleichen Tatsachen gegenüber, aber Richard begründet seinen Vorsatz nur, er rechtfertigt ihn nicht: Weil er so ist, will er so handeln. Sein Entschluß zum Bösen ist ein freier Entschluß seines Geistes, das ist seine Dämonie, und darum ist er der große Verführer, und darum kann er die Anna verführen, die großartigste Verführungsszene, die es gibt. Bei Franz ist die Begründung seines Vorsatzes eine Rechtfertigung: Er hat das Recht, so zu handeln, weil an ihm ein Unrecht begangen worden ist, weil sein ganzes Sein ein Unrecht an ihm ist. Darum ist sein Monolog in einer grandiosen Weise unanständig, es liegt darin eine Blasphemie gegen den Vater und darum auch gegen Gott. Franz fragt, wo man nicht fragen darf. Er wälzt die Sünde von sich auf den, der ihn gezeugt hat. Aber gerade dadurch, daß er sich rechtfertigt, wird er zwar schlechter als Richard, der größere Schurke, aber er wird weniger dämonisch, wenn wir als dämonisch die Liebe zum Bösen bezeichnen. Richard ist einer der großartigsten und entsetzlichsten Menschen, weil er sich nicht rechtfertigt. Dadurch ist er viel mehr in der Nähe Kains als Franz, denn auch Kain rechtfertigt sich nicht.

Da nun Franz der «Nur-Schurke» ist, kann er auch nicht in der Weise verführen wie Richard, das heißt, er kann nicht durch sich selbst verführen. Seine Verführung ist nicht mehr unmittelbar. Richard ist faszinierend, Franz hat keine Leuchtkraft. Er ist der Intrigant. Seine Verführungsversuche gegenüber der Amalia müssen in Plattheiten endigen, beim primitiven Vergewaltigungsversuch. Er ist ein Meister der Ränke, und so ist auch die Art, wie er seinen Bruder versucht, das Meisterstück eines Schurken. Er kann seinen Bruder nur durch den Vater hindurch versuchen. Er verführt den Vater, Karl zu verstoßen. Dadurch erst, daß der Vater getäuscht werden kann, ist es ganz ein Spiel unter Menschen geworden, rollt sich alles auf der menschlichen Ebene ab, denn nun erst ist alles kein Gleichnis mehr für die religiöse Urbeziehung. Dieses Moment trennt Franz ganz von Kain und trennt Karl ganz von Abel. Dort liegt die größte Rechtfertigung des Franz, daß sich der Vater täuschen läßt. Dadurch wird es aber auch möglich, daß Karl verführt wird, und Karl wird durch das verführt, womit sich Franz selbst verführt, durch die Rechtfertigung. Karl glaubt sich gerechtfertigt, wenn er ein Räuber wird. So führt die Linie zu Michael Kohlhaas, dem eigentlichen dialektischen Gegenstück zu Richard dem Dritten. Kohlhaas ist der Mensch mit der größten Berechtigung, und er handelt auch nur aus Berechtigung. So ist er «einer der rechtschaffensten und zugleich entsetzlichsten Menschen seiner Zeit», den «das Rechtsgefühl zum Mörder und Räuber machte». Franz ist der Mensch, der sich selber rechtfertigt, Karl jener, der sich gerechtfertigt glaubt, und Kohlhaas jener, der von den Menschen gerechtfertigt ist. Es ist entscheidend, daß die Rechtfertigung von den Menschen ist, denn von den Menschen ist nicht von Gott. Die Tragik liegt darin, daß Kohlhaas wie Richard wird. Kohlhaas hat alle Voraussetzungen zum Helden, muß aber zum Verbrecher werden, Richard kann sowohl ein Held als auch ein Verbrecher werden und wird aus eigenem Willen ein Verbrecher. Richard ist frei, und Kohlhaas ist unfrei. Richard ist frei, weil er sich nicht rechtfertigt, es ist dies die Freiheit der heutigen «Existentialisten». Kohlhaas ist unfrei, denn sein Handeln ist durch die Welt gerechtfertigt, die an ihm ein Unrecht begeht. Es gibt in den Räubern eine Person, deren Geschick eine gewisse Ähnlichkeit mit dem des Kohlhaas hat: Kosinsky, auch hier ist das Verbrechen durch den Staat geschützt. Kosinsky hat ebenso recht wie Kohlhaas, und über den Räubern steht: In Tyrannos. Aber gerade weil sie recht haben, sind sie unfrei, und sie würden erst wieder frei, wenn sie auf ihr Recht, zu handeln, verzichten würden. Auf Recht verzichten heißt Unrecht ertragen. Das ist aber nur möglich, wenn das Recht bei Gott ist. Das ist die christliche Freiheit, daß man nur vor Gott gerechtfertigt zu sein braucht, oder, daß man ein Unrecht ertragen kann. Vor Gott ist man nur durch die Gnade gerechtfertigt, und das ist Abel. Das sind die christlichen Zusammenhänge von Gnade und Freiheit. Die Tragödie des Kohlhaas ist die Tragödie des menschlichen Richters, der menschlichen Gerechtigkeit. Sie liegt darin, daß Kohlhaas zwar die Welt widerlegt, aber gerade dadurch selbst von der Welt widerlegt wird. Allein Gott kann die Welt widerlegen, ohne von ihr widerlegt zu sein. Unbedingt kann nur Gott sein, und darum gibt es ein Jüngstes Gericht. Kohlhaas muß aber unbedingt sein, wenn er rechthaben will, und dadurch wird seine Gerechtigkeit ein Verbrechen. Er ist gezwungen, wie Gott zu handeln, weil er nicht auf sein Recht verzichten kann. Das ist es, was ihn entsetzlicher als Richard macht, der nur gezwungen ist, ohne Gott zu handeln.

Hier möchte ich haltmachen, obgleich man hier eigentlich erst anfangen sollte. Es ging mir aber nur darum, einen bestimmten Verdacht zu äußern, der mir anläßlich der Basler Aufführung der Räuber kam, daß nämlich Richard und Franz zwei entgegengesetzten Polen innerhalb der Welt des Bösen zugeordnet seien und daß eine Linie von Franz zu Michael Kohlhaas führe. Hier scheint uns auch die Bedeutung der Räuber zu liegen. Es ist ein Schauspiel von bedeutenden Dimensionen, die durch Kurt Horwitz deutlich gezeigt wurden, es ist nur die Frage, ob Schiller später zwar an Kunst gewonnen, aber an Dimension verloren habe.

SCHILLERS RÄUBER

Der Untergang der Familie Moor, die im achtzehnten
Jahrhundert irgendwo in Franken eine Grafschaft betrieben haben soll, würde uns kaum mehr interessieren,
ließe das Schauspiel nicht eine merkwürdige Idee erkennen und kämen darin nicht einige der kühnsten Pam-
phlete vor, welche die in dieser Hinsicht doch etwas zu
zahm ausgestattete deutsche Literatur aufweist; Pam-
phlete, die, wären sie gegen heutige Zustände gerichtet,
wie es damals der Fall war, das Publikum wohl nicht so
ruhig wie in der Eröffnungspremière des Schauspielhauses finden würden. Es pfiff niemand, den es anging. Die
Aufführung spielte sich vielmehr unter allgemeiner Begeisterung ab, und wenn sich allerlei Peinliches auf der
Bühne ereignete, so nahm man dies gern gegen das Bewußtsein in Kauf, einem Klassiker beizuwohnen. Es muß
jedoch untersucht werden, wo das Peinliche lag, bei
Schiller oder bei der Interpretation. Im ersten Schreck
war man bereit, das erstere anzunehmen. Die «Räuber»
enthalten Elemente, die uns heute befremden und die
nicht zu umgehen sind. Die besondere Neigung der Deutschen, pathetisch und sentimental zugleich zu sein, kündet sich, wie ferner Donner, schon bedrohlich an, ebenso
das merkwürdige Vorurteil, daß nur Bösewichter geistreich sein dürfen. Dazu fehlt dem mit Schauerlichem über-
ladenen Stück der Ausgleich des Komischen, das gerade
hier so bitter nötig wäre und Shakespeare so groß macht;
wo wir es vorhanden glauben, ist es unfreiwillig, so beim

Priester, so beim Nestroy-Tod des Franz. Dies alles zugegeben, kann doch die Schuld nicht ausschließlich auf den achtzehnjährigen Schiller geschoben werden. Das Stück ist nun einmal eine ebenso geniale wie unbeholfene Angelegenheit. Es enthält einen Bruch, der nur durch das grandiose Feuer der Rhetorik geschlossen werden kann, die in diesem Drama wütet. Man kann bei den «Räubern» nicht zurück, man muß vorwärts. Man kann nicht mildern und Konversation treiben, wo nur ein kühner Sprung durchs Pathetische hindurch ins Groteske die Situation retten kann. Die «Räuber» sind nicht zu humanisieren – der sympathische, aber tödliche Grundfehler der Regie Wälterlins. Die Aufführung war nicht schlecht, sie wäre sogar gut gewesen, wenn man nur nicht gerade die «Räuber» gespielt hätte. So stimmte sie denn nur in zwei Punkten: im Bühnenbild Ottos und im Franz Moor Ginsbergs. Innen und Außen ließ Otto zusammenwachsen, dem Sumpfigen, Vermoderten der Wälder entsprach das Vermoderte, Irre der Räume, die Ginsberg als Franz durchmaß, kühn Schiller spielend, der hier, wie im ganzen Stück, eine einzige Übertreibung ist. Gerade durch dieses Wagnis, durch diesen Sprung in eine überdimensionierte Charge gelang es Ginsberg, nicht literarisch zu sein. Er wurde gefährlich. Das kann man vom begabten Rolf Henniger als Karl nicht ganz behaupten. Zwar glaubte man ihm fast alles, nur gerade das eine nicht: daß nämlich zwei Menschen wie er den ganzen Bau der sittlichen Weltordnung zugrunde richten würden. Und das vor allem sollte doch glaubhaft sein. Karl ist in erster Linie ein moralischer Don Quichotte. Die zwei Ungeheuer, die sich mit gleicher Wirkung gegenüberstehen, das moralische und das nihilistische, müssen vorhanden sein. Die Aufführung fiel der Tradition zum Opfer, Karl dem jugendlichen Helden anzuvertrauen. Es wäre einmal zu wagen, Ginsberg den Karl und Steckel den Franz spielen zu lassen: Zwischen solchen Säulen könnte man die Handlung wie ein Stück zerrissener Rokokowäsche flattern lassen. Die Aufführung wäre unkonventionell, aber es könnte dann geschehen, daß unvermittelt das Geniale dieses Stücks an die Rampe träte. Vielleicht daß *dann* das Publikum erschrecken würde. Aber das sind schöne Träume. Man erschrickt nicht bei Klassikern. Man klatscht. Es gab unzählige Vorhänge.

Leonard Steckels glänzende Inszenierung geht auf eine Komödie Hans Rothes zurück, die um 1935 herum geschrieben worden ist. Sie erzählt die Geschichte zweier Veroneser, die nach Mailand reisen, wo der eine den andern mit der Absicht verrät, dessen Geliebte zu gewinnen, um aber endlich doch zu jenem Mädchen zurückfinden zu müssen, das er in Verona verlassen hat. Der Schluß spielt sich im Wald unter Räubern ab. Das Lustspiel ist mit großer Geschicklichkeit geschrieben und mutet etwas epigonenhaft an; doch enthält es einzelne Stellen von einer dichterischen Kraft, wie man sie nur noch bei Schlegel-Tieck findet. Daß die Vorlage zu diesem Stück Shakespeares Komödie gleichen Namens sein soll, ist möglich, wenn auch unwahrscheinlich; das Vorbild muß vielmehr irgendwo bei den Romantikern zu suchen sein: Wer kennt auch alle, die damals gedichtet haben!

Auch Steckel scheint dieser Meinung zu sein. Man kam bei seiner Inszenierung wirklich nie auf den Verdacht, einen Shakespeare vor sich zu haben. Doch sei diese Frage der Literaturwissenschaft überlassen. Uns geht es darum, was Steckel bot und wie er es machte, daß ein höchst lebendiger und erfreulicher Theaterabend zustande kam. Das Publikum reagierte denn auch mit einer Begeisterung, wie dies sonst nur noch vor einem Klassiker vorkommt. Mit Recht. Es war stärkster Steckel. Er spielte das Stück ins Komödiantische, ohne darin unterzugehen, so weit er auch hinausschwamm, und das ist eine Kunst, die jeden Beifall verdient, und ein Kunststück, das hier durchaus nötig ist. Hätte er zum Beispiel einen Shakespeare zu inszenieren gehabt, wäre es zu diesem atemraubenden Balanceakt gar nicht gekommen. Ein Max Haufler als Herzog von Mailand, als Vater der umkämpften Prinzessin wäre bei Shakespeare eine unmögliche Besetzung, weil bei ihm nie die Welt als solche komödiantisch ist, sondern nur genau bestimmte Teile davon, etwa die Dienerschaft, das «Volk» oder die Stutzer des Hofs, doch nie die Mitte, nie ein Herzog zum Beispiel: die sind entweder schlecht oder gut, diese Herzöge und Könige, je nach ihrer Natur, aber nie komödiantisch. Denn für Shakespeare ist es wichtig, daß die Mitte eine sichtbare Kraft ist, eine Sonne gleichsam, die zerstören oder heilen kann. Mit dem großartigen Haufler aber als Mitte wurde die Welt zu jener Komödienbühne, die Fritz Butz in seinen Kulissen hinstellt und die Steckel mit einer erstaunlichen Phantasie beherrscht, mit immer neuen Einfällen, ohne je seine Klarheit zu verlieren. Es ist die Welt der Pointen, die jeden Schreck verliert und nur noch zum Witz wird, so daß sie dort am lustigsten erscheint, wo sonst der schrecklichste Punkt zu denken wäre: bei den Ausgestoßenen, bei den Räubern. Das ist in der Welt des Komödiantischen denn auch völlig legitim, und daß der Abend legitim wurde, ist Steckels Verdienst. Ohne ihn hätte man Rothe unter Umständen verhaften müssen. Auch zeigte sich Steckel ebenso sicher dort, wo mehr als Komödiantisches vorhanden sein soll. Die zwei Liebespaare führte er mit souveräner Überlegenheit, setzte sie von den übrigen ab, ohne sie herausfallen zu lassen. Bei der guten Besetzung konnte das auch gelingen.

Nur schade, daß es Rothe entging, aus dem Veroneser Proteus etwas mehr als einen flatterhaften Burschen zu machen, mit unzähligen Liebschaften behaftet. Den Fall einmal angenommen, Shakespeare hätte den gleichen Stoff behandelt, so wäre Proteus der eigentliche Hauptdarsteller geworden, er hätte seine Geliebte in Verona nicht verlassen, weil er ihr entfliehen wollte, sondern weil er mußte [vielleicht hätte es einfach sein Vater befohlen], des weiteren hätte ihn die Liebe zu der Prinzessin wie ein wildes Tier überfallen, ohne psychologische Vorbereitung, einfach als ein grausames Ereignis, um aus ihm einen Schurken zu machen, um so erbarmungsloser, weil er vorher zum ersten Male liebte; und nun hätte er, man kann sich das ausdenken, seinen Willen zu Verrat und Meineid sicher in düsteren Monologen bekanntgegeben. Ein nicht eben leichtes Stück. Vielleicht hätte sich Shakespeare dazu noch auf eine knappe Handlung beschränkt «mit wenig Humor» und sich damit beschäftigt, in diesem fingierten Stück «Verse von ungewöhnlichem Wohllaut» zu schreiben. Und wenn es dann auch noch einem so geschickten Übersetzer wie Hans Rothe in die Hände gefallen wäre, so hätte dieser vollends gezeigt, daß es ein Vorläufer jener Komödiengattung Shakespeares ist, die in «Maß für Maß» ihren gewaltigen Höhepunkt erreicht. Doch nichts von alledem geschah. Es gab keine düsteren Monologe, es gab einen glänzenden Theaterabend. Rothe schreibt viel zu geschickt, um sich in solche Schwierigkeiten zu verrennen. Das tut nur bisweilen Shakespeare.

Das Theater, als Gattung genommen, diese höchst zweifelhafte Beschäftigung des Geistes mit der Materie, oft-
mals totgesagt, zugegeben – dieses zweideutige Unternehmen, halb Kunst, halb Geschäft, halb Begeisterung,
halb Routine, das sich hartnäckig durch die Armut dieser
Zeit fastet, indem es vorgibt, Bildung, Philosophie, Moral, Realismus und weiß Gott was noch alles zu treiben:
Es wäre trotz noch so vollendeter Aufführungen klassischer Autoren und moderner dramenschreibender Schriftsteller [wir setzen den Idealfall] und trotz noch so großer
Kunst des Spiels, der Dramaturgie oder gar der Regie zu
einer hoffnungslos kranken Angelegenheit geworden, zu
einem Modehaus aller möglichen Ansichten, wenn es
nicht stets aufs neue um jener zehn dichterischen Worte
willen Gnade fände, die auch heute noch immer wieder
zu seiner Rettung geschrieben werden und die sich auch
heute noch *nur* auf ihm ereignen können. Nicht durch
eine Abstimmung steht oder fällt das Theater, sondern
allein dadurch, ob sich die Dichtung sein erbarme. Es
gibt keine Theaterkrise – das wäre auch etwas ganz Un-
interessantes –, es gibt nur eine Krise der Dichtung, die
immer etwas Bedenkliches ist. Dies alles, einmal in Erinnerung gerufen, berechtigt, Fry eminent wichtig zu
nehmen, der ein Dichter ist, obgleich er Verse schreibt.
So einfach ist es natürlich nicht, daß ein dichterisches
Drama an den Vers gebunden wäre, dieses ist so gut und
heute vielleicht in steigendem Maße noch entscheidender
in reiner Prosa denkbar – eine Möglichkeit, die unsere
Zeit definiert.

Doch kümmert uns hier diese Frage nicht angesichts des Glücks, daß *diese* Verse stimmen und den Bühnenraum, mehr, das ganze Theater zu füllen vermögen; und auch jene Frage nicht, ein wie großer Dichter Christopher Fry denn eigentlich sei, ob man ihn nicht vielleicht doch überschätze: Heutzutage kann man Dichter überhaupt nicht mehr überschätzen, die allgemeine Mißachtung des Geistes ist zu unmäßig geworden. Sind wir aber hellhörig für das Wort eines Dichters, dann ist uns die Handlung gleichgültig, diese etwas seltsame, mittelalterliche Geschichte von einem, der gehängt werden will, und einer, die man verbrennen möchte; all diese Gespräche, Räusche, Liebeserklärungen, Prügeleien und Wahnsinnsausbrüche, die da in diesem Raum von fasrigem Holz und Luft vor sich gingen, den Otto auf die Bühne stellte. Es gibt zu viele Stücke, die so schlecht geschrieben sind, daß nichts als noch gerade die Handlung interessant ist. In diesem Stück jedoch ist die Handlung nur dazu da, den Menschen in eine Situation zu bringen, in der er Dinge ausspricht, die er beim Frühstückstisch nicht eben so leicht sagen würde; kurz, um Sprache zu ermöglichen und in der Sprache die Welt. Was bestände auch vor der Sonne und dem Mond dieses Aprils, der sich da, triefend von Regen, auf der Bühne erhob! Ferner gehen wir nicht auf die Frage ein, was denn eigentlich diese Hexengeschichte mit uns modernen Menschen zu tun habe: wie wenn eine Dichtung denkbar wäre, der man die Aktualität absprechen könnte! Des weiteren läßt uns die Möglichkeit kühl, daß Fry vielleicht vieles symbolisch meint, und auch seinen Tiefsinn übersehen wir: wer ist nicht schon heute alles symbolisch und tief! Wichtig ist [wenn je dieses Wort einen Sinn haben sollte], daß endlich wieder durch die Sprache Theater wird, so sehr, daß die

Personen gleichsam durch das Wort auf die Bühne geboren werden. Nicht umsonst erzählt fast jeder seine Geburt, und der Vater der Hexe ist in ihrer Erzählung da, wie je ein ewig niesender Bürgermeister, eine Mutter, ein Richter, ein Sohn, ein Kaplan, eine Geige oder draußen im Garten eine Pfütze auf dieser Bühne da sind.

So sehr lebt diese Sprache, daß am Schluß im Lallen des Betrunkenen die Auferstehung der Toten eine Wirklichkeit wird und keine Blasphemie; so sehr endlich, daß nicht einmal eine Übersetzung ins Deutsche den Eindruck verhindern konnte, es mit etwas Bedeutendem zu tun zu haben: ja, daß die glühenden Protuberanzen dieser Dichtung sogar in der Aufführung des Schauspielhauses spürbar waren. Nicht ohne Grund waren Ginsberg, Traute Carlsen, Wlach, Parker und Horwitz die stärksten Eindrücke, denn hier war Kraft und Klarheit zugleich. Frys tanzende, phantastische, witzige Sprache mit ihrer Vorliebe für das Übermäßige [sie scheint immer nach dem Nebel der Andromeda zu zielen] benötigt vor allem das Plastische. Doch war allzuoft in der Aufführung die Furcht spürbar, man könnte diese wirren Dialoge nicht verstehen und sich deren Sinn entgehen lassen, eine bei diesem Stück ganz unnötige Sorge. Das Publikum braucht nicht nachzukommen, wo es mitgerissen werden muß. Mitgerissen wurde es leider nicht, es gab mäßigen Applaus.

DER TEUFEL UND DER LIEBE GOTT
Schauspiel von Jean-Paul Sartre

*Reimboderl: Ha! Nur Böses! Die Welt möchte ich mit Arse-
nium anstreichen, daß die ganze Menschheit vergift't war' in
drei Viertelstund'. Wenn ich nur wenigstens wen ausrauben könnt'
zum Pläsier. Ist denn kein Mensch zum Ausrauben da?*
[*Robert der Teufel, von Nestroy 1833*]

Dieses Schauspiel erzählt die Geschichte eines gewissen
Bastards namens Götz, der im Bauernkrieg Worms be-
lagert und nur Böses tut, weil das Gute schon von Gott
getan worden sei, sich dann aber doch entschließt, gut zu
werden, sich auch in diesem neuen Beruf alle nur erdenkliche Mühe gibt, allerdings peinlicherweise dabei noch
bösere Taten bewirkt, wenn auch unfreiwillig, schließlich
jedoch erkennt, daß es weder einen Gott noch einen Teufel gibt, um nun, ziemlich erleichtert, als freier Mann an
die Spitze der Bauernarmee zu treten.

Da nun wieder einmal der nie ganz erquickliche Fall ein-
tritt, daß ein Philosoph in steigendem Maße Theaterstücke verfertigt, muß man, um dieses Stück beurteilen
zu können, untersuchen, wie denn diese zwei Metiers –
das des Philosophen und das des Dramatikers – eigentlich zueinander passen. Die Beziehung ist nicht ganz
leicht. Die Philosophie wird nie darum herum kommen
können, ihre Thesen zu beweisen, ja, ihre Schwierigkeit
liegt eben gerade darin, daß sie leidenschaftlich danach
trachtet, so sorgfältig, so exakt wie möglich zu beweisen,
nicht aber zu behaupten, daß ihr ganzer Stolz und ihre
ganze Würde in einem klaren, lückenlosen Beweis ihrer

Ansichten liege; während ein Dramatiker seine Thesen, falls er es nötig findet, solche zu haben, wohl durch eine Handlung herbeiführen, aber nicht beweisen kann, denn die dramatische Handlung ist ja nicht die Wirklichkeit selbst, mit der sich die Philosophie nun einmal abgeben soll, oder irgend ein Maß, das an die Wirklichkeit zu legen wäre, sondern eine wenn auch präzise Form des Phantasierens; ein Schachspiel höchstens, das nur innerhalb seiner Regeln stimmt.

Wenn sich nun ein Philosoph, wie in unserem Falle Sartre, anschickt, ein fünfstündiges Theaterstück zu schreiben, so ist vor allem nach dem Zweck dieser doch wohl nicht unbeträchtlichen Anstrengung zu fragen: Offenbar dürfte sie nicht mit der Absicht unternommen werden, irgendeine Philosophie zu beweisen. Der Sinn könnte allein darin liegen, eine Philosophie zu erläutern, sie populär zu machen, mit Schlagwörtern einzugreifen, und sei es auch, wie in diesem Fall, mit jenen billigster Art; dort Revolution zu machen und mit allen Mitteln Terrain zu gewinnen, wo eben diese Methode die größten Chancen besitzt, zu wirken: im Niemandsland jener, die von der Philosophie nun wirklich keine Ahnung haben. Also auch nicht bei den Christen, die glauben, oder bei den Kommunisten [die ja Sartre ebenfalls ablehnen] oder sonst bei Menschen irgendeiner Überzeugung oder eines Denkens, sondern bei der übergroßen Menge derer, die nicht nur nichts glauben, sondern gleich auch nichts denken: Das würde denn auch die unglaubliche Billigkeit dieses Stücks, die geradezu fürchterliche Primitivität seiner Handlung erklären, als eine Art bewußter Waffe, wenn auch der Verdacht nicht ausgeschlossen werden kann, Sartre meine dies alles blutig ernst: dies sei nun eben einmal die Form seines Philosophierens und nicht

Reklame. Das wäre denn auch die peinlichste Interpretation des Stücks, denn auch von einem Atheisten müßte in Gottes Namen eine zwingendere Logik verlangt werden, und die Forderung, bei diesem Stück nicht zu lachen, sondern nachdenklich zu sein, ja sogar in Verzweiflung zu fallen, wäre nun doch ein wenig gar hart.

Wie dem auch sei, das Stück hatte das seltene Glück, in die Hände Leopold Lindtbergs zu fallen, dessen kluger, leicht ironischer und meisterhafter Regie es freilich nicht ganz gewachsen war, geschweige denn den Bühnenbildern Teo Ottos, der wieder einmal mit fast nichts alles machte. Die Regie war sichtlich entschlossen, den Bierernst abzuschwächen, mit dem Sartre wie noch nie aufs Ganze geht und wirklich vor nichts mehr zurückschreckt. So kam das wenn auch manchmal unfreiwillig Komödiantische des Stücks zum Vorschein – etwa bei der Bankierszene, bei Tetzel und vor allem in der unbeschreiblichen Eremitenszene gegen den Schluß. Die Sicherheit, mit der die Unmenge der Personen geführt wurde, brachte die schauspielerisch stärkste Ensemble-Leistung der bisherigen Saison. Überragend war Homolka als Götz, der nicht nur genau wußte, was er machte, sondern auch, wie weit er Sartre spielen und wo er ihn parodieren mußte.

Dieses geniale Lustspiel gegen die Heuchelei mit seiner
klaren Architektur, welche die Typen wie genau berech-
nete Pfeiler setzt, über die sie die Bögen der Handlung
spannt; mit seiner sich unablässig steigernden und endlich überschlagenden Bewegung und mit seiner durch
Zäsur und Reim zwar gebundenen, aber bis ins letzte
gemeisterten Sprache, die gerade dadurch wieder die la-
pidare Einfachheit des Vorgangs möglich macht, welche
uns für ewig verloren zu sein scheint und die nicht Natur
sein will, sondern bewußt ein Kunstwerk ist: Dieses
wahrhaft gewaltige Stück in vierzehn Tagen herauszubringen, ist eine Kühnheit, zu der sich wahrscheinlich
außer dem Schauspielhaus kein anderes Theater von For-
mat entschließen wollte. Ohne die, wie wir hoffen, stich-
haltigen Gründe zu kennen, die das Haus leider zu so
bedenklichen Abenteuern zwingt, konnte das Wagnis
doch nur – wenn auch begrenzt – gelingen, weil das Ensemble im Durchschnitt gut ist und in den Hauptrollen
das Stück hervorragend besetzt wurde. Ob man aber
immer noch einmal davonkommen wird, ist eine andere
Frage. Die Ehre des Hauses wurde zwar gerettet, aber
nicht gemehrt, man begnügte sich mit einem anständigen
Erfolg in dem, was ein Triumph hätte werden können.
Triumphiert haben einzelne Schauspieler, nicht mehr das
Ensemble, in diesem Falle Gustav Knuth als Orgon und
Ginsberg, der als Tartuffe ein schleimiges Unding spielte,
das zusehends heimtückischer wurde, im vierten Akt gefährlich, um am Schluß dann gleich einem Napoleon als
siegende Gemeinheit zurückzukehren. Obgleich die Lei-

stungen des Ensembles durchwegs bemerkenswert, ja beträchtlich waren, muß gerade in dieser nun doch sehr überstürzten Weise, Premièren auf den Markt zu bringen, die Klasse der Akteure, die momentane Position, die sie in ihrer künstlerischen Entwicklung einnehmen, der Stand ihrer Sprachbeherrschung usw. mehr als durchaus nötig zum Vorschein kommen. An Stelle einer Einheit steht eine Vielheit, denn das Ziel der Proben, eben gerade die Einheit, kann in vierzehn Tagen nun wohl überhaupt nicht erreicht werden. Fügt es sich noch dazu, daß ein so genauer Regisseur wie Horwitz die Leitung übernahm, dem es ja nie um den Effekt oder um einen Einfall, sondern allein um die Sache geht, so wird die Eile, mit der da alles betrieben werden mußte, doppelt bedauerlich. Gerade die Klarheit, mit der Horwitz erkannte, daß Molière ein Dichter höchster Präzision, höchster Klassik ist – mit Racine vielleicht die Mitte abendländischer Dramatik –, der vor allem exakt und gradlinig gespielt werden muß, weil er so gar nicht verspielt ist; die Entschlossenheit ferner, mit der Horwitz von den Schauspielern das verlangte, was das schwerste ist, sich rein durch die Sprache hindurch auszudrücken – was nicht etwa heißt, unbeweglich auf der Bühne zu stehen, sondern die Intuition zu allem, was ein Schauspieler tun muß, vom Wort her zu nehmen – und dann das gewiß doch seltene Glück, nicht nur einen Knuth und einen Ginsberg, sondern auch eine Margareth Carl als Dorine, eine Traute Carlsen als Mme Pernelle, eine Anne-Marie Blanc als Elmire zu haben, kurz, all diese glücklichen Umstände hätten eine beispiellose Aufführung ergeben können. Aber da waren nur vierzehn Tage für die Probenarbeit, und die Première wurde anständig. Das wird uns in Zürich wohl noch oft passieren.

Die Absicht des sympathischen Autors, den Menschen zugleich in seiner sichtbaren, äußeren und seiner geheimen, inneren Aktion darzustellen – als Tat und als Gedanke, wie er in seinem Vorwort schreibt –, verführte ihn, seine Gestalten gleich zweimal, als Person und als Double, auf die Bühne zu bringen, als wirkliche Menschen und gleichzeitig als irreale Schemen: ein Einfall, der bei einer Komödie, die sich ums Geld dreht, das wir ja gleichzeitig hassen und lieben, nicht ganz unberechtigt ist. Die Handlung spielt sich im Verkaufsladen eines Kunsthändlers ab, in einem unübersichtlichen Raum voller Spiegel, Schränke, Statuen, Möbel und dergleichen, Gegenständen, zwischen denen die Personen dieser Schiebergeschichte herumstehen. Da wäre der eifersüchtige, bucklige Antiquar Papiol [Horwitz], und da ist auch sein Double [Holsboer], ein gelbes Phantom, Papiols Gedanke also, schon durch die Farbe als Geiz gekennzeichnet, wie Papiol um zwei Dinge kreisend: ums Geld und um die Frau der beiden – man muß sich schon so ausdrücken –, um Eva [Annelies Römer], die für ihren Mann Geld und Edelsteine nach Nizza schmuggelt und ihn so in den Verdacht bringt, ein Hahnrei zu sein, und da ist ihr Innenleben [Anne-Marie Blanc], violett und durchsichtig, wohl der phantastischste Schemen. Ferner sitzt ein junger Mensch in den Sesseln herum [Henniger], dreißigjährig, zynisch, unentschlossen [die bis jetzt beste Leistung dieses sehr überzeugenden Schauspielers], und bald über ihm, bald in einer Ecke, bald auf der Galerie, in irgendeiner Höhe oder Tiefe des Raums, sein Gedanke, blau und verträumt [Dickow], und dann vor allem Ginsberg als Coupon, ein erfreulicher Gauner, der die zwei Millionen in Schweizergeld gibt, die wieder einmal nach Nizza hinüber müssen und die der Kommissar [Bucher] bei Eva findet; Coupon, auf den Papiol endlich, wie er seine Frau und sein Geld verloren hat, schießt: auch der hat sein Double, ein rotes, brutales Ungeheuer [Knuth]. Dazu eine Unmenge von Personen und Schemen, die bald kletternd und tanzend die Bühne auf jede nur erdenkliche Weise durchqueren, ein Wirrwarr von bald Geträumtem, bald Erinnertem und bald Vorgestelltem, an dem auch der Ort teilnimmt, der bald Geschäftsladen, bald Bahnhofhalle ist, eine bis in ihre letzten Möglichkeiten ausgenutzte Bühne, die mit Schattenbildern und Projektionen arbeitet: eine Aufgabe, die ein so echt künstlerischer Regisseur wie Werner Kraut [manchmal vielleicht zu sehr in seine Einfälle versponnen] glücklich löste, um so mehr als Rosa Strehler die Choreographie leitete.

Doch ist nun nach diesem allem, nach diesem zu Recht beifällig aufgenommenen Abend mit seinen virtuosen schauspielerischen Leistungen, der besonders Horwitz von einer neuen Seite zeigte, nach dieser Première mit ihrer sauberen Tendenz gegen das Geld, die sich auch die Zürcher hinter die Ohren schreiben dürfen, doch zu fragen, ob es denn dem Autor auch gelungen sei, das zu realisieren, was er beabsichtigte und was er in seinem Vorwort postulierte. Nicht jeder spielt mit so offenen Karten. Nach seiner Einleitung nun zu schließen, hatte er die Absicht, «in Augenblicken den Eindruck eines Unabwendbaren» zu bewirken, die Handlung sollte durchaus von der Spannung zwischen der Tat und dem Gedanken leben, indem «das, was im Gehirn lebendig war, sich ungeachtet des menschlichen Willens im äußeren Geschehen spiegelt». Diese Worte Giovaninettis berechtigen, ihn beim Wort zu nehmen. Doch wenn er nun auch einige logische Schnitzer begeht, gleichsam mit seinen eigenen Regeln nicht richtig spielt, so daß sich alles wirklich Bedeutende und Spannende nur in der Tat, auf der Ebene der Wirklichkeit, ereignet, ja wenn er auch manchmal Tat und Gedanke verwechselt [etwa in der Liebesszene Candido-Rosetta, wo sich auf dem Forum der Tat abspielt, was sich doch nur im Gedanken ereignet], wenn er sich auch ferner die Gelegenheit entgehen läßt, Coupon, der das Geld, der Teufel schlechthin sein soll, dadurch von den andern abzuheben, daß er gerade diesem als einzigem kein Double gäbe [das Böse wäre dann das einzige mit sich völlig Identische in diesem Stück und nun wirklich nicht mit einer Waffe zu treffen]: abgesehen von all diesen Fehlern scheiterte der Autor doch eigentlich daran, daß er dem menschlichen Fassungsvermögen zu viel zumutete.

Das Plastische nämlich, das Giovaninetti erzielen will [er nennt seine Komödie einen plastischen Roman], liegt gerade und vor allem auch auf dem Theater in der Einheit der Persönlichkeit und nicht in deren Trennung. Ein so guter Schauspieler wie Horwitz denkt, indem er handelt; der Gedanke ist da, auch für den Zuschauer, kraft der Schauspielkunst, ohne daß man ihn nun auch noch besonders darstellen muß. Wäre Giovaninetti wirklich konsequent gewesen, hätte er das Spiel gar nicht in Wirklichkeit und Gedanke auseinanderfallen lassen können: Es hätten lauter Gespenster auf der Bühne stehen müssen, die Taten als gedankenlose Marionetten und die Gedanken als blutleere Schemen. Aber ein *nur* irrationales Stück ist natürlich unmöglich. Das Double ist eine

Zutat, eine Arabeske, keine Verdeutlichung, sondern eine Ablenkung. Der Monolog der Alten und ihrer Nachfahren war plastisch, nicht das Double Giovaninettis, denn es ist eine höchste «Verdichtung», wenn ein Gedanke so stark wird, daß ein Mensch für sich zu sprechen beginnt. Doch hatte das Stück das Glück, daß es ins Gute scheiterte. Eine geplante Schicksalstragödie, in der «die Sündigen von Schuld zu Schuld gerissen werden sollten», wurde – gegen den Willen des Autors – allein durch die Gesetze der Bühne in eine romantische Märchenwelt getaucht, in der das Publikum, zwischen Bild und Geschehen hilflos hin und her gerissen, eine höhere Poesie sehen mußte, als sie Giovaninetti geben wollte: so daß ihm eine viel dichterischere Komödie auf der Bühne gelungen ist, als er eigentlich zu schreiben beabsichtigte.

Von der Wiedergabe des «Nathan» läßt sich erfreulich viel Gutes sagen: daß die Inszenierung Kurt Hirschfelds dadurch überzeugte, daß ihr immer das Selbstverständliche einfiel [das Nichtselbstverständliche dieses Abends], daß die schattenlose Klarheit, in die Teo Otto dieses Jerusalem tauchte, von neuem die Unvergleichlichkeit dieses Bühnenbildners aufzeigte, daß die Rollen mit seltenem Glück besetzt waren; vor allem aber das Entscheidende wohl, daß es hier gelang, die silberne Abstraktheit dieses Stücks, das mit kaum angetönten Spannungen arbeitet, mit einer Sprache, die immer wieder zerbricht [wie eine hauchdünne Eisschicht gern zerbricht], ohne aber je zu zerfließen, zugleich mit seiner Menschlichkeit und seiner Naivität darzustellen. Zugleich: denn das Wunderbare ist eben, daß Lessing bei allem Scharfsinn und bei aller Leidenschaft des Denkens und des Kämpfens sich diese Kindlichkeit bewahren konnte, die das Stück auszeichnet: die Kindlichkeit aller großen Denker. Daß Hermann Wlach es war, der als Nathan dieses Zugleich schuf, diesen Bogen zwischen den Gegensätzen, ohne den das Stück nicht bestehen kann, bemerken wir mit besonderer Freude: daß es ihm gelang, nicht nur eine Idee zu verkünden, sondern auch die ganz bestimmte, einzigartige Persönlichkeit des Nathan darzustellen. Und wie es ihm gelang, ist sicher nicht alltäglich. Es ging einem an diesem Abend verschiedenes als richtig auf, was sonst die Kritik in Frage stellt: so etwa, daß sich die leidenschaftliche Liebe des Tempelherrn zu Recha in eine naturgemäß zahmere Geschwisterliebe verwandeln müsse und auch allzuleicht tue. Der Sinn jedoch dieses Ge-

320

schehens liegt ganz im Sinn der Persönlichkeit Nathans beschlossen, der eine Art umgekehrter Ödipus ist, einer, der durch die Menschenvernunft besteht und endlich einmal nicht daran zugrunde geht – ein heute vielleicht etwas seltener, aber eben auch möglicher Fall. So wird die Blutschande verhindert, der Ödipus zum Opfer fällt; es ist nicht eine edlere Welt als die heutige, die mit Nathan besteht, und es war sehr schön und richtig, daß Wlach dort am meisten erschüttert, wo er durch die Demütigung als ein Demütiger hindurchgeht: in der Szene mit dem Tempelherrn und in der gewaltigsten Szene des Stücks, nicht in der Ring-Erzählung, sondern in jener der Ermordung seiner Frau und seiner sieben Söhne als des fürchterlichen Abgrundes, über den sich der kostbare Bogen dieser Dichtung spannt. Dichtung, wie wir dieses Werk nennen, obgleich mit Wissen, daß sich Lessing einen Schriftsteller nannte, der einzige verhängnisvolle Ausspruch, den dieser große, selten klare und genaue Mann getan hat, denn von da an liebte man es oft allzusehr, gerade das Konfuse als das Dichterische zu bezeichnen.

DIE KLEINE NIEDERDORF-OPER
Von Walter Lesch und Paul Burkhard

Der merkwürdige, aber folgerichtige Umstand, der ans Mittelalter erinnert, daß die deutsche Schweiz eine Schreibsprache besitzt und Redesprachen hat, beide bewußt getrennt, ein Schriftdeutsch, das wir schreiben [oder zu schreiben meinen], und Dialekte, die wir sprechen [oder zu sprechen meinen], diese bald hemmende, vor allem aber doch auch glückliche Tatsache ist für das schweizerische Theater dadurch etwas fatal, daß der Theaterwille, der nun einmal im Schweizervolk liegt – es wäre sonst doch wohl nicht ein vor allem politisches Volk –, die Spannung nicht zu überbrücken vermochte, der zwischen den zwei Kulturen liegt, zwischen der Bildungskultur und der Volkskultur [um, der Deutlichkeit zuliebe, zwei gefährliche Schlagworte zu brauchen]. Wohl gibt es Ansätze dazu, so im Kabarett; aber eine Theaterform, wie sie etwa Raimund und Nestroy in Österreich entwickelt haben, dieses höchst virtuose, ja manchmal artistische und zugleich volkstümliche Theater fehlt hierzulande fast ganz. Entweder Schauspielhaus oder Dorftheater, das ist die traurige Bilanz, und das fehlende Zwischenglied hat sich die Operette erobert – dieses im großen und ganzen so entsetzliche Unding einer himmelblauen, gepuderten Theaterleiche. Daß nun die «Kleine Niederdorfoper» Walter Leschs und Paul Burkhards in die Lücke springt, ist daher erfreulich und nicht wichtig genug zu nehmen, die Sicherheit, wie dies gelingt, erstaunlich, die Zusammenarbeit der beiden hervorragend, vor allem im zweiten Akt, der uns auch musikalisch am besten gefiel. Der Beifall der Zürcher beweist – um endlich auch einmal dem Erfolg Beweiskraft zuzubilligen –, daß hier ein wirkliches Volksstück gelungen ist, ein Stück Zürich *wirklich* auf die Bühne kam, daß all diese Menschen, der Antiquar, der Velohändler, die Wirtin, die Artistin, das Bäuerlein zugleich dichterisch gesehen und von heute sind, wenn auch das Ganze dichterischer in den Situationen als im Wort ist, eigentümlich eindrücklicher vom Bildhaft-Bewegungsmäßigen als vom Musikalischen her. Nicht ein Chanson oder eine Melodie war der stärkste Eindruck, sondern unvergleichliche Einzelzüge, wie etwa die drei mit einer Blechbüchse spielenden Sportler und ähnliches. Größer an Substanz als an Kunst, so möchte man sagen, oder besser: ausgezeichnet durch die Kunst, Möglichkeiten für die Regie, für die Schauspieler und für das Bühnenbild zu schaffen [etwas gar nicht so Selbstverständliches], die – eben weil hier ein richtiges Theaterstück ist – nicht dem Stück aufgepflanzt, sondern im Stück waren, Möglichkeiten, die denn von allen aufs glücklichste ausgenützt worden sind.

Da es sich hier nicht nur um unseren sagenhaften Nationalhelden handelt, sondern auch um die Gründung
unseres Staates, um eine Angelegenheit also, die uns angeht, hat sich – wie könnte es anders sein – vor dieses
Kunstwerk, das in der Konzeption, in der Apfelschuß-
szene und überhaupt in vielem eine erstaunliche Größe
erreicht, ein Patriotismus geschoben, der die Schwer-
punkte dieses Schauspiels so entscheidend festlegt, daß
es gefahrlos geköpft werden kann, was denn auch diesmal geschah. Parricida brauchte nicht aufzutreten, Tell
war von vornherein vom Zuschauer, vom Patrioten gerechtfertigt. Die Szene, die das Stück erst in die Geschichte Europas einordnet, dieser große Einfall der Begegnung
zweier Mörder, der ihm seine wahre Dimension gibt,
fiel dahin. Die Schweizer Geschichte genügte an diesem
Abend.

Doch ist damit die außergewöhnliche Schwierigkeit, mit
der eine Tellinszenierung hierzulande zu kämpfen hat,
noch nicht genügend erklärt. Die Schwierigkeit ist eine
eigenartige und beachtenswerte, sie besteht im Gegensatz eines stilisierten dramatischen Werkes zu seiner Realität, im Gegensatz einer bestimmten Kunst zur Wirklichkeit. Daß dieser Gegensatz auf dem Theater nicht un-
vermeidlich, ja Unsinn ist, das, glaube ich, ist zweifellos.
Daß der «Tell» bei uns in diesen Gegensatz gerät, ist sein
schweizerisches Schicksal: ein Unfall, der höchst genau
die Grenze Schillers aufzeigt. Sie liegt darin, daß dieser
Dichter die Menschen stilisiert, um die Geschichte interpretieren zu können, daß er nicht eine Welt baut wie
andere, sondern die Welt aufhellt, indem er ihren Sinn

zeigt, daß er, um es paradox zu sagen, keine andere Realität besitzt als die Idee hinter der Geschichte. So ist er auch hier groß darin, daß er im «Tell» die Geschichte eines Volkes gibt, aber eben auch nur so, wie Schiller das Volk sieht: als Idee, während der einzelne, der dieses Volk verkörpert, dieser idealisierte, sentenzenredende Bauer, verglichen etwa mit dem geringsten Trunkenbold Shakespeares, keine Realität mehr hat. Die Größe des «Tell», zu der wir aufs neue stehen [es verwundert uns beinahe], liegt in seiner Abstraktheit. Das Schicksal, das er auf einer schweizerischen Bühne erleiden muß, liegt darin, daß, notgedrungen, diese Abstraktheit aufgehoben wird, indem sie sich in eine Besonderheit verwandelt, aus einem abstrakten Rütli unser Rütli wird, aus abstrakten Menschen unsere Nationalhelden, aus einem abstrakten Volk wir selbst. Aus einem Drama wird ein Festspiel, denn doch wohl nur in einem solchen ist es heute noch angängig, sich so idealisiert dargestellt zu sehen.

Daher denn auch die oft heimtückische Gefahr des unfreiwillig Komischen, die bei uns auf diesem Stück wie ein Fluch lastet, da sich Idee und Wirklichkeit Auge in Auge gegenüberfinden, jene auf der Bühne und diese im Zuschauerraum. Dies vorausgeschickt, hat sich die Regie zu überlegen, welchen Weg sie einschlagen soll, wenn sie Theater geben will und kein Festspiel. Es muß ein Weg gefunden werden, der dem Stück die Abstraktheit wieder gibt. Vielleicht stehen nur zwei Wege offen: jener ins Mythische zurück, aus dem der Stoff ursprünglich stammt, und jener, den Lindtberg einschlug, den in die Chronik, aus der Schiller den Stoff nahm. Jener muß entschlossen die Pathetik ins Übermenschliche, Allgemeine steigern, dieser sie ebenso entschlossen aufheben, was denn auch in der Zürcher Aufführung geschah. Die Schnelligkeit des Sprechens war oft darum so ungeheuer, weil es galt, schneller als die geflügelten Worte zu sein, weil das Publikum nicht zum Bewußtsein kommen sollte: Jetzt ist wieder ein Zitat gefallen. So glückte denn die Vorstellung, weil sie folgerichtig war, um so mehr, da Gretler als Tell sich ganz in den verwandelte, der er in einer Chronik sein muß, in einen durch unmenschliche Tyrannei zum Mord getriebenen Innerschweizer, in eine Gestalt, wie sie etwa ein Büchner gezeichnet haben könnte, in eine nicht ungeniale Umdichtung Schillers.

Um der Inszenierung Werner Krauts nicht ungerecht zu werden, muß man zuerst einmal feststellen, daß sie der schon öfters erhobenen Anschuldigung Gehör schenkte, Shakespeare hätte mit der «Zähmung der Widerspenstigen» nichts als eine derbe Posse geschrieben. Dieser Anschuldigung ist entschieden entgegenzutreten. Nun glaube ich nicht etwa, Shakespeare hätte uns nur Vollkommenes hinterlassen; ich behaupte sogar, daß er zwar fast keine schlechten Stücke, aber doch einige schwache Szenen schrieb, ja, ich räume ein, daß die «Zähmung der Widerspenstigen» Derbheiten enthält, daß sie ein leider höchst unvollkommenes Werk ist, ein etwas nachlässig ausgeführtes Fresco, dessen faszinierende Rahmenhandlung er fallen ließ, um sie unbekümmert den Komödianten seines Theaters zu überlassen. Doch liegt die Größe Shakespeares nicht in seiner Perfektion, sie liegt in seiner Fähigkeit, aus allem, aus den Stoffen, die er bald von diesem und bald von jenem übernahm, nicht nur seine Welt, sondern *die* Welt zu machen, eine Fähigkeit, die, so bin ich überzeugt, ihn nie – also auch hier nicht – verließ, weil sie seine Natur, seine Genialität war. So ist denn Petrucchio aus Natur, nicht aus Konzeption, mehr als ein zynischer Grobian, der, weil er Geld braucht, ein böses Mädchen heiraten will: Er ist ein Hans im Glück und ein Eulenspiegel zugleich – wie der Feder Rabelais' entsprungen –, ein Ungetüm an Vitalität, Phantasie und Einfall, den zwar zuerst das Geld und der Reichtum anlocken – das macht den Kerl so echt [welcher Romantiker hätte dieses Motiv gewagt] –, der dann aber unvermutet ein Mädchen findet – und auch dieses Finden ist eine

Genialität –, das seiner würdig ist, ebenso wild und widerspenstig wie er, welches er nicht nur zähmt, sondern das er lieben lernt, indem er es lieben lehrt: nur die Liebe macht die Schlußrede der Katharina möglich, immer noch möglich.

Dieses Gleichnis deutlich zu machen, wäre Aufgabe der Regie gewesen, die sich aber nun, nicht etwa aus Ungeschicklichkeit, sondern weil sie im Stück nur eine Posse sah, auf das verlegte, was nicht zur Fabel gehörte. Statt von Shakespeare auszugehen, ging sie nun von einem Regieprinzip aus. Anstatt den Sinn aufzudecken, verdeckte sie ihn. Der Einfall, Clowns als Bühnenarbeiter zu verwenden, wurde zum zentralen Mittel, mit dem sie arbeitete. Mit dem Licht, das Kraut im «Tanz ums Geld» aufgegangen ist, steckte er nun Shakespeare in Brand; zuerst ging, der gefundenen Bühnentechnik zuliebe, der herrliche Anfang, die Rahmenhandlung, in Flammen auf, die Geschichte vom Trunkenbold, der, aus seinem Rausch erwachend, sich durch eine Posse unvermutet in einen König verwandelt sieht, dem man zur Erheiterung die «Zähmung der Widerspenstigen» vorspielt; diese Zähmung eines Säufers, welche, selbst ein Theater, die eigentliche Komödie in ein Theater auf dem Theater erhöht: Dies alles, dieser Hintergrund, bei dem die Regie hätte einsetzen, von dem aus sie mit dem gleichen Einfallsreichtum hätte gestalten sollen, fiel fort. So opferte Kraut seinem Einfall ausgerechnet einen der stärksten Bühneneinfälle Shakespeares, weil dieser in Krauts Konzeption, die einen anderen, nicht mehr sinnbildlichen, sondern rein artistischen Hintergrund setzte, keinen Sinn mehr haben konnte.

Der Rest, diese nun zur bloßen Posse gewordene Komödie, spielte sich daraufhin zur Freude des Publikums eine Dimension tiefer im Parterre des allgemeinen Vergnügens ab, während das Poetische gespenstisch und wortlos im Niemandsland zwischen den Akten herumgeisterte, wo Kraut, ohne Stück, mit sich selbst, den Clowns, welche die Bühne umbauten, und dem Bühnenbild Teo Ottos, Regie führte: der Unfall eines hochbegabten, aber hier blind auf seine Idee versessenen Regisseurs. Dazu kam, daß Jane Tilden als Katharina eine nicht ungefährliche Besetzung war, verhängnisvoll besonders den unglücklichen Prinzipien dieser Regie: gerade diese Rolle hätte um der Deutlichkeit willen nicht mit einer für das Komische so begabten Künstlerin besetzt werden sollen, kam es doch darauf an, sie zu verwandeln. Vor allem hätte sie nicht neben einem so überlegenen Komödianten wie Gustav Knuth stehen dürfen, der denn auch, ungezähmt, samt allen andern, in den Katarakten einer sich immer steigernden, bald sinnlos gewordenen Situationskomik unterging. Auch seine große Kunst konnte einen Abend nicht mehr retten, den ein begeistertes Publikum nicht hätte gerettet sehen wollen.

des Schriftstellers Friedrich Dürrenmatt
an den Theaterkritiker Friedrich Dürrenmatt,
Ferdinand Bruckners Pyrrhus und Andromache betreffend

Mein Herr,

daß Sie den Zufall, der uns in dieser unglücklichen Première nebeneinandersitzen ließ, nun dahin ausnutzen,
sich an mich um Rat zu wenden, finde ich erstaunlich,
um so mehr, da Sie, wie ich hoffe, genau wissen, wie ich
von Ihnen denke. Doch mag ich es Ihnen gönnen, daß
nun einmal Ihr Witz Sie im Stiche läßt: Darauf, mein
Herr, habe ich schon lange gewartet. Nichts war komischer, als Sie an diesem Abend zu beobachten; ich hätte
alles daran gegeben, Sie auf der Bühne zu sehen und
nicht das Stück. Daß es Sie gibt, mag ein Pech sein, welches ich zwar bedaure, aber nicht ändern kann; daß Sie
sich in Ihrem Beruf wichtig nehmen, mag die traurige
Vorbedingung sein, ihn auszuüben. Daß Sie jedoch in
die Lage geraten, zwar einzusehen, daß Sie gegen Wind-
mühlen kämpfen, doch nicht imstande sind, die wahr-
lich klapprige Rosinante Ihres Geistes aufzuhalten und
so, man darf schon sagen, gegen sich selber losrennen,
ist ein Schauspiel, das mich wie nicht ein zweites amüsiert: Nichts ist grotesker denn ein Kritiker, der sich
selbst verreißen muß, um einer Sache gerecht zu werden.
Mein Herr, nun zur Sache: Daß mir Ferdinand Bruckners
«Pyrrhus und Andromache» nicht gefallen hat, war wohl
ebenso von meiner Miene abzulesen wie von der Ihren;
daß Sie jedoch an diesem Abend zum ersten Mal nicht
geklatscht haben, war eine Unhöflichkeit, die Ihnen nach-
zusehen ich nicht den geringsten Grund habe. Schau-

spieler wie Walter Richter, Maria Wimmer und Maria Becker, ein Albin Skoda, eine Traute Carlsen und ein Hermann Wlach, eine Anne-Marie Blanc verdienen Beifall, auch wenn das Stück nicht von Bruckner, sondern von Ihnen stammte: Ich dagegen habe nicht geklatscht, weil das, was auf der Bühne geschah, die Tragödie einer Aufführung und nicht die Aufführung einer Tragödie war, ein verzweifelter Versuch, von der Unmöglichkeit eines Stückes auf die Möglichkeit des Spiels hinüberzuspringen, der Unsinn eines Unternehmens, das darin besteht, einer Mutter, die mit einem Wechselbalg niederkommt, durch eine atemraubende Hebammenkunst zu einem normalen Kinde verhelfen zu wollen, mit einer großartigen Besetzung ein Stück auf den Zuschauer loszuschießen, das nie hätte geschrieben werden sollen. Mitzuleiden ziemte es sich hier, nicht mitzuklatschen. Ich wollte nicht gleich einer Ratte das sinkende Schiff auf dem Rettungsboot des Beifalls verlassen, der nicht dem Stück, sondern der Regie und den Schauspielern hätte gelten sollen. Mit einer Hand kann man nicht klatschen. Mit diesem Regisseur, mit diesen Schauspielern, aber auch mit diesem tödlich verunfallten Autor da und nicht mit Ihnen, mein Herr, lohnt es sich zu sterben. Nichts spricht mehr für die Regie Wälterlins, nichts aber mehr auch für die Kunst dieser Schauspieler, als daß der Sprung aufs rettende Ufer einer hervorragenden Aufführung trotz allem sinnlos war, daß die Darsteller wie schöne, aber unsinnige Dinge irgendwo auf der Bühne einfroren, daß die Regie als ein monumentales Lehrbeispiel wirkte, wie Tragiker aufzuführen seien [so muß man gehen, so sich wenden, so zusammenbrechen – ohne jedoch ein Stück dazu zu geben und ohne eine bestimmte Tragödie zu meinen], daß die stilisierte Sprache Bruckners, von den Schauspielern bis ins letzte beherrscht, so zufällig wirkte, als könnte man mit gleicher tragischer Wirkung Küchenrezepte hersagen. Doch, hätte dies alles Sinn gehabt, wäre diese Quadratur des Kreises möglich, hätte dieses Stück, dieser Pyrrhus und diese Andromache leben können, wie etwa der Pyrrhus und die Andromache Racines trotz Bruckners Vorwort noch leben. Ich unternähme es, als Schriftsteller, der ich nun einmal wie Bruckner bin, als sein Kollege, stehenden Fußes hinzugehen, meine Orestien zu dichten, vielleicht etwas ins Moderne umgewandelt, eine Tragödie um die andere, einen Prometheus um den andern, einen Tiefsinn um den andern. Ein Narr, der nicht wie Rubens malen, der nicht wie Beethoven komponieren oder griechische Tempel bauen möchte.

Mein Herr! Kommen wir nun auf Ihre Unzulänglichkeit zu sprechen, auf die Aufgabe, die Sie nicht erfüllen können, wie Sie wissen, und die Sie doch erfüllen müssen, soll man Ihresgleichen noch einen Sinn zubilligen; auf die Komödie, die Sie mir bieten. Ich bezweifle nicht, daß Ihnen der Beweis gelingen wird, daß dieses Stück Bruckners vom Sohne Achills, der die gefangene Andromache liebt, das Weib Hektors, diese Geschichte von der letzten Tat des Orest, schlechter als die «Andromaque» des Racine ist, aber dieser Ihr Beweis interessiert mich nicht: Kritikern gegenüber bin ich ebenso grausam wie Sie mit mir. Beweisen Sie mir vielmehr, daß dieses Stück nicht unmöglich ist, weil es schlecht, sondern schlecht, weil es unmöglich ist, daß der Weg nicht mehr zu gehen ist, den Bruckner hier geht, auch wenn ihn ein unvergleichlich größerer Dichter beträte. Sie erbleichen, Herr Dürrenmatt. Sie wagen diesen Beweis nicht zu liefern? Sie hofften, das Stück mit einem Satz abzutun, wie etwa mit dem, das traurigste Schicksal des Orest bestehe darin, daß sich immer wieder ältere deutsche Dichter mit ihm beschäftigten? Wie sollte ich mich mit dem zufriedengeben? Bruckner stellte die Behauptung auf, *so* sei heute zu dichten, in dieser Richtung, auf die reine Tragödie hin, und das ist zu widerlegen. Ein schlechtes Stück hinzurichten, ist leicht, doch einem unmöglichen kommt man ebenso wenig mit Beweisen bei wie der Erbsünde. Sie entrüsten sich, daß ich Ihnen eine Sisyphusarbeit zumute, doch ist sie Ihre Aufgabe, mein Herr, nicht die meine, das wissen Sie so gut wie ich, die Aufgabe, an der Sie sich endlich das Genick brechen. Den Stein zu wälzen wird Ihnen nichts nützen, wo die unmittelbare, keines Beweises bedürftige Einsicht fehlt, daß Ferdinand Bruckners «Pyrrhus und Andromache» ein unmögliches Stück ist, und da, wo diese Einsicht vorhanden ist, sind Sie nicht nötig. In der Kunst sieht man, oder man ist blind, doch die Beweise des Sehenden *können* nicht für den Blinden gelten. Ich habe Ihnen nichts mehr zu sagen. Ich lasse Sie stehen.

Wenn die fünf Jamben, aus denen der Vers der Klassiker besteht, nicht etwas Zufälliges sind, nicht nur eine Technik des Schreibens, sondern eine Form der Sprache, eine Struktur, die auch die Gestalten, ja die Handlung mitbestimmt, so ist zu fragen, ob dann nicht Grillparzers «Weh dem, der lügt» ein darum danebengeratenes Stück sei, weil es zwar noch die klassische Sprache habe, aber gerade dadurch wesentliche Teile seines Stoffs nicht gestalten könne, die hier angenommene Welt eines ebenso naiven wie wilden Volks nämlich. In Hinsicht der Form bin ich Fatalist: Sie diktiert den Stoff. Grillparzer war ein großer Rhythmiker, die Art etwa, wie er Galomirs Sprache [Gustav Knuth!], diese primitiven Lautgebilde ins Jambische übersetzt, ist erstaunlich, ähnliches ist ihm immer wieder gelungen – man denke nur an die Kanzleisprache Wolf Rumpfs im «Bruderzwist» –, doch besitzt sein Vers, sein noch echter Vers, nicht mehr die Tragfähigkeit, die seine Stoffe verlangen: er ist immer wie am Einstürzen. Grillparzer muß darum die Stoffe verkleinern, damit sie für seine Kunst stimmen. Hier nun behandelt er einen Stoff naiv, der nicht naiv behandelt werden kann. So ist denn nicht zu machen, was eigentlich gemacht werden müßte. Man wehrt sich dagegen, die Germanen als bloße Trottel zu sehen, da doch so der Befreiung des Atalus durch den Küchenjungen Leon jedes Gewicht genommen wird und dieser Versuch, die Welt ohne Lüge zu bestehen, so wenig schwer erscheint, daß man sich wundert, ihn nicht ganz gelungen zu sehen; man begreift, daß hier echte Wilde gemeint sind und daß Grillparzer in der Gestalt der Edrita die Kraft des Christentums, nicht nur zu erlösen, sondern auch Kultur zu bringen, verherrlichen wollte – doch kann man sie nicht anders denn grotesk spielen, wenn man nicht die Fragwürdigkeit des Stücks zugeben will. Es ist unmöglich, Galomir so zu gestalten, wie ihn Grillparzer gesehen haben möchte, «tierisch, aber nicht blödsinnig». Wenn das Publikum nicht einmal hier lachen darf, wird es einschlafen. So retteten denn Leopold Lindtberg und Teo Otto die Aufführung ins Mögliche, aber auch Harmlose hinüber: Ein toter Hirsch wurde gegen ein gesundes Schaf eingetauscht; ein Handel, bei dem niemand recht glücklich wurde. Doch freute es den Kritiker, in Peer Schmidt einen jungen und äußerst sympathischen Leon kennengelernt zu haben und mit ihm einige doch noch wahrnehmbare Verse Grillparzers.

LIEBE, FREUNDESPFLICHT UND REDLICHKEIT
Komödie von Medrano

Würde Medranos Stück als gleichgültiges Reck, mit beliebig anderen dieser Sorte zu vertauschen, nützlich, die Schauspieler und den Regisseur gleichsam vor turnerische Probleme zu stellen, als ein Examen, also vor Experten und Freunden des Hauses an einem Sonntagvormittag dargeboten, so hätte man zu ihm das zu sagen, was das natürlichste wäre, um nicht in den Verdacht zu kommen, ein hoffnungsloser Schmock zu sein: Nichts – um so mehr, da ganz wacker geturnt wurde. Gegen den Unfug jedoch, das Ganze literarisch aufzuziehen, ist entschieden Stellung zu nehmen. Daß dieser Spanier des sechzehnten oder siebzehnten Jahrhunderts über eine «der hohen Achtung würdige Poesie» verfüge, ist nicht gerade unmöglich, wenn auch nicht leicht nachzuprüfen, doch blieb sie, falls vorhanden, im Grabe liegen, aus dem man das Skelett schaufelte im naiven Glauben, es komme gleich auch zu einer Auferstehung, wenn man eine Leiche zeige. Der verständliche Trieb nach Sicherheit, der das Publikum immer wieder verführt, von einem Klassiker auf die bloße Empfehlung hin, er sei wirklich einer, auch falsches Geld für bare Münzen zu nehmen, läßt sich zwar leicht in jene Profite umsetzen, die der Grund dieses Theaterabends zu sein scheinen – hoffen wir wenigstens dies –, doch läuft dabei der Kredit jener Gefahr, rettungslos zum Teufel zu gehen, die im Schauspielhaus noch immer eine der ersten Bühnen Europas sahen. Dies vor allem auszusprechen ist Sache der Liebe, Freundespflicht und Redlichkeit.

Von Carl Zuckmayer

Nichts wäre dem Kritiker erwünschter, als den «Fröhlichen Weinberg» für eine Harmlosigkeit nehmen zu können, die zu übersehen ist wie andere Harmlosigkeiten auch, die in der Hauptsache eine wohlgelungene Wirtshausprügelei bringt, an der man seinen Spaß haben kann, des weiteren davon lebt, daß jene Körperteile, in Folge deren man lebt, auch gleich als der Zweck dargestellt werden, um dessentwegen man lebt. Doch da Zuckmayer es nicht lassen kann, das Ganze als Dichtung anzumelden, und so in ein Gebiet vorstößt, wo seine Meinung, fürs Inwendige gebe es keine Straf', nicht als Freipaß gelten darf, muß denn wohl in den bitteren Kampf gezogen werden: bitter nicht nur darum, weil es gegen einen Autor geht, der mit dem «Hauptmann von Köpenick» ein gutes Stück schrieb, sondern vor allem darum, weil es ein Kampf gegen die Ahnungslosigkeit ist.

Machen wir uns keine Illusionen. Die Ahnungslosigkeit des Autors und jene der Theater, die den «Fröhlichen Weinberg» 1925 zur Aufführung brachten, und endlich jene naturgemäße des Publikums, das diesem Stück zujubelte, war zu bedauern, aber menschlich, wollte man doch von den schweren Zeiten, die herrschten, auf der Bühne nichts wissen. Doch da nun wieder inzwischen ganz andere Taschenmesser aufgeklappt worden sind als jene, die der Autor meinte und das Publikum belachte, ist zwar gegen die erneute, nun schwerer wiegende Ahnungslosigkeit, das Stück von neuem zu starten – immer sieben Jahre nach einem Krieg scheint die Rechnung zu sein –, mit aller Deutlichkeit Stellung zu nehmen. Diesmal freilich mit dem Bewußtsein, daß es keine schützendere Mauer für die Angegriffenen gibt als eben gerade die Ahnungslosigkeit, die der Grund ihres Schreibens und Handelns ist. Doch verlieren wir über einen Fall keine Worte, der es gleichgültig macht, wie und von wem gespielt wurde, dessen kulturelle Kriminalität wichtiger ist als seine künstlerische und bei dem jedes Wort, das nicht ins Schwarze trifft, Vergeudung ist und daher auch in einer Richtung abgeschossen werden muß, die ein Ziel verspricht.

Daß dieses Stück nicht so sehr eine erotische denn eine geistige Zote ist, stellt eine Wahrheit dar, die zu sehen jenes Publikum kaum fähig ist, das nur dann unruhig wird, wenn es Dinge hört, die ungemütlich sind, und nicht Dinge, wie bei Zuckmayer, an die es gerade dann denkt, wenn es gemütlich sein will. Auch vom Autor läßt sich eine solche Einsicht nicht erwarten, da er doch gerade diese urgemütliche Weltversöhnung durch Wein, wahre Lieb' und was man sonst noch im Volkston in Ligusterlauben und hinter der Scheune treibt, nur aus dem ehrlichen Grunde geschrieben hat und wieder aufführen läßt, weil er diese Menschen liebt – o welche Zeit, in der diese Liebe nicht mehr genügt! – und weil er an diesen Brei glaubt, in dem alles möglich ist und alles Platz findet, durch den sich ein jeder fressen muß, wenn er sich im Schlaraffenland Zuckmayers zur Ruhe legen will, auf dem sanftesten Ruhekissen, das sich denken läßt. Doch daß diese Erkenntnis auch nicht beim Schauspielhaus zu finden war, daß dieses im Verlauf der Jahre nicht etwas mehr Respekt vor dem «Stückelche Vieh» bekam, das in Gunderloch steckt, daß das Theater am Pfauen es offenbar nicht merkt, noch immer nicht, daß nicht so sehr die Schieber und Geschobenen dieses Stücks, sondern vor allem die Gunderlöcher Nazis wurden, deren Riesendummheit auch das goldigste Gemüt nicht gewachsen ist, daß es heute unmöglich wird, den Antisemitismus einerseits zu verurteilen, aber zugleich etwas Gottgegebenes als harmlos darzustellen, und daß einmal ein Herr Eismeier aller Zonen und Länder noch etwas ganz anderes abstechen wird denn eine Sau: Daß man dies dem Schauspielhaus *nicht* zutrauen kann, hätte *ich* ihm nicht zugetraut.

Es wird mir vorwerfen, ich nehme Zuckmayer zu ernst und mache aus ihm einen Fall, der er gar nicht sei. Zugegeben. Ich nehme ihn ernster, als das Schauspielhaus ihn nimmt, und ernster, als er sich selbst nimmt, und mache aus seinem Fall den der Menschheit. Das Theater bedeutet immer noch die Welt und folglich der «Fröhliche Weinberg» – auch dieses Stück – ein Welttheater. Was *dann* aus Gunderloch, Klärchen und Eismeier wird, und wie sie alle heißen, ist denn freilich ein Pech: der tiefste Grund jener unglücklichen Ereignisse, deren Beendigung sieben Jahre später die Uraufführung und Wiederaufführung eben des Stückes nach sich zieht, in denen sie vorkommen, auch wenn sie ihre Sache mutig anfangen, leicht anfangen, fröhlich anfangen. In solcher Sicht ist Zuckmayer vergrößert. Auch das ist richtig. Doch nur so kommt man ihm bei. Daß aber aus dem einst revolutionären Schauspielhaus mit der Zeit ein reaktionäres Theater wird, ist eine andere, auch traurige Angelegenheit.

Nach langem wieder ein wichtiger Abend, vielleicht der
wichtigste dieser traurigen Saison. Das Stück Strindbergs
ist bedeutend, bedeutender als irgendein zeitkritisches
Stück Ibsens, *gerade* weil Strindberg anders ist, es anders
macht. Die «Gespenstersonate» ist nicht eigentlich eine
Handlung, mehr eine Stimmung, so sehr Stimmung, daß
die Handlung dazu nicht ausreicht, daß zwei Handlungen,
zwei Ideen miteinander verwoben sind, mehr nacheinander
als ineinander: die gespenstische Tragödie des «Alten»,
des Richters, der gerichtet wird, und der vergebliche Versuch des Studenten, sich mit der bürgerlichen Gesellschaft
zu verbinden, das «Fräulein» zu heiraten. Die bürgerliche
Gesellschaft: Keine Frage, daß damit diese teils schon toten, teils nur verwesten Menschen im Hause des Obersten
gemeint sind, diese Gespenstergesellschaft mit ihrem Ge-
spenstersouper, ineinander verbissen, durcheinander ver-
schuldet, mit falschen Namen, falschen Titeln, falschen Berufen, die schweigen, weil sie einander kennen, die am
Abend in die «Walküre» gehen und deren schrecklichste
Gestalt in einem Wandschrank sitzt, halb Papagei, halb
Mumie [Traute Carlsen]. Es ist auch keine Frage, was der
große Dichter mit der Köchin meint, so sehr keine Frage,
daß der Sprengstoff dieses Stücks, seine Ungemütlichkeit
den mehr als gemütlichen, reaktionären Spielplan dieses
Winters über den Haufen rannte. Um so erfreulicher, um
so besser, daß dies auch von der Regie her und von den
Schauspielern aus geschah. Dieses kurze, so ganz und gar
nicht «gebaute» Kammerspiel, geschrieben um 1907, ist
eines jener Stücke, in welchen Strindberg nicht nur auf

der Bühne, sondern auch mit der Bühne dichtet. Die Bühne ist nicht von Anfang an da, als Schauplatz, sie *wird* im Verlaufe der Handlungen, Gespräche, Erscheinungen, sie füllt sich, verwandelt sich, und wenn auch Leonard Steckel, der Regisseur, die Dinge naturgemäß sicher abstrakter wiedergab, als sich dies Strindberg um die Jahrhundertwende denken konnte [der am Schlusse die Toteninsel Böcklins erscheinen läßt], so liegt doch jede Abstraktion Steckels schon in diesem Stück, ebenso wie die Möglichkeit des Bühnenbilds, die Teo Otto gab, in welchem, besser, durch welches die Menschen und die Gegenstände auf gleiche Weise vermodern und durchsichtig werden. Doch dies nicht grau in grau, sondern in allen jenen Farben, die auch bei der Verwesung anzutreffen sind: bei farbigen Käfern, bei einem leuchtenden Stoffetzen usw. So wurde es denn auch deutlich, *was* an diesem Strindberg erregt, diese bedrückende Fähigkeit, seine Gestalten ins Mythische wachsen zu lassen, Weltinnenraum zu werden, «zu den Müttern hinabzusteigen».

Die Schauspieler: Wenn auch der sympathische und ohne Zweifel so begabte Peer Schmidt nicht eben für seine Rolle geeignet war, so gab es dafür daneben die großen Leistungen Walter Richters, Traute Carlsens und Gisela Matthisents, die wiederzusehen man sich freute und die es im dritten Akt wirklich nicht leicht hatte. Der Grund, weshalb hier Strindberg verunglückte, mag vielleicht daran liegen, daß er in diesem Drama eine Technik anwendet, die, vollendet, nur im Einakter möglich ist. Dann bot Richter vor allem, als riesenhafter, gelähmter, achtzigjähriger Direktor Hummel, wohl die aufregendste, die dichterischste Gestalt dieses Winters. Er und die ihm ebenbürtige Traute Carlsen bewiesen, was im Schauspielhaus immer noch möglich ist und öfter möglich sein sollte.

Bevor man zwischen der deutschen Aufführung des «Richard des Zweiten» und der französischen des «Hamlet» Vergleiche zu ziehen beginnt [bevor man einer Versuchung nachgibt, die nur allzu schnell zu der billigen Meinung führen könnte, die Deutschen seien wieder einmal tiefer und die Franzosen wieder einmal formvollendeter gewesen], muß bedacht werden, daß beide Aufführungen, jene des Schauspielhauses und, am folgenden Abend, jene der Truppe Madeleine Renaud-Jean-Louis Barrault, zwar einen Shakespeare wiedergaben und insofern das gleiche wagten, aber, da sie nicht dasselbe Stück spielten, schon aus diesem Grunde nicht das gleiche tun konnten. Wenn auch auf den ersten, flüchtigen Blick hin der unglückliche König Richard der Zweite mit dem nicht minder unglücklichen Prinzen von Dänemark viel Gemeinsames hat, so entfernen sich, schaut man näher, genauer hin, die beiden Gestalten so sehr voneinander, daß sie sich kaum mehr zu berühren scheinen. Das Gemeinsame der beiden erstaunlichen Dramen ist, daß sie sich ganz im Diesseits bewegen, aber vom Jenseits bewegt werden. Hamlet erfährt vom Geist seines Vaters das Verbrechen, welches er rächen muß, und König Richard ist von außen her, durch Gottes Gnade, zum König gesalbt, König daher noch, wenn er Unrecht tut, in Wahrheit unabsetzbar, auch wenn er sich aufgibt: nie ist die Gerechtigkeit der Welt größer als die Gerechtigkeit, die auch noch im Unrechttun dieses Königs liegt. Nicht nur Bolingbroke, der spätere Heinrich der Vierte, der Richard stürzt, wird schuldig, jeder in diesem Stück wird es. Die Ohnmacht der Mächtigen, schuldlos zu sein, macht ein Königtum notwendig, das «von Gott» eingesetzt ist, und gibt König Richard Recht: der politische Sinn dieses großen Stücks. Als schrecklicher Rächer Richards des Zweiten wird einmal Richard der Dritte erstehen. Richard ist der Gnade nicht gewachsen, die nicht von ihm weichen will [das ist das Rätselhafte]. Hamlet dagegen ist nun wohl etwas anderes, seine Verzweiflung eine andere, und nur vorsichtig wäre hier vielleicht festzustellen, daß Hamlet dort beginnt, wo Richard der Zweite endet.

Dies vorausgeschickt, darf gesagt werden, daß keine der beiden Aufführungen schlechter war denn die andere, daß aber die Fehler, welche sie nicht zu großen Aufführungen werden ließen, verschieden waren. Dabei war die Bühnenlösung an beiden Abenden glücklich: die Franzosen gingen von der Überlegung aus, daß vor allem ein schneller Ablauf für das Riesenstück zu erreichen war, um so mehr, da sie weniger strichen, als es sonst hierzulande üblich ist. Sie errichteten eine Bühne, die zur Hauptsache mit Vorhängen und der Beleuchtung arbeitete; wie sie das machten, war denn auch das eigentlich Größte an diesem Abend, der seinen Höhepunkt in der Erscheinung des Geistes fand. [Auffallend: die Beleuchtung änderte auch in den Szenen und wurde oft zu einem Medium, die Handlung gleichsam vorwärtszutreiben. Die Blumen, die Ophelia fallen ließ, blieben auf der Bühne, bis sie von den Totengräbern ins Grab geschaufelt wurden. Merkwürdig dann, wie schlecht oft die Kostüme waren, besonders im peinlichen Schluß.] Für Teo Otto stellte sich jedoch im «Richard» eine andere Aufgabe: dieses Bühnenstück verträgt in weit geringerem Maße eine Abstraktion als «Hamlet», der sich wie «Macbeth» oder der «König Lear» vor einem doch mehr mythischen

Hintergrund abspielt. Gerade im «Richard» durfte das Bühnenbild nicht zur Dekoration werden – wie es die Franzosen in «Hamlet» taten, wo das auch möglich ist –, sondern die Bühne muß sich hier in «Welt» verwandeln, ein Außen sein, nicht ein Innen. Daher denn auch das Farbige dieses Bühnenbildes, sein Reichtum, das unerschöpfliche Hinstellen immer neuer Räume und Wälder. Die gleiche Aufgabe hatten im «Richard» auch die Schauspieler. Wie sehr er König zu sein vermochte, war denn bei Will Quadflieg entscheidend: es gelang ihm eine bedeutende Leistung, noch nie haben wir ihn so sparsam mit seinen Mitteln umgehen sehen wie hier. Ginsberg als Bolingbroke war sein glücklicher Kontrast. Dann jedoch machten sich die Schwierigkeiten des Stücks bemerkbar, die Unmenge der Personen nicht allein, sondern auch ihre merkwürdige, für die Königsdramen manchmal typische Unprofiliertheit. [Ein Grund kann darin liegen, daß Shakespeare in den Königsdramen ein Epos dramatisch wiedergibt, so daß sich das «dramatische Zentrum» auch innerhalb der Stücke verlagert: zuerst ist Richard Mittelpunkt, dann Bolingbroke, und schon kündet sich Prinz Heinz an, eine Dramatik, unter der dann die Nebenpersonen leiden. Sie erhalten, da sie ihr Verhalten dauernd ändern müssen, keine eigentliche Gestalt.] Es wäre nun die Aufgabe gewesen, auch hier, wie das Bühnenbild es tat, eine «Welt» zu schaffen, doch mißlang dies der sorgfältigen Regie Hirschfelds [besonders verhängnisvoll war es, daß die Günstlinge Richards, die ihn doch verführten, nicht vorhanden waren, obgleich sie auf der Bühne standen]. Diese Aufgabe ist wohl von einem Dramaturgen kaum zu lösen.

Die Nebenrollen im «Hamlet» sind ungleich profilierter und deutlicher als im «Richard», doch ist Hamlet derart im Mittelpunkt, daß sie wieder nicht so wichtig werden. So waren denn verschiedene unglückliche Besetzungen nicht so störend wie im «Richard», alles lag in der französischen Aufführung auf Jean-Louis Barrault konzentriert. Die Frage war nur, inwieweit Barrault Hamlet sein konnte. [Eine andere Frage ist wieder, inwieweit Hamlet im Französischen, inwieweit er im Deutschen sein kann.] Lehrreich an seiner Regie war, wie deutlich er die Handlung darstellte – wie schwer ist doch oft der Ballast an Gefühl bei deutschen Aufführungen –, groß an seiner Darstellung alles, was sich durch die Bewegung ausdrücken läßt; sein Höhepunkt lag im Gefecht, sein Tiefpunkt, schien mir, in den Monologen; doch fiel er nicht auseinander, in einen guten und einen schlechten Barrault etwa, sondern seine Kunst war einmal ganz möglich und dann wieder unzureichend, aber immer dieselbe Kunst, derselbe Stil, ein Schatten, präzis, gespenstisch auf einer weißen Wand. Der Hamlet, der diesen Schatten warf, der sich wahnsinnig stellt, um seinen Vater zu rächen, war jedoch nicht vorhanden, – auch dies war gespenstisch, war das eigentlich Faszinierende.

AN DIE KRITIKER FRANKS DES FÜNFTEN
Münchner Rede 1963

Meine Damen und Herren,
Ich stehe vor einer etwas unangenehmen Aufgabe. Sie
verlangen von mir, daß ich als Autor vor Ihnen erscheine. Ich verstehe Ihren Wunsch, er ist leider nicht zu
erfüllen. Ich trete Ihnen heute nicht als Autor gegenüber, sondern als Kritiker. Als Kritiker meiner selbst
freilich. Entschuldigen Sie mich denn, meine Damen und
Herren, wenn ich hier in eigener Sache auftrete, entschuldigen Sie aber auch, meine Münchner Kritiker-
kollegen, daß Sie es unterließen, was ich nun an Ihrer
Stelle nicht unterlassen darf: Ich habe näher auf das
Stück einzugehen; an das Stück heranzugehen. Es muß
untersucht werden, was sich auf der Bühne ereignet. Das
Anstößige wird nicht dadurch anständig, daß ich pathetisch erkläre, es sei ein Mißverständnis, die Sterbeszene
des armen Prokuristen Böckmann sei nicht so gemeint,
usw. Ich weigere mich, als eine Art Wilhelm der Zweite
der Dramatiker aufzutreten, der das Anstößige nicht
wollte. Ich habe vielmehr nicht nur die Notwendigkeit
dieser Szene, sondern auch die Notwendigkeit ihrer An-
stößigkeit zu beweisen, denn ohne innere Notwendigkeit
wird Frank zu dem Bierulk, den die Kritik in ihm sieht.
Nun weiß ich natürlich, daß es strenge Beweise über den
Wert eines Theaterstücks nicht geben kann; daß ein Unternehmen dramaturgisch stimmt, sagt noch nichts aus.
Es kann auch *so* unsinnig sein. Doch liegt das Wesen der
Kritik nun einmal darin, daß sie begründete Urteile über

347

eine Sache abzugeben hat. Nachdenken wird leider zur Pflicht. Eine gewisse intellektuelle Anstrengung ist für den Kritiker obligatorisch. Der Autor muß ernst genommen werden, damit er beim Wort genommen werden kann. Der Kritiker muß sich unerbittlich einer Methode unterwerfen, auch wenn sie unbequem ist. Er muß das Spiel des Autors gleichsam nachspielen. Nur so lassen sich die Spielzüge des Autors auch überdenken, nur so können sie als falsch oder als richtig erkannt werden. Der Kritiker hat seine Autorität von Fall zu Fall zu beweisen, er steht unter dem Gesetz seines Berufs. Das ehrliche und notwendige Duell zwischen dem Kritiker und dem Autor hat sich auf dem Felde abzuspielen, das durch das Stück abgesteckt ist, um das es geht, sonst wird Kritik dilettantisch. In einer Münchner Zeitung schreiben zu dürfen oder gar Berliner zu sein, ist allein noch kein Beweis, vom Theater auch etwas zu verstehen und auch nicht ein Freipaß, vom Nachdenken dispensiert zu sein. Sogar verreißen muß man können.

Dies als Einleitung. Das Stück «Frank der Fünfte» handelt von der schwächlichen Herrschaft eines Direktors über eine Privatbank, von seinem Tod und von der Übernahme des Geschäfts durch seinen Sohn. Es ist die Geschichte eines Kollektivs. Die Methode dieser Privatbank ist Gangsterei, sie stammt noch aus der guten alten Zeit und ist zwangsläufig übernommen, das schlimme Erbe frettet sich weiter, die Gaunereien der Väter erzwingen die Gaunereien der Söhne. Ein Kollektiv wird radikal ins Schiefe gedreht, die Beziehungen unter den Menschen werden an sich bedrohlich, die Werte verwandeln sich in ihr Gegenteil. Inwiefern? Nehmen wir an, die Franksche Privatbank stelle ein Piratenschiff dar, das eben ein Goldschiff ausgeplündert hat und nun mit

Goldbarren beladen dahinsegelt. Nun beginnt das Schiff zu sinken. Nur *ein* Rettungsboot ist vorhanden. Die Besatzung des Schiffes kann sich nur retten, wenn sie auf die Rettung der Goldbarren verzichtet. «Was du erworben, gib's auf, sonst sind wir verloren.» Der Versuch der Angehörigen der Frankschen Privatbank, in die Anständigkeit hinüberzuwechseln, stellt den hoffnungslosen Versuch dar, sich mit der Beute in Sicherheit zu bringen. Die Anständigkeit bleibt unter diesen Umständen ein Phantom. «Anständigkeit, Anständigkeit, Traum des Lebens, deiner harren wir vergebens», singen die Verbrecher im Kampf um den Tresor, im Versuch eines jeden, seine Beute zu sichern. Nun stellt jedoch das Franksche Familienunternehmen nicht nur eine verbrecherische Privatbank dar, sondern weist auch demokratische Züge auf. Die Frage nach der Freiheit innerhalb einer Gangsterdemokratie stellt sich. Sie ist leicht zu beantworten. Die Freiheit schwächt diese Bank endgültig. Die Tatsache, daß jeder einen Nachschlüssel zum Tresor besitzt und die gemeinsame Kasse geplündert hat, macht die Bank hilflos. Der Erpresser hat leichtes Spiel, weil ein jeder einem jeden mißtraut. Die Freiheit wird lebensgefährlich.

«Die Freiheit ist schön, ach, das wissen wir alle,
Doch willst du sie greifen, vergeht sie im Nu;
Denn wer am Speck sitzt, sitzt in der Falle,
Und willst du hinaus, klappt die Falle zu.»

Daß ein führender deutscher Kritiker diesen Aufschrei der Bankleute als eine erschütternde Banalität bezeichnet, beweist seine erschütternde berufliche Ahnungslosigkeit. Er ist nicht imstande zu bemerken, daß damit nicht die Freiheit an sich, sondern die Unmöglichkeit der Freiheit innerhalb einer Verbrecherdemokratie gemeint ist. Die Freiheit kann nicht erschwindelt, sondern nur verdient werden. «Frank der Fünfte» ist nicht nur die Komödie der unberechtigten Hoffnung, sondern auch der unberechtigten Freiheit.

Nun ist aber die Franksche Privatbank in Wirklichkeit kein Staat, sondern ein Geschäft. Sie kann nur als Symbol eines Machtsystems verstanden werden, indirekt also, wie ja etwa auch wirkliche Banken Staaten im Staate darstellen. Als Geschäft aber ist sie der Frage nach ihrer Rentabilität ausgesetzt, vom Geschäftlichen her gesehen wird das Gaunern eine bloße Geschäftsmethode, die rentieren muß, soll sie einen Sinn haben. Die Frage nach der Rentabilität der Gaunerei stellt Frank der Sechste, ein gesunder Schurke mit Kopf. Die Antwort ist eindeutig: Das Gaunern rentiert leider nicht mehr, gehört ins Reich der Romantik, Ehrlichkeit muß aus rein geschäftlichen Gründen gefordert werden. Mit Frank dem Sechsten mündet das Stück in eine neue Wirklichkeit ein. Schulden sind auch ein Kapital, zuviel Morde erfordern Respekt. Man richtet nur die Kleinen hin und richtet sich mit den Großen ein. Im Primat des Wirtschaftlichen erstickt der Schrei nach Gerechtigkeit: «In fauler Gnade sind wir nun vereist. Die Strafe unterblieb, auch das Gericht, und die Gerechtigkeit rentierte nicht.» Dies alles, meine Damen und Herren, stellt die Welt dieser Komödie dar. Sie ist übertrieben, schurkisch, zugegeben. Wir wehren uns, dieser Welt anzugehören; wo wir nicht mitmachen können, bleiben wir kalt, diese Welt geht uns nichts an, es ist nicht unsere Sache, die auf der Bühne betrieben wird. Wir sind keine Verbrecher. Es muß daher etwas geschehen, das uns von der Bühne aus anspricht, unser Gewissen beunruhigt, uns anfällt, störend, quälend, etwas, das die Komödie zerstört, die Komödienwelt Frank des Fünften muß mit der Wirklichkeit konfrontiert werden. In der Katastrophe muß die Wahrheit sichtbar werden. «Es suchte uns, es wandte sich der Geist.» Frieda Fürst muß in ihrem Bräutigam ihren Mörder erkennen, Ottilie Frank in ihrer Tochter die Hure, Emil Böckmann muß sich von der Furcht einholen lassen; aber vor allem muß der Geist, der dazu benutzt wird, eine verbrecherische Wirklichkeit zu entschuldigen, mit dem Geiste konfrontiert werden, der diese Wirklichkeit nicht entschuldigt. Der verlogene Geist muß als Blasphemie erkennbar werden. Das ist nicht nur der Sinn, sondern auch die dramaturgische Notwendigkeit der Böckmann-Szene. Frank der Fünfte ist nur scheinbar die komischste Gestalt des Stücks, in Wirklichkeit ist er die fürchterlichste. Scheinbar ein bloßer schwacher Boß, der seine harten Ahnen bewundert, der sich durch und durch für gut hält, ein Pantoffelheld, der am Geiste leidet, indem er ihn genießt, der Gott für ganz von selber gnädig hält und, um eine neue Hure zu erhalten, betet; dieser Quatschkopf, der vom Weltenurgrund faselt, ist in Wirklichkeit eine Blasphemie, ein falscher Priester in jeder Beziehung, den nie die Ahnung erschütterte, daß Geist vielleicht bewiesen werden müsse, daß Geist keine Ausrede, sondern eine Forderung darstelle. Dieses Verbrechen muß deutlich gemacht werden, täuschen wir uns nicht, es geht uns alle an. Dem Menschen, der in seiner angeblichen Verzweiflung schwelgt, wird ein Mensch gegenübergestellt, den in seiner Todesstunde die Erkenntnis der wahren Freiheit des Menschen überfällt: «Wir waren frei, falscher Priester, in Freiheit erschaffen und der Freiheit überlassen. Es gibt kein Erbe, das nicht auszuschlagen wäre, und kein Verbrechen, das getan werden muß. » In der Böckmann-Szene stehen der unberechtigten Hoffnung, der unberechtigten Freiheit und dem unberechtigten Geiste die berechtigte Hoffnung, die berechtigte Freiheit und der berechtigte Geist gegenüber. Frank wird vernichtet, nicht Böckmann. Von dieser zentralen Szene aus ist «Frank der Fünfte» zu beurteilen, wird das ganze Stück durchsichtig. Wer mich hier beim Wort nimmt, zu dem wird das ganze Stück zu sprechen beginnen. Wer mich in dieser Szene nicht versteht, versteht mich überhaupt nicht. Meine Damen und Herren, das ist alles, was ich Ihnen zu sagen habe, doch meinen Kritikern noch folgendes: Jedes Stück hat sein Schicksal. «Frank der Fünfte» erleidet nun selber jenes seines Prokuristen. Auch er wird nun abgespritzt. Von Ihnen, meine Herren. Auch Ihr singt, statt nachzudenken. Und so bleibt denn am Schlusse dem Autor nichts anderes übrig, als wie Böckmann auszurufen: «Gott! Errette mich aus den Händen meiner Freunde. »

ANHANG

I An Stelle eines Porträts

Vom Anfang her. Geleitwort zur Platte «Herkules und der Stall des Augias», vom Autor gelesen. Deutsche Grammophon-Gesellschaft, 1957.
Dokument. Manuskript, 1965.

II Der Schriftsteller in der Zeit

Zu den Teppichen von Angers. Zeitschrift «Du», Mai 1951.
Kunst. Manuskript, 1947–1948.
Fingerübungen zur Gegenwart. Manuskript, 1952.
Ansprache anläßlich der Verleihung des Kriegsblinden-Preises. 1957.
Schriftstellerei als Beruf. Vortrag im Studio Bern, 25. April 1956, teilweise umgearbeitet 1965.
Vom Sinn der Dichtung in unserer Zeit. Vortrag an der Tagung der Evangelischen Akademie für Rundfunk und Fernsehen, September 1956.
Autorenabend im Schauspielhaus Zürich. Ansprache, 25. Juni 1961.
«Der Rest ist Dank». Rede, gehalten im Schauspielhaus Zürich, anläßlich der Übergabe des Großen Preises der Schweizerischen Schillerstiftung, 4. Dezember 1960. Buchausgabe: Arche-Bücherei Nr. 331.
Die verhinderte Rede von Kiew. «Schweizer Illustrierte», 13. Juli 1964.
Einleitung zur «Panne». Originalausgabe: Verlag der Arche, 1956.
Sätze für Zeitgenossen. Manuskript, 1947–1948.
Trieb. Manuskript, 1951.
Hingeschriebenes. Manuskript, 1947–1948.

III Der Schriftsteller und das Theater

Theaterprobleme. Diese Schrift wurde nach dem Manuskript eines Vortrages gedruckt, den Friedrich Dürrenmatt im Herbst 1954 und Frühjahr 1955 in verschiedenen Städten der Schweiz und

354

Westdeutschlands gehalten hat. Buchausgabe: Arche-Bücherei Nr. 257/258.

Anmerkung zur Komödie. «Die Weltwoche», 22. Februar 1952 [um den Schlußsatz gekürzt, der wörtlich in die «Theaterprobleme» übernommen worden ist].

Etwas über die Kunst, Theaterstücke zu schreiben. «Die Weltwoche», 15. Juni 1951.

Die alte Wiener Volkskomödie. «Die Weltwoche», 2. April 1953.

Notizen. Für Kurt Hirschfeld. Aus «Theater-Wahrheit und Wirklichkeit». Freundesgabe zum 60. Geburtstag von Kurt Hirschfeld, 10. März 1962.

Schriftstellerei und Bühne. Manuskript, 1951.

Amerikanisches und europäisches Drama. Vortrag, gehalten in New York, 1960.

Teo Otto. Begleittext zur Ausstellung in Frankfurt am Main, 1964.

Gedanken vor einer neuen Aufführung. «Die Weltwoche», 12. April 1957.

Anmerkung I zu «Romulus». Sammelband «Komödien I», Verlag der Arche, 1957.

Anmerkung II zu «Romulus». Text für das Programmheft anläßlich der Uraufführung im Basler Stadttheater, 25. April 1949.

Anmerkung zu «Ein Engel kommt nach Babylon». Sammelband «Komödien I», Verlag der Arche, 1957.

Anmerkung zum «Besuch der alten Dame». Sammelband «Komödien I», Verlag der Arche, 1957.

Standortbestimmung zu «Frank V.». Buchausgabe: Verlag der Arche, 1960.

Die Richtlinien der Regie [«Frank V.»]. Text für das Bochumer Programmheft. Buchausgabe: Bochumer Fassung, Verlag der Arche, 1964.

21 Punkte zu den Physikern. Sammelband «Komödien II», Verlag der Arche, 1962.

Zum Tode Ernst Ginsbergs. Gedenkrede, gehalten im Schauspielhaus Zürich anläßlich der Gedenkfeier für Ernst Ginsberg, 7. Februar 1965.

Totenrede auf Kurt Hirschfeld. Gedenkrede, gehalten im Schauspielhaus Zürich anläßlich der Gedenkfeier für Kurt Hirschfeld, 15. November 1964.

Die Kleine Niederdorf-Oper. Von Walter Lesch und Paul Burkhard. «Die Weltwoche», 11. Januar 1952.

Schillers Wilhelm Tell. «Die Weltwoche», 25. Januar 1952.

Der Widerspenstigen Zähmung. «Die Weltwoche», 8. Februar 1952.

Offener Brief des Schriftstellers Friedrich Dürrenmatt an den Theaterkritiker Friedrich Dürrenmatt, Ferdinand Bruckners Pyrrhus und Andromache betreffend. «Die Weltwoche», 22. Februar 1952.

Weh dem, der lügt. «Die Weltwoche», 14. März 1952.

Liebe, Freundespflicht und Redlichkeit. Komödie von Medrano. «Die Weltwoche», 25. April 1952.

Der fröhliche Weinberg. Von Carl Zuckmayer. «Die Weltwoche», 9. Mai 1952.

Gespenstersonate. Kammerspiel von Strindberg. «Die Weltwoche», 23. Mai 1952.

Zweimal Shakespeare. Zu zwei Aufführungen im Rahmen der Juni-Festspiele. «Die Weltwoche», 13. Juni 1952.

An Stelle eines Nachwortes

An die Kritiker Franks des Fünften. Münchner Rede, 1963.